Byczki w pomidorach

Joanna
Chmielewska

Byczki w pomidorach

KLIN

Redakcja: *Jan Kożbiel*
Korekta: *Ewa Kłosiewicz*
Projekt okładki: *Sophie Kuhn*
Zdjęcie autorki: *Witold Gawliński*

ISBN 978-83-62136-03-2

Wydanie I
Wydawnictwo Klin
Warszawa, ul. Bruzdowa 117H
tel. +48 501 686 786
fax +48-22-885-19-53
e-mail: m.g.klin@op.pl
www.wydawnictwoklin.pl

Alicja wyszła nagle na taras z jakąś kartką w ręku.

Któryś kolejny raz w życiu paliłam w jej ogrodzie suche gałęzie i liście. Spojrzałam na nią i doznałam okropnego uczucia *déjà vu*. Widły, którymi podgarniałam paliwo, znieruchomiały mi w ręku.

Rany boskie, już tak kiedyś było! Nie tak znów dawno, parę lat temu zaledwie, kiedy po jej domu i okolicy poniewierały się te czerwone trupy... no, nie wszystko trupy i nie tak całkiem czerwone... a, ganc pomada... też wyszła na taras z identyczną kartką w ręku, w dodatku również paliłam ognisko, i zapytała mnie... zaraz... o ciumcianie...

– Słuchaj – powiedziała teraz z irytacją, zatrzymując się na skraju tarasu. – Czy to jest jakaś klątwa? Czy ja już nigdy w życiu nie znajdę całego listu, tylko zawsze środek bez początku i końca?

Przeraziła mnie myśl, że *déjà vu* się pogłębia i że nade mną też wisi klątwa, a już zamigotała mi nadzieja, bo tym razem miałam w ręku widły, poprzednio zaś jakiś przypadkowy drąg, tymczasem chała, nadzieja uciekła z krzykiem. Spróbowałam zastanowić się, wsparta na widłach, zapomniałam, że mają za krótki trzonek i tylko cudem zdołałam nie wpaść łbem do ogniska, identycznie jak poprzednio, chociaż teraz właściwie już mogłam wpadać, bo nie miałam na głowie peruki, więc strata finansowa żadna. Pewnie dlatego nie wpadłam.

Wsparłam się na widłach inaczej.

– Pojedynczo znalazłaś? Jedną sztukę? Też kretyńskiej treści?

– Nie wiem. Chyba też, ale inaczej. Bez ćlamanych brzuszków. To rosochate z prawej strony jeszcze zostawiłaś.

– Nie zostawiłam, tylko mam je na deser.

– A nie wolisz na deser sałatki z kartofli? Albo tej twojej ukochanej ryby?

– Kupiłaś rybę? – ucieszyłam się. – Czekaj, idę do tej lektury, tylko tu dołożę.

Alicja mnie nie poganiała. Spojrzała na starą jabłoń, którą miała przed nosem, kartkę odłożyła na stół ogrodowy i zaczęła oglądać w skupieniu kawałek odstającej kory na grubym konarze. Jabłoń była starsza niż dom i przyczyniała ustawicznej troski, nie cierpiałam jej, bo bez przerwy siała rozmaitymi paprochami, gałęzie robiły wrażenie, że trzymają się tylko na słowo honoru, a w dodatku co roku w obfitości leciały z niej jabłka do niczego. Niejadalne. Nadawały się tylko na kompot i może jakieś przetwory, szybko gniły i musiałam je zbierać. No nie, nie musiałam, zbierałam wyłącznie z elementarnej przyzwoitości, niechętnie, niedbale i raczej niezbyt skrupulatnie. Nie cierpiałam tego zajęcia jeszcze bardziej niż jabłoni.

Wybrałam stosowne kawałki do podtrzymania ognia, omijając, rzecz jasna, deserowe rosochate, dorzuciłam, podgarnęłam, wbiłam widły w ziemię i ruszyłam ku tarasowi.

Nie miałam daleko, wszystkiego raptem z piętnaście metrów, nie paliłam przecież ogniska w zbitym gąszczu pod nosem sąsiada, a tym bardziej w zwartym kołtunie pokrzyw, musiałam mieć trochę luzu nad głową, żeby nie puścić z dymem całej miejscowości. Mimo niewielkiej odległości jednakże zdążyły przelecieć po mnie skojarzenia tak liczne i osobliwe, że mnie samą niemal wprawiły w podziw. Nie usiłowałam ich rozplątywać, chociaż w gruncie rzeczy tym razem przyjechałam do Birkerød z nadzieją uporządkowania właśnie skomplikowanych węzłów uczuciowych. Przydałby mi się Aleksander Macedoński, ale mogła go zastąpić Alicja, nawet bez miecza.

– Zapomniałam ci powiedzieć, że ostatnio zaczynam chodzić z moim mężem – powiadomiłam ją, sięgając po papierosy.

– Ona chyba jednak ma te takie – odparła z troską. – Nie pamiętam nazwy, muszę sprawdzić. Nie korniki. Nie rozumiem, co powiedziałaś.

– Powiedziałam, że chodzę z moim mężem – powtórzyłam uprzejmie i usiadłam na fotelu ogrodowym półgębkiem.

I natychmiast uświadomiłam sobie, że wcale nie półgębkiem, nic z tych rzeczy. Półgębkiem oznacza w zasadzie, omijając generalnie istnienie gęby jako takiej, że siada się połową tyłka, jakby bokiem. A tu nic podobnego, o żadnych asymetriach mowy nie ma, połową, tak, ale równo, bez wykrzywiań. To jak? Półtyłkiem? Do bani. Półpośladkiem? Ciągle to samo, siadalny fragment anatomii jest wykonany poniekąd równo, przynajmniej od strony zewnętrznej, półgębkiem siadał dziewiętnastowieczny amant i jeszcze mu jedno kolano nad samą podłogą zwisało, natomiast, o...! Student! Ubogi student, korepetytor, potraktowany grzecznie, ośmielał się usiąść na skraju fotela, prawie na kości ogonowej. I to było to!

No i proszę. Obyczaje się zmieniły, a język za nimi nie nadążył.

Alicji fotele, niestety, wymagały albo półgębka z kością ogonową, albo pozycji półleżącej, dla mnie nieznośnej, i już sama nie wiedziałam, co gorsze. Wybrałam jednak półgębek, ograniczając niewygodę na ile się dało.

Alicja naderwała większy kawałek odstającej kory z bogatym życiem wewnętrznym.

– Nadal nie rozumiem. Powiedziałaś, że chodzisz ze swoim mężem. W jakim sensie? Do pracy? Na te, jak im tam, marsze jesienne?

– Zwariowałaś. W zwyczajnym sensie, tak, jak to się mówiło, że o, ona z nim chodzi. Albo ten kretyn chodzi z twoją siostrą. Albo twoja sekretarka chodzi z tym palantem, który cię kantuje.

Alicja oglądała korę w takim skupieniu, że aż zdjęła okulary.

– Dwa rodzaje widzę, jedne białe, a drugie takie brązowawe. Chyba będę musiała znaleźć lupę. To ostatnie rozumiem, mam wrażenie, najlepiej, z tym, że chodzenie oznaczało zazwyczaj po prostu sypianie ze sobą. Sypiasz ze swoim mężem?

– Gdyby nie fakt, że od dziewięciu lat jesteśmy rozwiedzeni, nie byłoby w tym w końcu nic dziwnego. Ale nie, nie sypiam. Natomiast możliwe jest, że wyjdziemy za mąż.

Siedziałam spokojnie na tym swoim półogoniu, paliłam papierosa, fotel był stabilny, nie groziło mi żadne zachwianie równowagi. Alicja jednakże stała na kawałku małego krawężnika, nieco ruchliwego, jedną ręką trzymała się grubej gałęzi, a drugą przytykała do twarzy naderwaną korę. Zazwyczaj była zręczna, rozmaite ćwiczenia akrobatyczne stanowiły dla niej małe piwo, ale tu czegoś nagromadziło się zbyt wiele. Szarpnięciem do reszty urwała oglądaną korę i kropnęła do tyłu, na szczęście wprost na przeciwległy fotel, trochę skosem stojący i możliwe, że usiadło jej się na nim nieco zbyt głęboko. Ale poduszka tam leżała. Dziwne. Podłożyła ją chyba ręka opatrzności, bo poduszki na ogrodowych fotelach pojawiały się rzadko.

– Wstrząsnęłaś mną – rzekła z wyrzutem. – Znów nie rozumiem, co mówisz.

– Odreaguj – poradziłam. – Zrób cokolwiek przyjemnego i pomyśl o czym innym. Jak chcesz, mogę ci przynieść kawy.

– Chcę.

Kiedy wróciłam z kuchni z kawą dla Alicji i piwem dla siebie, oderwany kawał kory leżał na stole wklęsłą stroną do dołu i wypukłą do góry, obok tajemniczego listu bez początku i końca, Alicja zaś, Bóg wie, który raz, ustawiała do pionu poprzewracane ostatnim wiatrem fuksje. Udało jej się ustawić dwie. Odwróciłam korę górą do dołu, czy tam odwrotnie, bo wizja robaczków zasiedlających teraz stół nie obudziła we mnie entuzjazmu.

Alicja poczuła woń kawy i dała spokój przyrodzie.

– Mimo całej inteligencji, do jakiej się poczuwam, wolałabym jednak, żebyś mi to wyjaśniła przystępniej. Ty wyjdziesz za mąż, dziwić się mogę, ale rozumiem. Ale jakim cudem wyjdzie za mąż twój mąż? On chyba jest mężczyzną?

– Wnioskując z dwojga dzieci, nadzwyczajnie do niego podobnych, raczej tak.

– To jak?

– Co jak?

– Jak może wyjść za mąż? Jako pederasta?

– Jaki znowu pederasta, on się brzydzi… A…! Rozumiem, to moja wina. Treść się poniekąd zgadza, tylko forma mi umknęła. Miałam na myśli, że zawrzemy kolejny związek małżeński.

– Kolejny, to znaczy który?

– Trzeci. To znaczy… zaraz, bo nie wiem, o co pytasz, o niego, czy o mnie? Dla niego byłby to czwarty, ale dla mnie trzeci.

– Jakoś dziwnie nieregularnie wam to wychodzi – skrytykowała Alicja z niesmakiem po chwili namysłu. – Należało uszanować symetrię. A w ogóle to lęgnie mi się problemik i zamierzam go z tobą przedyskutować.

Siedziała już w tym fotelu z poduszką i w skupieniu oglądała kawałek jakiegoś patyczka. Problemik zaciekawił mnie od razu, bo coś w nim zadźwięczało, ale tknięta przeczuciem, spojrzałam w głąb ogrodu i wystrzeliłam ze swojego miejsca.

Nie było potrzeby tak się śpieszyć, nawet gdyby mi to cholerne ognisko zgasło, rozpaliłabym je na nowo w dwie minuty, piromańskie geny lecą w mojej rodzinie przez pokolenia. Ale ogólnie już mi się opał kończył, reszta rosła na wale i należało ją wycinać, potem powinna trochę przeschnąć, nie chciało mi się teraz, rozmowa z Alicją znienacka nabrała rumieńców, postanowiłam zakończyć ognistą zabawę. Z czułością wrzuciłam na resztki rosochaty deser i ponownie wbiłam widły w ziemię. Następnie wyciągnęłam je i na bazie znajomości życia zdecydowałam się od razu zanieść narzędzie do składziku. Nie takie rzeczy już w tym domu ginęły.

– Zaraz świnie będą gryzły – westchnęła Alicja z goryczą, kiedy umyłam ręce i wyjrzałam na tarasik. – Ja wracam do domu, a ty jak uważasz.

– Do własnego domu mam niezły kawałek drogi, więc pozwolisz, że wrócę do twojego? Zabierzmy rzeczy do salonu.

Gryzące świnie nie zdziwiły mnie wcale, odgadłam, że to wdzięczne miano zyskały aktualnie komary, lżone rozmaitymi inwektywami. Zasługiwały na nie w pełni, ponieważ obdarzały panią włości wyjątkowym zainteresowaniem.

Oprócz przedmiotów normalnych Alicja zabrała do domu także ową korę z jabłoni i położyła ją na wolnym końcu stołu. Zwróciłam jej delikatnie uwagę, że w razie gdyby robaczki wyleciały, od tekowego drewna trudno je będzie odróżnić, szczególnie te brązowawe, zgodziła się zatem podłożyć pod spód żółtą papierową serwetkę. Doznałam ukojenia.

Posiłek nie przeszkadzał w rozmowie, kora też nie. Zrozumiałam, nieco mgliście, ale jednak, drogę moich skojarzeń i uznałam, że wystartowały przy wybrakowanym liście. Powinno się go załatwić najszybciej i bezproblemowo.

– Nie pamiętasz przypadkiem, które kawałki znalazłaś przy Bobusiu? – spytałam, siadając przy stole. – Koniec był, to wiem, ale czego brakowało? Początku czy środka?

– Gdyby był początek, od razu wiedziałybyśmy, do kogo. Zdawało mi się, że miałaś jeść rybę. Widzę przed tobą pusty talerz. Czy do tego stopnia wzrok mi się zepsuł?

– Nie obiecywałam, że będę jadła zamrożoną i na surowo, leży na patelni i masz ją za plecami. Powinnaś czuć węchem.

Alicja obejrzała się, kropiąc dressingiem trochę obok sałaty.

– A, możliwe...

– Ponadto początek o niczym nie świadczy – ciągnęłam. – Dużo ci przyjdzie z czegoś takiego, jak na przykład Najdroższe Moje Kochanie. Albo: Pączusiątko jedyne. Albo: Zwierzaczku dziki, ukochany. Albo: Płomieniu Serca mego. Albo...

– Zwariowałaś?

– Nie, podaję ci przykłady. Płeć z tego nie do odgadnięcia, nie wspominając o personaliach.

– Skąd ci się to bierze? Jakieś wirusy latają u mnie w ogrodzie? Może już nie pal tego ognia...

– To nie z ognia, to z życia. Jeszcze gorsze kretyństwa ludzie do siebie pisują, a jeśli tam było na przykład Brzusiątko moje, nawet byś się nie zdziwiła dalszym ciągiem. Ponadto autora odgadłyśmy dopiero przy ostatniej stronie, Kika była podpisana.

– No może... Wszystko jedno, czyje to brzusiątko, dobrze, że ja od byle czego nie tracę apetytu. Zdaje się, że teraz czuję twoją rybę. No więc dobrze, początku nie wykluczam, chociaż wydaje mi się, że takie dzikie, zwierzęce pączusie bym zapamiętała. Ale środek jednak jest inny, do ćlamań... nie... co to było...? A, do ciumciań nie pasuje.

– W takim razie możliwe, że znalazłaś teraz jakiś inny środek – zaopiniowałam, siadając znów przy stole po przewróceniu ryby. – Zaraz ją zjem i będzie z głowy, denerwuje mnie to pilnowanie patelni. Ale teraz tak myślę... Czy ja cię przypadkiem wtedy nie oszukałam...

– W jakim sensie? – zainteresowała się gwałtownie Alicja i obejrzała pustą filiżaneczkę po kawie.

– Siebie też... Bo wcale nie jest niemożliwe, że mógłby do mnie pisywać kretyn...

Po dłuższej chwili milczenia Alicja dokonała odkrycia.

– Myślę, że w każdym wypadku zauważyłabyś obecność kretyna obok siebie?

– Nie. Zakochawszy się, nie od razu.

– Ale obecny przy boku kretyn, taki fizycznie obecny, chyba nie pisuje?

– Zależy od rozmiaru kretyństwa. Gdyby jednak pisywał, zauważyłabym szybciej. Tylko że ja niczego nie wyrzucam, więc te poetyczne wypociny gdzieś by mi się poniewierały, a na nic takiego jakoś nie trafiłam. Ale mimo wszystko sformułowanie jako takie czymś niesympatycznym w duszy mi pika.

Alicja ponownie zajrzała do pustej filiżaneczki, nie można było zaglądać bardziej, i uczyniła początek gestu podnoszenia się z krzesła. Nie, nie początek. Zaledwie zaranie. W tym samym momencie ryba powiedziała, że doszła.

Zerwałam się z wielką energią.

– Siedź, przytknę wodą, cztery minuty wytrzymasz. Sobie herbatę też.

– Przecież pijesz piwo... Ja ci, broń Boże, nie wymawiam!

– Jedno drugiemu nie przeszkadza, wiem, że nie wymawiasz. O, już szumi.

– Nie słyszę, twoja ryba pryska.

– Tu nie koncert. Za chwilę zobaczysz. Czy możemy wrócić do tematu, bo chciałabym się go pozbyć?

– A co jest tematem?

Zrobiłam wszystko równocześnie, bo byłam głodna. Wyrzuciłam rybę na talerz, wetknęłam patelnię pod kran, czajnik przytknął, nalałam Alicji wody do nowej filiżaneczki, nalałam sobie herbaty, usiadłam wreszcie przy stole i już byłam gotowa do dalszego ciągu dyskusji. Wiedziałam nawet, co chcę powiedzieć.

– Tematem, dla mnie zasadniczym, jest kretyn od symbolicznego ciumciania i zwracam ci uwagę, że zdobywam się w tej chwili na bohaterski ekshibicjonizm ekspiacyjny.

– Nie za bardzo skomplikowane, jak na jedną osobę? – wyraziła lekkie powątpiewanie Alicja, złagodniała pod wpływem kawy przed nosem. Rozpuszczalną kawę, rzecz oczywista, miała zawsze pod ręką, na półeczce, razem z nią zaś łyżeczkę i nawet cukier.

– Trudno, żebym się podzieliła na kilka sztuk dla przyjemności idioty. Przyjmij, że mam dużą pojemność.

– Może być. Przyjmuję.

– Wiedziałam, że mogę na ciebie liczyć. Uparłam się wtedy, że ciumcianie to nie ja, i może nawet miałam rację, a co najmniej uzasadnienie...

Alicja zaczynała słuchać z wyraźnym zainteresowaniem.

– O ile sobie przypominam... – zaczęła z namysłem. – Czekaj, sprawdzę w kalendarzyku...

Sięgnęła na półeczkę po kalendarzyk, również zagnieżdżony tam na stałe.

– Nie musisz. Przypomnę ci bez trudu. Spóźniłam się z przyjazdem do ciebie i nadziałam się na te wszystkie trupy tylko dlatego, że się zakochałam, to znaczy, tak mi się wydawało, i nie powiedziałam ci, kim on jest, ten mój blondyn życia. To znaczy, miałam nadzieję, że to jest właśnie mój blondyn życia.

– Zgadza się – przyświadczyła bezlitośnie Alicja, kartkująca mimo wszystko kalendarzyk. – Nie truj mi nadzieją, byłaś pewna.

– Z litości mogłabyś nie wypominać...

– W tej akurat dziedzinie, jak wiesz, nie mam litości...

I nagle jakby się potknęła. Zawahała. Było to tak niezwykłe, że na moment zapomniałam o sobie i zagapiłam się na nią, jakby znienacka zaczęły wyrastać jej na przykład skrzydła.

Wróciła do równowagi w mgnieniu oka.

– Byłaś pewna. Bardzo dobrze...

– Jak komu...

– I co?

– I przeleciały cztery latka. Prawie pięć. I jeśli rzeczywiście w tamtym czasie pewność rąbnęła mnie w ciemię...

– Rąbnęła – potwierdziła ta nieubłagana zołza twardo.

– Dobrze, że tę rybę z łakomstwa zdążyłam prawie całkiem pożreć, bo teraz stanęłaby mi kością w gardle. Ale masz rację, co ja poradzę.

– Ja zazwyczaj mam rację...

– Żebyś pękła!

– Nie chce mi się teraz. I co dalej? Bo mam wrażenie, że jesteśmy dopiero w połowie i jeśli opierasz się na skojarzeniach, całkiem nieźle ci idzie. Poza wszystkim, rozumiem, że zmierzamy do twojego męża?

Pomyślałam, że właściwie moglibyśmy rozmawiać oszczędnie, z każdego zdania wypowiadając tylko jedno słowo. Alicja łapała myśl, zanim jeszcze została ściśle sformułowana. Przyjrzałam się resztkom ryby na talerzu i po krótkim wahaniu zjadłam ją do końca. Nie będą mi jeszcze własne głupoty marnować takiej świetnej ryby!

– No więc właśnie. Owszem, połowę zalet posiada. Ale jak mi zaczęło nie grać od początku... w ówczesnej korespondencji sensacyjna treść wychodziła na prowadzenie... wmawiałam w siebie, że się mylę, ślepłam i głuchłam... chora krowa.

Alicja podniosła się od stołu z jakąś wyjątkową stanowczością.

– Znam życie – oznajmiła krótko i udała się w dalsze rejony salonu. Wróciła z wielką flachą koniaku, ledwie napoczętą, i dwoma kieliszkami. – Chory ssak powinien dostać lekarstwo. Krowa to ssak, ty również.

– Mam nadzieję, że też się poczuwasz...?

– A co, uważasz, że nie tknę tego rémy martin? Do takiego altruizmu jeszcze nie dorosłam.

– Piwo i koniak, mieszanina piorunująca. Wobec tego na razie odstawiam piwo. Otóż, żeby skrócić, prawie od początku zaczęłam się zastanawiać, z kim on, na litość boską, miał do czynienia, chodzi mi o poziom intelektu. Spytałam go kiedyś, ile ciężaru traci drewno po wysuszeniu, w porównaniu ze świeżym...

– A skąd on mógł to wiedzieć?

– Twierdził, że o drewnie wie wszystko, miał z nim do czynienia. Zaczął mnie informować o istnieniu tabliczki mnożenia, więc przerwałam mu i przypomniałam, że chodziłam kiedyś do szkoły. Z lekkim wysiłkiem przeskoczył wielki stopień szkolenia i powiadomił mnie, że świeże drewno ma soki...

– Wiśniowy, truskawkowy, pomarańczowy... – wymamrotała Alicja w głąb swojego kieliszka.

– Brzozowy – uzupełniłam zgodnie. – Znam go osobiście, piłam, całkiem niezły. Znów mu przerwałam i powiedziałam, że tyle sama wiem, świeże ma soki, wysuszone, po czterech latach, raczej już nie, i ciężar mu się zmienia. I właśnie pytam o ile, mniej więcej, pi razy oko. Na to rozpoczął wykład na temat gatunków, bo, rozumiesz, są drzewa iglaste, liściaste, liściaste też rozmaite, co innego lipa, co innego dąb…

– Co innego gwajak. Ty z nim jeszcze ciągle wytrzymujesz?

– No właśnie, już tak trochę nie całkiem. Co do drewna, które wypełniło mój dom po dziurki w nosie, wieczorem zorientowałam się, że wiem tyle samo co i przedtem, no więc sprawdziłam w encyklopedii, w dwóch różnych atlasach przyrody żywej i do tego jeszcze w starym katalogu materiałów budowlanych, chociaż cholernie mi się nie chciało, bo to ciężkie kobyły. Ale było mi potrzebne do pracy.

– No i ile? – zaciekawiła się Alicja.

– Różnie, jak które. Ale przeciętnie można uznać, że około dwadziestu procent. Może dwadzieścia pięć, a czasem tylko piętnaście. Zależy, w jakim stopniu było przedtem mokre.

– Teraz powinnaś wejść na męża. Logicznie tak mi się układa. Bo blondyn życia zaczyna być zrozumiały.

– Otóż to! Bardzo dobrze. I wreszcie skończyć z ciumcianiem!

Alicja obmacała stół w poszukiwaniu papierosów, skorzystałam z tego, wstawiłam talerz po rybie do zlewu i prawie tym samym gestem sięgnęłam po dwie nowe popielniczki. Alicja w roztargnieniu podsunęła mi używane, pełne, odstawiłam je na blat.

– Tym razem to nie jest ciumcianie – powiedziała po namyśle. – Ogólnie z twoim mężem się nie kojarzy?

Popukałam się w czoło.

– W takim razie ciumcianie usuwamy definitywnie. Gdzie ta środkowa strona, którą znalazłam? Ty ją zabrałaś z ogrodu czy ja?

Przez chwilę siedziałam w bezruchu i patrzyłam na nią, prawdopodobnie tępo, po czym podniosłam się, wyszłam na taras i od razu znalazłam na skraju trawnika kartkę, którą lekki powiewek z łatwością zwiał ze stołu. Silniejszy powiewek z równą łatwością uszczęśliwiłby nią ogród sąsiada. Chociaż nie, możliwe, że zatrzymałaby się na leszczynach przy ogrodzeniu.

– Po pierwszym deszczu miałabyś ją z głowy.

– Na razie nie zanosi się na deszcz. Idiotyczny papier, kto pisze listy na przebitce...

– Ja – przypomniałam jej. – Ale moje są na maszynie. I na wszelki wypadek staram się zmieścić na jednej kartce. Może i gęsto wychodzi, za to wyraźnie i trudno zgubić połowę.

Alicja pochwaliła mnie bez żadnego oporu i zagłębiła się w tekst.

– Zaczyna się od „więc błagam cię, przyjmij ich!", to znaczy ten dalszy ciąg tak brzmi, małą literą, chyba po przecinku. Osobiście dedukuję, że jest to osoba zaprzyjaźniona i nawet bliska...

– Ale chyba mało cię zna – przerwałam zgryźliwie. – A może sądzi według siebie.

Alicja zachowała kamienne opanowanie.

– ...ale, nie chcę przesądzać, jednak rozumu w niej nie widzę, bo proponuje rodzaj zamiany. Ja przyjmę tych jakichś, a ona za to do mnie nie przyjedzie, powstrzyma się taktownie, aż ją wyraźnie zaproszę. Jak, do cholery, mogę ją zaprosić, skoro nie wiem, kim jest... Ale ona go tak strasznie kocha i tak jej na nim zależy, i takie nieszczęście ją spotkało, że niech on z niej coś ma, żeby jej przypadkiem nie porzucił, bo ona zna mężczyzn... Proszę cię bardzo, przeczytaj sama i wyciągnij wnioski, bo nic nie rozumiem.

– Nieprawda – mruknęłam, biorąc od niej kartkę. – Wszystko rozumiesz, tylko ci się to nie podoba, więc nie chcesz rozumieć...

Alicja wzruszyła ramionami, sama zrobiła sobie kawę, a mnie po krótkim wahaniu dolała koniaku. Zapewne przypomniała sobie, że pracowałam kiedyś na budowie i taka rzecz, jak wysokoprocentowy alkohol, nie może stanowić dla mnie nowości.

Szczerze mówiąc, treść bez początku i końca mnie też nie bardzo się spodobała. Miłość buchała z niej w każdym zdaniu i między wierszami, zrozumiałam co prawda wszystko, ale wnętrze mi się skrzywiło. Wyszło, że jakaś ona obłędnie kocha jakiegoś jego, świetnie, każdemu wolno, on w uczuciach oporu nie stawia, ale jej czegoś brakuje, więc powinna nadrobić i osoba pisząca z całej siły jej w tym pomaga. Elementem rzędu nagrody Nobla, kopalni diamentów, lubczyku, transplantacji mózgu i trudno dociec czego tam jeszcze, ma być Alicja. „I na to strasznie nosem kręci" brzmiały ostatnie słowa, i żal, pretensja, uraza, waliły z nich potopem i lawiną. Ktoś, znaczy, nosem kręcił na sam pomysł.

Zaczęłam myśleć na głos.

– Kto to, na litość boską, może być? Znam twoich przyjaciół, ale w ograniczonym zakresie, ktoś z kraju, w grę wchodzą dwie osoby, druga nosem kręci, mają różne zdanie. Lubisz ich, musiałaś ich zapraszać...

– Bo co?

– Bo inaczej swojej powściągliwości nie traktowałaby jak czegoś w rodzaju wyrzeczenia. Poświęcenia. A może odwrotnie, nie chcesz ich, oni się pchają, zrezygnują, żebyś tylko przyjęła tych... rekomendowanych. Osoba jest głupia beznadziejnie, bo wiadomo, że przyjęłabyś każdego rodaka, który pętałby się u twoich drzwi. Kogo nie chcesz?

– Agaty – odparła bez sekundy namysłu Alicja. – Ale ona mieszka w Szwecji i albo jest pojedyncza, albo w cztery osoby.

– Odpada. W kraju. Dwie sztuki, jedna głupia, druga ma rozum...

Wahanie Alicji trzaskało po oczach. Miała kogoś na myśli i nie chciała tego powiedzieć. Ja też miałam kogoś na myśli.

– Mam cię zastąpić? – spytałam, zapewne cierpko.

– No...?

– Hania i Zbyszek. Żeby nie było nieporozumień – dodałam szybko. – Ja ich bardzo kocham, Zbyszek jest cudo, ale Hania w połowie jest głupia dennie.

– W której połowie? – zainteresowała się natychmiast Alicja.

– Jak by ci tu... Jako człowiek. Jako kobieta leci w czołówce. Kobieta jest odpoczynkiem wojownika. Kobiety są stworzone do ozdabiania życia mężczyznom. Kobieta jest lianą, która bez dębu nie żyje, oni kochają być dębem. Kobieta posiada instynkt jak każde zwierzę niższego rzędu. Kobieta ma być piękna i pachnąca... Mam ci cytować dalej? Hania spełnia to wszystko bezbłędnie. W dodatku świetnie gotuje.

– Właśnie zaczęło mi się coś robić. Drugiej połowy wyjaśniać nie musisz.

– Do tego mają dobre serce i rozumieją miłość. I aprobują w upojeniu – dołożyłam.

Alicja rozejrzała się po stole i dolała sobie koniaku. Podsunęła mi butelkę. Zastanowiłam się i dolałam sobie jeszcze trochę. Gdyby okazało się, że trafiłam, mogłabym być dumna z siebie.

Zbyszek był dziennikarzem wykształconym politechnicznie, jeździł po świecie jako korespondent rozmaitych czasopism, naszych i zagranicznych, zajmował się takimi rzeczami jak most wiszący gdzieś tam, kolej powietrzna w Japonii, drapacze chmur w Stanach, tama na Gangesie, za Ganges głowy bym nie dała, może to była Missisipi albo Amazonka, kraju też nie zaniedbywał, Hania natomiast... Wystarczy może powiedzieć, że bez względu na warunki geograficzne Zbyszek po pracy miał przed sobą talerz z pachnącym apetycznie pożywieniem, a tuż obok ciepłą kąpiel, suchy ręcznik i pełną słodyczy małżonkę. Hania przy tym, o pięć lat starsza od Alicji, wyglądała o piętnaście lat młodziej. Jak ona to robiła, nie wiadomo, zawodowo nie pracowała nigdy w życiu, zdobiła mężowi życie, a w dodatku miała dobre serce i była szczerze uczynna.

I właśnie jakoś tajemniczo głupia, bo poza wymienione osiągnięcia jej umysł nie wychodził. I bezgranicznie chciała, żeby wszyscy byli cudowni.

Alicją, która Zbyszka znała od matury, Hanię poznała później, szarpała rozterka, z jednej strony otoczony czułą opieką ślicznej żony Zbyszek miał obowiązek być szczęśliwy, z drugiej Hania, jako ten odpoczynek wojownika, wyjałowiona była z człowieczeństwa i lęgły się wątpliwości, co o niej myśleć i co z nią zrobić.

Alicja rzecz jasna nie robiła nic, znamienne było tylko, że nie pyskowała i nie czepiała się o żadne guziki Zbyszka ani koszule, może dlatego, że Zbyszek był dżentelmenem i choćby mu złe psy poszarpały całą garderobę, słowem by nie napomknął, w przeciwieństwie do szwajcarskiego Włodzia, Hania zaś odwalała robotę niezauważalnie i ze śpiewem na ustach. Gorzej, im więcej guzików, igieł i nici, im uciążliwsze posiłki, tym bardziej kusząco i ślicznie wyglądała. Wręcz jaśniała nieodpartym blaskiem, a Zbyszek, słowo daję, doceniał.

Alicja zatem trwała w rozterce, co nie przeszkadzało jej lubić ich bardzo i ustawicznie do siebie zapraszać. Raz udało im się skorzystać, było uroczo, później praca Zbyszka kolidowała z przyjemnościami, stali na zaproszeniu, i oto podejrzany list wprowadził dezorientację. Bez brzuszków i ciumciań, ale za to strzelający uczuciami.

Do licha, do Hani pasował.

Także do kręcenia nosem wściekle taktownego i powściągliwego Zbyszka...

– Czy ty nie mogłabyś jednak czytać korespondencji jakoś ciągiem, a nie kawałkami? – spytałam z lekkim wyrzutem.

– Mogłabym, umiem czytać, ale na pewno ktoś mi przeszkodził. Ale w ogóle co o tym myślisz? Bo to właśnie jest mój problemik, świeżo wylęgnięty. Te miłości... Lubię Hanię.

– Zadzwoniłabym do nich. Ryzyk-fizyk, może to nie oni, ale co szkodzi? Telefon tu stoi i działa.

– A jeśli nie? Głupio. Tobie mogę powiedzieć, nie mam ochoty rozgłaszać, że gubię listy i ogólnie jestem roztargniona.

Tak mną wstrząsnęła, że najpierw kompletnie skamieniałam, a potem zerwałam się z krzesła, natychmiast usiadłam z powrotem i kropnęłam sobie całą zawartość kieliszka do dna. I od razu dolałam drugie tyle.

– Czy ty naprawdę wyobrażasz sobie, że ktokolwiek na świecie jeszcze o tym nie wie? Na litość boską, skąd ci się biorą takie upiorne złudzenia?! Zgroza ogarnia!

– Przesadzasz – skarciła mnie Alicja, nie tracąc spokoju. – Mogą myśleć, że się mylą. W każdym razie wolę wykryć osobę drogą dedukcji. Podobno cenisz drogę dedukcji.

Zapewne pod wpływem wstrząsu nagle zrozumiałam jej wcześniejsze osobliwe potknięcie na tle litości dla głupich uczuć. Rzeczywiście nigdy czegoś takiego w sobie nie miała, głupie to głupie i tępić należy bezapelacyjnie, a tu hipotetyczna Hania wprowadziła dysonans. Ejże, o to chodziło!

Ze wstrętem popatrzyłam na koniak, którego nigdy nie lubiłam, znalazłam ciepłą wodę mineralną, bo zimnej nie było, i znów usiadłam przy stole.

– Ty się teraz nie mądrzyj i nie zaprzeczaj dla zasady – powiedziałam stanowczo. – Musiałaś tego listu czytać trochę więcej, jakieś kawałki w oko ci wpadły, dwa zdania na krzyż, a został środek. I te kawałki dziabnęły cię w ludzkie uczucia. Może od początku miałaś skojarzenie z Hanią... mówię MOŻE, zamknij gębę! Ja dla głupich uczuć mam zrozumienie i w tej akurat dziedzinie wyjątkowo jestem mądrzejsza od ciebie...

Alicja zrobiła coś takiego, co nadawało się chyba tylko na przedstawienie kukiełkowe, straszące dzieci przed snem. Zarżała jakoś przeraźliwie i potężnie, postarała się o wyszukanie okropny wyraz twarzy, podrzuciła zasobniczek z serwetkami śniadaniowymi, zwaliła z półeczki puszkę z kawą, na szczęście zakręconą, schyliła się, żeby ją podnieść, walnęła głową w szafkę z kompostem na wierzchu, zrzuciła kompostowe wiaderko, wróciła na krzesło i znów zarżała. Napiła się koniaku, dzięki czemu zdążyłam się odezwać.

– Nie mówię o praktyce, tylko o teorii! – wrzasnęłam. – Usuń mnie z racjonalnych rozważań! Streszczę! Wyszło ci, że jedna baba kocha jakiegoś i rozumie drugą babę, która jeszcze bardziej kocha jakiegoś innego, i błaga cię o pomoc dla tej drugiej baby!

– Możesz już tak nie krzyczeć – utemperowała mnie. – Skoro mam cię usunąć, do tego miejsca da się wytrzymać.

Odetchnęłam.

– I drgnęło w tobie takie jak przy depresji albo co. Gdyby chodziło o badania na kręgosłup, głuchotę, zęby albo rozmaite nerwice, nie wahałabyś się ani sekundy, ale tu bruździnęły uczucia, może ona w tę depresję wpada z miłości, o, upraszczam, nie truj, zachybotało tobą. No i co teraz?

– Może i rzeczywiście jesteś nie taka głupia, jak się wydaje – przyznała Alicja po namyśle. – Ale ciągle nie mam pojęcia, o kogo tu chodzi i kto napisał list. Hania, owszem, trzyma się w czołówce, ale zdaje się, że kompletnie zgubiłyśmy twojego męża?

– Nie szkodzi, znajdzie się, że nie on pisał, to pewne. Jak chcesz, mogę ja zadzwonić, powiem, że jestem u ciebie i temat sam jej wskoczy. Jeśli nie wskoczy, znaczy, że to nie ona.

Po namyśle Alicja wyraziła zgodę.

*

– Ach, naprawdę jesteś u Alicji? Ależ to cudownie! – ucieszyła się Hania. – Słuchaj, ja do niej wysłałam list, nie wiesz, czy ona go przeczytała?

– Przeczytała – zapewniłam Hanię solennie i bez żadnych wyrzutów sumienia, zachwycona naszym strzałem w dziesiątkę. – I nawet udało nam się podyskutować nad nim, ale trochę obok tematu, tak ogólnie.

– Ach, kochana, ja wiem, że wy nie plotkujecie, więc rozumiesz, ona jest taką wartościową kobietą i takie nieszczęście ją spotkało...

– Alicję? – zdumiałam się, zanim zdążyłam uświadomić sobie własne zidiocenie.

– Ależ nie, Julię!

– Tak, oczywiście... Ona Julia...? No właśnie, jakie nieszczęście?

– Jak to, nie napisałam o tym?

Może i napisała, ale pewnie na pierwszej stronie, która pozostała nam nieznana. Nie zamierzałam jej tego wyznać.

– Napisałaś, ale chyba trochę niedokładnie. Jak to było?

– Ach, straszne, potworne! Te dwa samochody, ona niewinna kompletnie, wpadły na nią, wszystko miała połamane, dosłownie wszystko! Żebra, cała miednica, nogi, to istny cud, że górna część ocalała, ręce, głowa... I kręgosłup, to cud, nie uszkodziło kręgosłupa i już wiadomo, że paraliż jej nie grozi, a obawiali się długo, to straszne, ileż cierpienia, pół roku się zrastało, musieli poprawiać, potem rehabilitacja, teraz już chyba może chodzić, ale nie wiadomo czy będzie mogła mieć dzieci, przez tę miednicę, a tak chcieli mieć dzieci, a ona go tak kocha, on ją też kocha, ale ona teraz się boi, że on się do niej zniechęci...

– Co to za jakiś? – przerwałam nieżyczliwie.

– Wspaniały, naprawdę wspaniały, nadzwyczajnie przystojny, ma szalone powodzenie, z ogromnym wykształceniem, humanista, poeta, krytyki i recenzje pisze, rozrywany...

Zbyszek nagle wyrwał Hani słuchawkę.

– Joanna? Witam. Megaloman, mitoman i bufon...

Hania odebrała mężowi słuchawkę.

– Ależ nie słuchaj, co on mówi, gdyby nie zajmował się zupełnie czym innym, myślałabym, że jest zazdrosny. A może jest?

– O ciebie każdy byłby – upewniłam ją grzecznie i nawet z przekonaniem.

– Dziękuję ci, kochana, krytykował mój pomysł, a mnie się wydawało, że ona wprawdzie już znów pracuje, ale o ileż mniej może, a on może, i teraz właśnie zawiera umowę wprost nadzwyczajną, więc ona się czuje jak kopciuszek, a sama wiesz, jak jest z wyjazdami zagranicznymi, więc gdyby to przez nią i dzięki niej mogli mieć lokal w Danii, nigdy nie byli w Danii, ona od razu poczułaby się ważniejsza i lepiej, bo on akurat nie ma żadnych takich znajomości, chociaż to jego ministerstwo załatwiło im paszporty...

Zbyszek znów zawładnął słuchawką.

– Bez sensu. Nie przez nią, tylko przez Hanię...

Hania była lepsza, walki o telefon wygrywała z łatwością.

– Ale tego nie należy im mówić, broń Boże! Ona już w ogóle czuje się lepiej, bo nas nie było, więc nie mamy wiadomości z ostatniej chwili, ale z pewnością po tylu rehabilitacjach musiało jej się poprawić. Nie wolno jej biegać po schodach i nosić ciężarów, więc od razu pomyślałam o Alicji, ani schodów, ani ciężarów, a my się poświęcimy, przelejemy na nich nasz pobyt, trudno...

Przerwałam jej w imieniu Alicji.

– Haniu, puknijcie się w głowę obydwoje, Alicja czeka na was od paru lat, mowy nie ma o żadnej zamianie! Przyjedziecie po prostu później, bo i tak teraz, od razu po powrocie skądś tam, byłoby dla was niewygodnie. Jedno z drugim nie ma nic wspólnego, a ona i tak, jak wiesz, przyjmuje wszystkich, szczególnie poszkodowanych. Już mówiła, że się zgodzi.

– Naprawdę? Taką miałam nadzieję, ona jest cudowna, cudowna...

Zbyszek zawładnął słuchawką.

– Ostrzegam cię, że wszystko, co słyszysz, to są pobożne życzenia mojej żony, ja mam same wątpliwości. Powiedz o tym Alicji. Świeżo wróciłem, ale to moja dziedzina, więc sprawdzę...

Słuchawka znów przeszła na Hanię.

– Oni przyjadą samochodem, uzgodnimy tu wszystko, tylko ta duńska wiza, ale to właśnie miejsce u Alicji, i zdążę chyba jeszcze raz do was zadzwonić? Nie zwracaj uwagi na Zbyszka, dziękuję wam, dziękuję z całego serca...

– On jest wodolej! – wrzasnął Zbyszek z boku. – Ostrzeż Alicję!

Nie musiałam ostrzegać ani w ogóle niczego powtarzać Alicji, ponieważ wyłoniła się właśnie z pokoju telewizyjnego z przenośną połową swojego telefonu w ręku. Odłożyła ją na stół salonowy, zamyślona.

– Mogłaś być tutaj i przynajmniej coś mi pokazywać – powiedziałam z wyrzutem.

– W zasadzie nie było potrzeby, chociaż czuję niedosyt. Czegoś mi tu zabrakło. Chcesz kawy?

– Wolę herbatę. Zrobię sobie. Przytyknij czajnikiem.

Wciąż zamyślona przeszła do kuchni, przytknęła czajnikiem, usiadła przy stole nad pustą filiżanką i zapaliła papierosa, wpatrzona w ogród za tarasem. Też mi czegoś brakowało, coś zostało zaniedbane, może przeze mnie. W ramach ekspiacji odwaliłam ciężkie prace kuchenne w postaci nalania wody do małej filiżanki i herbaty do trzy razy większej. Usiadłam naprzeciwko Alicji, co sprawiło, że przeniosła wzrok z ogrodu na mnie.

– Nie wiesz przypadkiem, jak ja ich mam położyć? Razem czy oddzielnie? Na dwóch łóżkach, czy na jednym? Jak się kładzie osobę połamaną i świeżo zrośniętą?

– Otóż to! – poparłam ją z ulgą. – Należało Hanię zapytać, bo też nie wiem. Tak mi brzęczało, że coś nie gra, nie wiedziałam co, i teraz się wreszcie uspokoiłam...

– I coś nam z tego przyjdzie? Doznamy jasnowidzenia?

– Nie, zadzwonimy do Hani ponownie, bo jeśli nawet ona zadzwoni, z pewnością zrobi to w ostatniej chwili, zbyt późno na hotelowe zabiegi. A na moje oko zabiegów trochę będzie.

Alicja wyglądała, jakby nie słuchała, co mówię. W zadumie spoglądała to na mnie, to w głąb ogrodu. Ogród, moim zdaniem, robił lepsze wrażenie.

– Wodolej... Skądś mi to znane... Ciekawe, dlaczego kojarzy mi się z twoim blondynem życia... Może wrócimy do twojego męża...

– On nie był wodolej, tylko zasadniczy – sprostowałam z naciskiem.

– Nie szkodzi. Ciągnie mnie, bo mam do niego niefart.

Zainteresowałam się ogromnie, skąd jej niefart, skoro go w ogóle nie znała.

– Z twojego gadania można go było poznać nieźle – wyjaśniła zjadliwie. – Chociaż na pewno przesadzałaś.

– Akurat – mruknęłam pod nosem.

Alicja wyjątkowo trwała przy zaplanowanym temacie.

– Ale osobiście rzeczywiście go nie znałam, raz widziałam z daleka i tyle, a przecież, kiedy się poznałyśmy, jeszcze go miałaś. I byłam ciekawa, co to za facet...

– Nic dziwnego – mruknęłam pod nosem.

Miała doskonały słuch, moje mruknięcia słyszała świetnie, ale reagowała na nie wybiórczo. Opsnęła się na chwilę ze swojego pantałyku.

– Dlaczego?

– Ciekawił cię pomyleniec, który ze mną wytrzymuje.

– Dlaczego? – powtórzyła z wielkim zdziwieniem. – Z tobą jest bardzo łatwo wytrzymać. Właściwie nie sprawiasz żadnych kłopotów, nie sprzątasz wcale, nie pchasz się do zmywania, na jedzeniu ci nie zależy, w ogóle nie jesteś drobiazgowa, rano nie latasz po domu i nie tryskasz wigorem, do niczego mnie nie zmuszasz, rozumiesz, co się do ciebie mówi... No, do lodówki zaglądasz. Ale przyznaję, że raczej krótko.

Rzuciłam okiem na lodówkę, znajdującą się przede mną, na końcu kuchni, koło okna.

– I nawet się nie czepiam, że w zamrażalniku moja ryba się nie mieści, bo leżą twoje filmy i klisze – zauważyłam cierpko.

– One muszą tam leżeć.

– Każdy ma prawo do własnego zdania.

– To dlaczego twój mąż miał nie wytrzymywać?

– Bo on sprzątał maniacko, był wściekle drobiazgowy, rano latał po domu i tryskał wigorem, a w nocy chciał spać i pyskował, że go walę po oczach jupiterem znad deski. A co miałam robić? Pracować w ciemnościach? Ale też rozumiał, co się do niego mówi.

– No właśnie. I coś w tym było, że chciałam go poznać. Ciągle rozumie?

– Wyobraź sobie, że ciągle. Chociaż mam wrażenie, że następne żony cofnęły go w rozwoju, ale teraz łatwo wraca. I nawet chętnie, widocznie znudziła mu się ta ariergarda. W ogóle teraz on mnie bawi i śmieszy bez żadnych gniotów i rozpaczy. A co do przesadzania, to przyjmij do wiadomości, że już po twoim wyjeździe był w biurze jakiś facet, nie pamiętam go dokładnie, który powiedział, że słyszał ode mnie różne rzeczy o moim mężu i uważał, że okropnie przesadzam, ostatnio zaś właśnie go poznał i bardzo mnie przeprasza za głupie posądzenie. Teraz uważa, że nadzwyczajnie łagodziłam.

– No, może. Trudno mi w to uwierzyć. W każdym razie popieram twój zamiar skojarzenia się z nim, bo może wtedy zdołam go poznać. Ale wodolej nie był?

– No coś ty! Prawie mogłabym się obrazić za taką wątpliwość, tylko mi się nie chce. Wodolejstwo jest dowodem braku inteligencji, a jemu w tej dziedzinie na pewno nic nie brakowało. W paru innych dziedzinach również nie.

– To skąd mi się wzięło skojarzenie...?

– Okrężną drogą nadleciało. Od Zbyszka.

W tym momencie szczęknęła furtka, brzęknęła wycieraczka przed drzwiami, drzwi nie musiały szczękać ani brzękać, bo i tak były uchylone, i z korzytarzyka wyłoniła się Marzena. Ucieszyłam się prawie tak samo jak Alicja.

Marzena była nabytkiem ostatnich lat, zaprzyjaźniły się z Alicją w mgnieniu oka i zacieśniały przyjaźń coraz bardziej. Mieszkała w Kopenhadze, miała duńskie obywatelstwo i niepojętym cudem znała duński język. Zapewne dzięki temu, że przed kilkoma laty poślubiła Duńczyka, Wernera. Własny wygląd zewnętrzny nie spędzał jej snu z powiek, bo Werner i tak ją kochał. Obydwoje zajmowali się muzyką, Werner fortepianem, a Marzenia harfą, i chyba grali w orkiestrze filharmonii, być może bywając w różnych miastach i krajach. Nie usiłowałam tego nigdy dociekać, bo i tak wszelka wiedza o dźwiękach stała u mnie na ostatnim miejscu i wystarczał mi w zupełności fakt, że Marzena stanowiła czyste złoto. Solidna jak skała, rzeczowa, rozsądna, pracowita, bystra i pełna humoru wymieszanego z ogólną radością życia. Alicję uwielbiała bez zastrzeżeń.

– Jak to dobrze, że przyszłaś, pomożesz nam rozwikłać problem – ogłosiła na powitanie Alicja. – Przy okazji napijemy się kawy.

Marzena rzuciła na podłogę obarczające ją toboły.

– A co, z kawą miałyście kłopoty? – zdziwiła się.

– Nie, ale już tak dawno wyszła...

– Piwka? – zaproponowałam.

– Niezła myśl. Przynieść z dziedzińca?

– Coś ty, zadołowałam w lodówce.

– Ciekawe, co wyrzuciłaś – mruknęła Alicja, przytykając czajnikiem. Nie chciała piwa, wolała kawę.

– Nic. Jedno mleko wyszło. Później pójdę do kupca.

Marzena sięgnęła po szklanki i usiadła przy stole. Nie kryła zaciekawienia.

– Jaki problem?

– Jak sypia osoba połamana i świeżo zrośnięta? Razem z chłopem czy oddzielnie?

– Osobiścieeee... – zastanowiła się rozwlekle – wolałabym chyba oddzielnie. Zresztą, zależy jaki chłop.

– Podobno nader piękny – powiedziałam zgryźliwie i postawiłam butelki na stole. – Wielbiony przez osobę.

– Wodolej – przypomniała Alicja, siadając nad swoją kawą.

Przez moment Marzena wydawała się zdezorientowana.

– Wodopój, wodomierz, wodołaz – wyliczyła niepewnie. – Coś z tego...? Możecie to trochę rozwinąć?

Z drobnymi trudnościami w postaci przerywniczków i dygresyjek wyjaśniłyśmy jej kwestię. Ogólnie nic nadzwyczajnego, goście u Alicji żadne dziwo, ale jeśli ma to być wizyta uzdrawiająca wszechstronnie...

– I jeśli w dodatku on dużo gada beztreściowo... – mruknęła Marzena. – Dlaczego do licha nie zadzwoniłyście od razu po uzupełnienie informacji?

– Bo inne tematy weszły nam w paradę. Ale mogę teraz. Alicja, mogę?

Alicja wzruszyła ramionami. Zadzwoniłam. Nie było nikogo, Hania i Zbyszek zdążyli wyjść z domu. Wrócić mogli nad ranem, spragnieni życia towarzyskiego po długiej nieobecności w kraju. Marzena przez ten czas usunęła ze stołu serwetkę z korą i robaczkami, na polecenie Alicji odkładając ją na blat kuchenny obok popielniczek i wiaderka z kompostem.

– Szkoda, że wyrzuciłaś katafalk! – westchnęłam z żalem. – Nie mógł sobie jeszcze postać? Teraz byłby jak znalazł.

– Tu akurat masz rację – przyznała Marzena. – I nawet jej pomagałam.

– Nie istnieje więcej moich teściowych – przypomniała nam grzecznie Alicja. – A gdyby miał czekać na mnie, mogłoby to trochę potrwać. Tyle czasu ma mi miejsce zawalać? Zamieniłam go na materace, ale jakie..! Poemat! Stoją w pionie, jak chcesz, możesz na nich pospać, sama bym spała, ale u mnie w pokoju się nie mieszczą. A jeśli ktoś potrzebuje twardej deski, to jest podłoga do dyspozycji.

– Twarda deska to na kręgosłup. A katafalk był dla wybrakowanych, którym szwankuje rozmaicie. No, razem by na nim nie spali, to pewne...

– Tylko trzeba było włazić po schodkach...

– Przestańcie, sprawa jest prosta – ucięła energicznie Marzena. – Gdzie ty śpisz? W ostatnim? Środkowy jest wolny. Łóżko można tam zrobić, niech będzie gotowe...

– Jest gotowe – wtrąciła spokojnie Alicja. – Tylko trzeba zabrać z niego ręczniki.

– Mogę to zrobić zaraz, wiem, gdzie trzymasz ręczniki. A na wszelki wypadek można zrobić także łóżko w pokoju telewizyjnym, oba, górne i dolne, w razie potrzeby wyciągnąć i z głowy. Chcą, niech mają razem w telewizyjnym, chcą odzielnie, mają w dwóch, gdzie problem?

– Ty jesteś bardzo mądra – pochwaliła Alicja. – W telewizyjnym dolne w ogóle jest prawie zrobione, wystarczy górne posprzątać.

– Można od razu – powiedziała Marzena, zrywając się z miejsca. – Ja ci pomogę...

*

– Wbrew ogólnej i twojej opinii ja wszystko pamiętam – powiadomiła mnie Alicja o świeżym poranku koło południa. – Wycinaj, wycinaj, te obok i tak się rozrosną, podobno lubisz drewno. Uciekł nam jeden temat.

Obejrzałam pień solidnego krzewu, rosnącego na wale, uznałam, że dam mu radę i przyjemność sprawiła mi myśl, że później będę mogła poodcinać mu gałęzie, popiłować w poprzek, a w końcu spalić. Rozszalała zieleń na wale Alicji wymagała przetrzebienia, spełniałam to wymaganie w upojeniu i po kawałeczku, bo całości jednym ciągiem w żaden sposób nie dałabym rady. I nawet wątpiłam, czy uporałby się z tym zawodowy ogrodnik.

Alicji na ciągłości nie zależało, kawałki też przyjmowała chętnie.

– Który temat? – spytałam, wtykając głowę w roślinność.

Alicja rozsądnie odczekała, aż wyjmę głowę, przestanę zgrzytać piłą i usłyszę, co się do mnie mówi. Nie nudziła się przez ten czas, w skupieniu oglądała szlachetną różę, zaszczepioną na dzikiej, względnie odwrotnie, dziką na szlachetnej.

– Przyjęła się – oceniła z zadowoleniem. – Popatrz, tu puszcza. Przejście z twojego supermena na męża, ciekawi mnie. Rozumiem, że jeszcze niedokonane?

– Jest w trakcie i w dodatku niepewne. Przypadek zadziałał. Czekaj, opowiem ci, tylko tu jeszcze trochę podpiłuję i już się złamie.

– Tylko nie na różę!

– To odsuń się, muszę z drugiej strony.

Po paru kolejnych zgrzytnięciach pień odłamał się z trzaskiem i zwalił, przygniatając zaledwie trzy hosty. Wspólnymi siłami przewlokłyśmy go na odpowiedniejsze miejsce, dziabnęłam jeszcze cztery gałęzie i resztę zdecydowałam się chwilowo zostawić w spokoju.

– Strasznie dawno nie piłyśmy kawy – przypomniała sobie Alicja.

Siedząc już w salonie, bo przed odpoczynkiem na fotelu ogrodowym cofnęłam się stanowczo, co Alicja, z racji gryzących świń, natychmiast zaaprobowała, kontynuowałam temat.

Z niesmakiem.

– Korespondencja zaczęła. Zwykłe listy ujawniają braki w inteligencji i nie ma na to siły. Jak mi facet zaczyna pisać o skalistych zboczach, które mu pękają na tle uczuciowym i coś tam się wydobywa, i gładzizny różne zmieniają oblicze wonią kwiecia i świstem…

– Trochę mi się to wydaje mętne.

– Nie martw się, mnie też. A bez trzęsienia ziemi nawet nie można podejrzewać, że rżnie z Hemingwaya. Moja dusza już chichotała złośliwie, charakter się buntował, nadzieja pysk darła i tupała nogami, niestety, rysa na gładziźnie została i nie dała się zacementować. Nie powinnam była aż tak się odżegnywać od ciumcianych brzuszków, ale usprawiedliwia mnie fakt, że brzuszek był pierwszy. Nie spodziewałam się do siebie czegoś podobnego.

– Ale i tak trudno mi skojarzyć brzuszek ze skalistą gładzizną – zauważyła cierpko Alicja, której nic nie przeszkadzało myśleć logicznie. – A jeszcze bardziej ze świszczącą wonią kwiecia.

– Nie dziwię ci się. Trochę zgorzałam po przeczytaniu. W ogóle na wszelkie jego słowo pisane moja dusza już zrezygnowała z chichotów, siedziała w kącie, trzymała się za brzuch, normalny, nie ciumciany, i jęczała ze zgrozą.

– A ty?

– A ja..? Spaliłabym się ze wstydu, gdyby ktokolwiek inny to przeczytał. Ale udawałam, że rozumiem.

– Idiotka.

– Popieram zdanie przedmówcy. Na gębę tematu zboczy i gładzizn nie poruszał, no, kwiecie się przytrafiało...

– Żartujesz!

– Nie. A w celach rozrywkowych lubił hasać po łące.

Alicja milczała długą chwilę, co wskazywało, że musiałam ogłuszyć ją nieźle. Zajrzała do pustej filiżanki. Zrozumiałam bez słów, wstałam od stołu, nalałam jej do tej filiżanki wody, dla siebie wyciągnęłam z lodówki piwo, które udało mi się tam upchnąć mimo nabycia nowego mleka, kawę Alicja przyrządziła sobie automatycznie, mając pozostałe składniki pod ręką, usiadłam z powrotem na swoim miejscu i westchnęłam.

– Ale za to, jeśli istnieje na świecie człowiek, który twój cały wał w jedno popołudnie doprowadziłby do stanu idealnego, to on.

Odblokowało ją gwałtownie.

– Poważnie...?

– Gwarantowane. Ale musiałabyś udawać, że go wielbisz za intelekt.

– No nie!

– Toteż właśnie. Dlatego intrygowało mnie, z kim, do cholery, miał całe życie do czynienia. W porównaniu z nim sołtys z krową na miedzy to szczyty błyskotliwości...

– Coś ty w nim widziała?!

– Pomijam przecież teraz jego zalety i eksponuję wady, bo zmierzam do męża.

– A miał jakieś zalety?

– A chociażby twój wał. I ach...! – rozmarzyłam się nagle. – Jak on wiosłował...! I jak się znał na broni palnej...! I jak prał wszystko z samochodem włącznie i zmywał namiętnie...! I jak całkiem nie wiem co jeszcze...!

– To rzeczywiście szał. Już przestał?

– Co?

– Bo mówisz w czasie przeszłym.

– Nie, skąd, to tylko mnie się oddala. Ale jak zrobił daszek nad altanką, to koniec świata nastąpi, a ten daszek zostanie...

– W razie toksycznego deszczu przyda się karaluchom. Podobno przetrzymają wszystko. Może spróbuj przejść do męża.

– I jeśli coś mówił, brzmiało to zupełnie tak, jak te takie z naszych bardzo młodych lat, jak im było, narady produkcyjne... nie... o, masówki! Spęd narodu i ględzenie o knowaniach imperialistów czy coś w tym rodzaju, no, treść może trochę inna, ale forma taka sama. I to chyba przesądziło, bo zaraz po jakiejś rozmowie, w której usiłowałam zdobyć użyteczną wiedzę, znalazłam się w licznym gronie od mężowskiej strony. Osiemnaste urodziny którejś siostrzenicy, wielka gala, zjazd rodzinny, no i tam natknęłam się na mojego męża. Nie poznał mnie w pierwszej chwili i pogadaliśmy bardzo miło, aż pojawiły się moje dzieci. Połapał się nagle, chociaż nie od razu do niego dotarło, że skoro są to jego synowie...

– Synów poznał?

– Bez trudu. Cały czas utrzymywali bliskie kontakty, nie miał wątpliwości. Skoro jego synowie, osoba będąca ich matką musiała kiedyś mieć z nim coś wspólnego. Czy tam on z nią, wszystko jedno. Działo się to w plenerze, ogrodowe party, parkiet, wcześniej zdążył poprosić mnie do tańca, po czym całkiem z tego zbaraniał. A mnie wręcz rozczuliła rozmowa z nim, ożywcze źródło po tamtym międleniu, zdaje się, że on też jakoś zagustował w tej wymianie poglądów, no i spotkaliśmy się później jeszcze parę razy. Wspólny temat istniał sam z siebie, nawet w dwóch egzemplarzach, więc łatwo pobiegło. Szczególnie że poczucie humoru zachował w pełni, mało zużyte. Żonom najwidoczniej potrzebne nie było.

– To co? Zdecydujesz się?

– Nie wiem. Chyba nie. Ale co mi szkodzi trochę z nim pochodzić?

Alicja wyjątkowo nie macała po stole w poszukiwaniu papierosów, od razu sięgnęła do torebki i wyjęła nową paczkę. Obie z reguły trzymałyśmy torebki przy sobie, przewieszone przez oparcia krzeseł, bo tak nam było najwygodniej.

– A skaliście rozpęknięty supermen co na to?

– Nie wiem. Nic na razie. Nawet nie wiem, czy zauważył, w końcu widuję się z ojcem moich dzieci, rzecz dość naturalna.

– A tak między nami mówiąc... W łóżku oni jak...?

Przez wszystkie lata znajomości zamieniłyśmy z Alicją może trzy zdania na tematy łóżkowe. Ten raz byłby czwarty. Żadna z nas nie widziała potrzeby rozwodzenia się nad zjawiskiem, które w końcu nie na gadaniu polega, tu jednak mogło mieć akurat jakieś znaczenie.

No i chyba miało.

– Mojego męża nie ma się co czepiać, jako ogier był nawet aż za dobry. Wręcz przesadnie. Supermen natomiast... – zastanowiłam się. – Gdybyś mogła wyobrazić sobie pień, owszem, doskonale ukształtowany, zaprogramowany na jakąś czynność i nakręcony...

– Mogę. Mam wyobraźnię.

– Odwali robotę jak należy, prawidłowo i bez wielkich emocji... Czy ja wiem...? Podejrzewam, że ja mu się po prostu nie podobam. Nie ciągnie go.

– A co go ciągnie?

– Też tylko podejrzewam, bo odpowiedzi się od niego nie doczekasz. Na żadne proste pytanie. Ale wedle mojego rozeznania pierwsze miejsce zajmuje dorodna dziopa jak łania, cyc niczym wymię krowie, rasowe i wysokomleczne, włos po kolana, zad perszerona, rączki niepomiernie robotne do prac fizycznych i umysł kury domowej. Umiejętność czytania niekonieczna. Możliwe, że do takiej w oku by mu błysnęło.

Alicja na moment zastygła z filiżanką przy ustach i połówką papierosa w ręku.

– No tak. Rozumiem, że trafił kulą w parkan, idealnie odpowiadasz tym kryteriom. Nad umysłem ewentualnie byłabym skłonna się zastanowić, kurze pierze koło ciebie fruwa, ale reszta mi trochę nie pasuje. Co ci do łba strzeliło?

– O rany, mówiłam tysiąc razy. Zmylił mnie, wiedza tajemna o służbach specjalnych czy jak to tam się nazywa, potrzebna mi była do pracy i w ogóle mnie korci, mieć, to on ją ma, tylko nie chce się dzielić, a do łóżka przyuczony, żeby się przypadkiem nie zapomnieć. Poza tym nie od początku przecież był taki, w pierwszych chwilach zachwycał się mną nieco bardziej ogniście, stopniowo mu sklęsło. Trochę mnie to już teraz zniechęca, ale nie czepiałabym się, gdyby nie beznadziejne gadanie. Mój mąż chwilami służy mi wytchnieniem, co nie znaczy, że się na niego zdecyduję. Pozwolisz, że się jeszcze trochę powaham?

– Pozwolę bardzo chętnie. Wolę wahania niż histerię. W kwestii uczuć w tym domu zaczynam mieć złe przeczucia. Może byśmy coś zjadły?

– Jako antidotum? To nie jest zła myśl. A i tak się dziwię, że przez te parę dni panuje tu u ciebie jakiś niezwykły spokój i też mam złe przeczucia. Tfu, do diabła ze złą godziną!

– Hania mówiła, że zadzwoni – powiedziała Alicja tak słabo, że właściwie mogła nic nie powiedzieć.

*

Przewidywani kłopotliwi goście przyjechali w jakieś cztery godziny po osiągniętej wreszcie rozmowie z Hanią, która sama z siebie wcale nie zadzwoniła i którą złapałam telefonicznie z wielkim wysiłkiem. Zgodnie z moim mniemaniem obydwoje ze Zbyszkiem musieli odpracować zaległości i pętali się po ludziach, nieobecni w domu. Na pytanie, jak tych dwoje położyć, skruszona bezgranicznie Hania powiedziała, że nie wie.

– Ja ich nie znam z tej strony – sumitowała się, zmartwiona. – Wnioskując z tego, jak się kochają, pewnie śpią razem, ale teraz może to zależy od pogody?

– Bo co? Słoneczko ma wpływ na ich wzajemne czułości? Albo mroźna zamieć?

– Ach, żartujesz sobie! Mam na myśli deszcz i wilgoć, wiesz, reumatyzm, w takich kościach odczuwa się bóle...

– Za deszcz gwarantować nie mogę, chociaż Dania pod tym względem trochę zbliżona do Anglii. Na razie jest pogoda. Ale może przynajmniej wiesz, co oni jedzą?

Hania okazała zdziwienie.

– Jak to co, chyba to samo co normalni ludzie? Wiem, że nie są wegetarianami ani niczym takim, może lubią chińszczyznę albo ryby? Na pewno nie będą grymasić!

Odczepiłam się od niej i poszłam do ogrodu, gdzie Alicja ucinała jakieś suche badyle, w których rozpoznałam między innymi zeszłoroczne łodygi ostróżek. Pozazdrościłam jej, bo ostróżki zawsze bardzo lubiłam, po czym przekazałam informacje od Hani.

Alicja wyprostowała się ze stęknięciem i pomasowała sobie kręgosłup.

– Rzuć to gdzieś koło drewna. Teraz rozumiesz, dlaczego ja Hanię bardzo lubię, ale trochę mnie czasem denerwuje. Żadnej chińszczyzny nie urodzę, a ryby chyba ty sama będziesz smażyła, bo ja na pewno nie.

– Rozumiem, że do spalenia...? Co do ryb, nie chce mi się.

– Do spalenia, ale nie zaraz, niech najpierw podeschną. O deszczu w meteo nie mówili, więc jest nadzieja, że ta pogoda potrwa.

Pieczołowicie ulokowałam badyle obok gromadzonego opału.

– Popatrz, jaka ta Marzena jest mądra, przygotowała dwie możliwości. To co robimy?

– Nie wiem. Owszem, jest mądra.

Z daleka usłyszałam telefon. Poszłam do domu, przestał dzwonić, ale po chwili znów zaczął. Odebrałam, skończyłam rozmowę i wróciłam do ogrodu, żeby przekazać komunikat Alicji.

– No i proszę, spokój był za długo. Elżbieta pyta, czy może przyjechać pojutrze z aktualnym narzeczonym, Olaf niejaki, Szwed. Znasz go?

– Nie znam żadnego Olafa, to pewnie jakiś nowy. Czy ja wiem… No dobrze, niech przyjeżdża, chociaż… Akurat teraz? Ale bardzo ją lubię i dawno jej nie widziałam… A jeszcze dawniej nie piłam kawy.

– To już zostaw tę przyrodę, bo i tak cię zgięło w krzyżu. Idę przytknąć wodę, musimy się naradzić. Też lubię Elżbietę, więc sama z siebie udzieliłam jej odpowiedzi, rozumiem, że właściwej.

U Alicji wprawdzie życie towarzyskie leciało w dużym stopniu na żywioł, ale w tym wyjątkowym wypadku ta jakaś świeżo zrośnięta i miotana uczuciami Julia wymagała odrobiny uwagi. Gdzieś tam na horyzoncie powarkiwała odpowiedzialność.

Usiadłyśmy przy stole.

– Z drugiej znów strony szkoda, że Elżbieta nie przyjeżdża wcześniej – mruknęła Alicja. – Najlepiej dzisiaj.

Nie musiałam pytać o przyczyny. Elżbieta była pielegniarką, pracowała w Sztokholmie, tam zresztą po dwóch latach medycyny skończyła stosowne kursy i miała już szwedzkie obywatelstwo. Przy osobie nie bardzo sprawnej mogła się nadzwyczajnie przydać. Mimo olśniewającej urody nie wyszła dotychczas za mąż, podejrzewałyśmy, że z lenistwa, bo poza pracą zawodową, którą kochała i traktowała poważnie, z całą mocą i bardzo zręcznie unikała jakichkolwiek dodatkowych wysiłków.

A mąż to jednak obowiązki. Za to rotacja narzeczonych biła wszelkie rekordy.

– Pojutrze też dobrze. Lepiej późno niż wcale.

– Nie wiesz przypadkiem, gdzie ja ich położę?

– Kogo?

– Elżbietę z Olafem.

– Podwójne łóżko jest jeszcze i u mnie – przypomniałam po namyśle. – Mam się przenieść?

– Oszalałaś! Masz pojęcie, co się znajduje na tym drugim łóżku pod tobą?

– Nie mam pojęcia. Dopuszczam wszystko, nawet granaty, i mam tylko nadzieję, że nic żywego. A co?

Alicja wypiła kawę do końca, zajrzała do pustej filiżanki, pomacała po stole, znalazła połówkę papierosa i pozastanawiała się jeszcze przez chwilę.

– Nie, żywego nie. Poza tym nie pamiętam, ale wiem, że dużo.

– No to nie truj. Chwaliłaś się materacami. Daj im te materace, niech sobie rozłożą w atelier, Elżbieta już sypiała kiedyś na katafalku i do atelier jest przyzwyczajona, ponadto zna cię od wczesnego dzieciństwa i nic jej nie zdziwi.

– Bardzo dobry pomysł – pochwaliła mnie Alicja i wspólnymi siłami jęłyśmy rozważać kwestię posiłku.

Pierwszy raz przytrafiło nam się coś podobnego. W domu Alicji zawsze znajdowały się rozmaite produkty, sałatki, wędliny, sery, z całą pewnością pieczywo i masło, także jej ukochane kartofle i jajka, także jakieś zamrożone gotowe potrawy, które wystarczało wetknąć na trochę do mikrofalówki, także sałata, pomidory i papryka oraz czerwone wino i piwo. Możliwe, że nie byłoby tego dosyć na wygłodniały pułk wojska, ale ani razu dotychczas wygłodniały pułk wojska nie dokonał na nią najazdu. Osiem osób nie stanowiłoby żadnego problemu, a co tu mówić o dwóch. Co nam wpadło do głowy, żeby ujrzeć w tym dodatkowy kłopot, Bóg raczy wiedzieć, rehabilitacja ortopedyczna nie zwiększa przecież apetytu dziesięciokrotnie...?

W dodatku nigdy dotychczas nie wnikałam zbyt ściśle w szczegóły gospodarstwa domowego Alicji bez względu na ilość i rodzaj jej gości, chyba że sama zadała jakieś pytanie, żeby się poradzić. Nadzwyczaj rzadko. Ewentualnie kupowałam cokolwiek wedle własnego uznania. Do sprzątania i układania zawsze byłam ostatnia na świecie, znałam lokalizację książek, ręczników i papieru toaletowego, a całą resztę martwego inwentarza, jak dla mnie, mogła trzymać na dachu. I teraz nagle zatroskałyśmy się wspólnie. Dziwne.

W trakcie rozważań przypomniałam sobie o mleku, które znów wyszło, bo wcześniej uzupełniałam kærnemilk, a teraz skończyło się słodkie, spojrzałam na zegarek i uznałam, że to ostatnia chwila, żeby skoczyć do kupca. Skoczyłam zatem.

I wtedy właśnie protegowani Hani nadjechali.

Wyszedłszy z placyku przy kupcu, przed domem Alicji ujrzałam samochód. Wysiadały z niego dwie osoby. Zwolniłam mocno i przyjrzałam się im z szaloną ciekawością.

Facet żywiutko latał dookoła. Owszem, niezły, w normie, wysoki, z leciutką odrobiną nadwagi, prawie brunet, z krótką brodą, jedną ręką wyciągał walizki, a drugą pomagał wysiąść żonie. Wysiadła, wyprostowała się. Nie pasowała do stada skowronków, ale myśli o wózku inwalidzkim w najmniejszym stopniu nie nasuwała. Średniego wzrostu, szczupła, jakaś szalenie proporcjonalna, kłopotu z nabywaniem odzieży nie miała prawa miewać żadnego, twarzy nie dostrzegłam, ale za to włosy...! Czarne, do ramion, istna grzywa, kręcące się samodzielnie, w puklach i falach, takich włosów przez całe życie zazdrościłam dziko wszystkim dziewczynom, kolor obojętny, ale ilość i jakość...!

Przeszła do furtki samodzielnie, powoli, trochę niezręcznie, z pewnym trudem, ale bez podpierania się niczym, z niewielką torbą na ramieniu, za nią zaś Romeo...

Do licha! Uświadomiłam sobie, że Hania nie podała mi nawet imienia faceta, ona Julia, a on...? Głupio pytać, ale jeśli się porządnie nie przedstawią, trzeba będzie. Na razie do Julii natrętnie pchał się Romeo i musiałam się z tym pogodzić. Przyśpieszyłam kroku.

Romeo wniósł bagaże, walizkę, torbę turystyczną i liczne torby zakupowe, jedną zgubił, wyturlała mu się z niej jakaś puszka, wrócił po torbę, ale puszki nie zauważył, Julia chyba też nie, podchodziła do furtki, zwrócona tyłem do ulicy, przy furtce obejrzała się i zaczekała. Znów zwolniłam i okazało się, że słusznie, bo Romeo po chwili wyleciał, wygarnął z samochodu rozmaite resztki, płaszcze, parasol, obleciał pojazd dookoła, zamknął go, obleciał ponownie, sprawdzając wszystkie drzwiczki i bagażnik, po czym wreszcie znikł w domu. Puszka została, nie dostrzegł jej, bo wpadła w malutki i rzadki, ale cholernie kłujący żywopłocik Alicji.

Mogłam też wejść. Po drodze spojrzałam na swój samochód, zastanawiając się czy w ogóle jest zamknięty, ale nie chciało mi się sprawdzać, doznałam ulgi, że znajduję się w Danii, a nie na przykład w Turcji. Albo chociażby we własnym kraju. Przy okazji podniosłam puszkę, wiedziałam gdzie leży i udało mi się jej dosięgnąć od drugiej strony żywopłociku. Spojrzałam, rany boskie, byczki w pomidorach!

Jeszcze niedawno jeden z nielicznych łatwo osiągalnych w moim kraju produktów spożywczych, byczki w pomidorach, skumbria w tomacie i topione serki. A, i mielonka, też w puszce. Jeszcze niedawno rodacy wozili w podróże po Europie cały wikt, żeby wypadło im taniej, teraz jakoś to trochę podupadło, a i byczków na każdym kroku nie widać. Pożywienie trwałe w ogóle trudno dostać, chociaż... Ileż to...? Rok albo dwa lata temu z pierwszej ręki słyszałam o dwóch młodzieńcach, którzy ruszyli w wielki świat na zaproszenia od rodzin, jeden z młodzieńców właśnie mi się skarżył. Zaproszenia były w dużym stopniu czysto teoretyczne, wiedzieli, że naprawdę jadą o własnych siłach, zaopatrzyli się zatem w stosowną spyżę, nabyli mianowicie cały łom suchej krakowskiej kiełbasy, grubej jak ręka.

Rodziny, przyjaciele i znajomi rozproszeni po świecie okazali się dość gościnni, zatem młodzieńcy żelaznego zapasu nie tykali, poza tym ciekawi byli obcych potraw, rzecz jasna niedrogich, objechali zatem razem z nienaruszoną kiełbasą kawałek Włoch, połowę Francji, fragmencik Anglii, aż dotarli do Danii. Tu znajomych nie mieli, przejedli resztki własnych pieniędzy i wreszcie w drodze powrotnej, na promie, zdecydowali się, bardzo głodni, spożytkować swój zapas. Wyciągnęli kiełbasę z walizki.

No i wtedy wyszło na jaw, że jest niezmiernie trwała. Sucha to sucha, konsekwentnie. O pokrojeniu jej na kawałki mowy nie było, nawet piła tarczowa nie dałaby jej rady, może topór katowski i solidny pień wspólnymi siłami zdołałyby przerąbać ją na pół, ale i to nie było pewne, poza tym pożądanych narzędzi nie mieli. Wszelkie scyzoryki, korkociągi, śrubokręty w obliczu kiełbasy wyglądały jak śmieszne dziecinne zabawki, rozglądali się za jakimś dużym psem, akurat żaden nie jechał, tęsknie wyglądali przez rufę, oceniając szanse śruby okrętowej, aż wreszcie zdenerwowali się okropnie i widząc majaczący na horyzoncie drugi brzeg, wrzucili ją w cholerę do morza. Człowiek może żyć bez jedzenia czterdzieści dni, jakoś do kraju dociągną.

No i dociągnęli, żywi, zdrowi i wściekli jak diabli.

Państwo Romeo i Julia najwidoczniej zaliczali się do ludzi przezornych i oszczędnych. No dobrze, ale byczki...? Byłyby chyba godne tamtej kiełbasy, te wszystkie puszki produkowano w Związku Radzieckim z kuloodpornej stali, czym oni chcieli to otwierać?

Zajęta wspomnieniem, wetknęłam puszkę do torby z mlekiem i dotarłam do domu Alicji.

Z wejściem zaś zwlekałam, bo nie cierpię galimatiasu przyjazdowego, dość mam zawsze kłopotów z własnym, żeby jeszcze nadziewać się na cudzy. Chłop przyjechał, niech się męczy, ustalą lokalizację, Alicja ich unieruchomi... O cholera, nie! Będzie miała kłopoty, nie spyta przecież w pierwszym zdaniu jak śpią, razem czy oddzielnie, głupie nietakty należą raczej do mnie. Trudno, muszę się włączyć, nie znamy ich jednakowo, ani ona, ani ja...

W korytarzyku osłupiałam. Romeo z entuzjastycznym zapałem obcałowywał Alicję, która, wyraźnie to widziałam, z zaskoczenia nie zdążyła się cofnąć. Rany boskie, a cóż to za żywioł...? Ona chyba zdrętwiała pod tą burzą uczuć...?

Julia stała przy stole, wspierając się na oparciu krzesła, i z zainteresowaniem oglądała wał kwiatów na oknie, bagaże leżały na środku salonu. Poczułam, że powinnam coś zrobić.

– Dobry wieczór! – ryknęłam niczym trąba jerychońska.

Alicja, szczerząc zęby dookoła głowy, co symulowało entuzjastyczny uśmiech, a oznaczało, że jest wściekła, zaczęła mnie przedstawiać, ale Romeo nie słuchał. Obejrzał się, wypuścił ją z objęć i rzucił się ku drugiej ofierze. Szczęśliwie miałam w rękach torbę z dwoma kartonami mleka, wzmocnioną puszką, i drugą z piwem, które kupiłam jakoś odruchowo, potrząsnęłam ciężarami z przyjemnym wyrazem twarzy, przepraszam, nie mam ręki, ależ nic nie szkodzi, najwyraźniej w świecie miał gdzieś moje ręce, mógł mnie chwycić w objęcia także i bez rąk...

O, żadne takie, kotek, nic z tych rzeczy, nie ze mną te numery. Miałam kuzyna o podobnych skłonnościach i dawno już nauczyłam się unikać tkliwych karesów. Z wydatną pomocą rozmachanych toreb odpracowałam słowa powitania bezkontaktowego, przedarłam się ku lodówce, tyle miałam tam nagle roboty, że do dyspozycji zostały mi tylko radosny uśmiech i gęba. Gębę mogłam sobie zresztą darować, wstępne przemówienie Romeo wziął na siebie w całości.

Wdzięczność za zaproszenie, podziękowania, przeprosiny, kłopot, zna nas obie doskonale z opowiadań Hani i Zbyszka, przyjaźnią się ściśle, nie śmie marzyć o podobnej przyjaźni z Alicją, ale może, może... co to za cudowny dom, cudowny kraj, umiarkowany klimat bez tego szalonego upału, jaki panuje w Europie, chociaż on kocha upał, uwielbia tropik, rozkosz mu sprawia słońce zabójczym blaskiem walące z nieba, zachwycony jest, że może nas poznać osobiście w nieskrępowanych, nieoficjalnych warunkach...

Zaczęłam się zastanawiać, czy on kiedykolwiek skończy sam z siebie. Że Alicja mu nie przerwie, byłam pewna stuprocentowo, przedwojenna kindersztuba zadusiłaby ją na śmierć, długi już pobyt w prawdomównej Danii powinien był wprawdzie pomóc, ale niektóre naleciałości są nie do zwalczenia. Julia wciąż stała oparta dłońmi o krzesło, z rosnącą uwagą wpatrzona w wał kwiatów.

Znudziło mi się towarzystwo wiaderka z kompostem, które miałam tuż za plecami, i zdecydowałam się wkroczyć. Mogłam być w końcu gościem źle wychowanym.

– Czy państwo już ustalili, jak wolicie spać? – zwróciłam się do niej głosem możliwe że miłym, ale z pewnością nie cichym. W każdym razie życzliwie. – W dwóch pokojach czy w jednym? Tamten – pokazałam palcem – jest w tym domu największy.

– Dostosujemy się – odparła Julia tak grzecznie, że aż prawie pokornie. – Czy można tu usiąść?

– Ależ oczywiście, proszę bardzo.

Czym prędzej podsunęłam jej krzesło, bo już uczyniła drobny ruch w kierunku miejsca Alicji. Miejsce Alicji, przy samej ścianie, było święte, jej i cześć, niczyje więcej, gdyby Julia tam usiadła, jak do licha miałybyśmy przemieścić gdzie indziej świeżego i to jeszcze słabowitego gościa? W obliczu rozkwitającej, przeraźliwej uprzejmości nijak. W dodatku udzieliła odpowiedzi najgorszej z możliwych, za cholerę nic z niej nie wynikało.

Straciłam cierpliwość.

– Rzecz w tym, że tam jest podwójne łóżko bardzo szerokie, ale stoi przy ścianie, może pani być niewygodnie. W tym drugim pokoju pojedyńcze jest dla odmiany bardzo wąskie, a pani przecież wie lepiej, co pani woli i do czego pani przywykła. Nie chcę być nietaktowna, ale Hania napomknęła, że ma pani drobne kłopoty zdrowotne i stąd nasza niepewność.

Alicja ruszyła nagle przez bagaże w kierunku kuchni, wytrwale udając, że słucha przemówienia. Symulacja nie wychodziła jej najlepiej, ale po drodze bardzo porządnie i całkowicie bez powodu potknęła się o jedną walizkę. Julia bezradnie milczała, Romeo gwałtownie zmienił temat narracji, teraz na pierwszy plan wybiegły kłopoty, jakie sprawiają.

Uświadomiłam sobie nagle, że jeśli zajmą dwa pokoje, dla Elżbiety z Olafem rzeczywiście zostanie tylko atelier, a jak nie dla nich, to dla mnie. Lubiłam atelier, ale dowcip polegał na tym, że telewizyjny pokój był przechodni i lokator atelier do kuchni i do łazienki musiał latać dokoła domu przez ogród, obojętne czy byłabym to ja, czy Elżbieta i Olaf. No nie, dosyć tego, Hania znała dom Alicji i wtykając nam gości, wiedziała co robi. Ktoś musi podjąć decyzję!

Bóg raczy wiedzieć, komu i jak zdołałabym się narazić, gdyby litościwa opatrzność nie zesłała w tym momencie Marzeny. Wyłoniła się z korytarzyka.

– Dobry wieczór, cześć, można? Rodacy?

– Chodź, chodź. Marzena, moja przyjaciółka, utalentowana muzyczka... – zaczęła Alicja radośnie i natychmiast nastąpił atak na nowego gościa.

Marzena też cokolwiek zgłupiała, bo te rozanielone objawy czułych uczuć, zapewne przyjacielskich, rzucały się na człowieka znienacka, zdążyła tylko cofnąć nieco głowę, co dało jeszcze gorszy skutek. Ostatni pocałunek trafił ją w szyję, potworne.

– To pani Julia – powiedziała Alicja, na tym kończąc prezentację, czemu trudno było się dziwić, skoro nie znałyśmy nazwiska gości i imienia faceta. Miałam wrażenie, że z pewnym trudem zatrzymała w sobie tego Romea, a zęby wciąż miała od ucha do ucha.

Marzena otrząsnęła się z szoku i błyskawicznie opanowała sytuację. Kryjąc fakt, że wcale nie była zaproszona na późny obiad ani wczesną kolację, zadecydowała o wyciągnięciu jeszcze kawałka stołu, rozłożyła wietnamskie serwetki i spytała, gdzie państwo śpią.

Kątem oka dostrzegłam, że kora z jabłoni razem z żółtą serwetką przeniosła się z półeczki w przedpokoiku na kuchenny blat obok kompostowego wiaderka i popielniczek. Ciekawe kiedy...? Wolałam nie zwracać na nią chwilowo niczyjej uwagi, bo może Alicja miała w stosunku do robaczków jakieś zamiary, których nie zdążyła zrealizować.

– W pokoju telewizyjnym – powiadomiłam czym prędzej Marzenę. – Dla Elżbiety i Olafa zostawimy ostatni.

– A ty?

– Ja się przeniosę do środkowego. Jutro, bo dziś mi się nie chce.

– Doskonale, to może od razu przenieść państwa bagaże? Trochę niewygodnie im na środku salonu. Alicja...?

– No tak – zgodziła się Alicja. – Może pan weźmie...

Nasza rozmowa miała tło muzyczne. Romeo kochał muzykę, podziwiał dom, który wśród innych walorów dysponował także dźwiękami, podziwiał Marzenę, próbując dociec, na czym też gra, wahał się między fletem a gitarą, omal nie podsunęłam mu kobzy albo rogu myśliwskiego, ale bałam się, że za taką supozycję Marzena mnie zabije. Nie słuchałyśmy jego gadania, zajęte nagle słowami Alicji. Czy słuch nas myli...?

Żadna z nas, rzecz jasna, nie tknęła tobołów. Alicja odsunęła dwie warstwy drzwi i łaskawie raczyła wskazać palcem, gdzie ten majdan umieścić, Romeo przeniósł i umieścił, siły wykazując niespożyte, bo informacjami o odebranym w dzieciństwie wykształceniu muzycznym służył nieprzerwanie. Julia twardo siedziała przy stole w kamiennym milczeniu z przyjemnym wyrazem twarzy.

Do lodówki przeszłyśmy przez wychodek i łazienkę, żeby nie kotłować się jej za plecami i nie nasuwać myśli, że może przypadkiem przeszkadza. Wydawała się sympatyczna, a siedziała jakoś tak, jakby czuła się zmęczona i z wysiłkiem urzymywała pozycję pionową. Prawdę mówiąc, w salonie na kanapie albo w fotelu mogłaby usiąść wygodniej.

Wyjmując sałatki i wędlinkę, popatrzyłyśmy na siebie.

– Słyszałaś to samo co ja? – spytała Marzena ostrożnym szeptem.

– Toteż właśnie. Pierwszy raz...! Musiała wywęszyć COŚ i zwracam ci uwagę, że mówię dużymi literami.

– Było już tak?

– Może kiedyś. Dawno. Tu, w Birkerød, do gości... nigdy w życiu!

Marzena pokręciła głową, przejęta i nagle zatroskana.

– Otóż to. Waham się, czy wyjąć kartofle.

– Wyjmuj, wola boska. Najwyżej jutro kupię obrane. A teraz co, na zimno?

– Do mikropieca… Nie uzgodniłyście między sobą?

– Jakoś nam nie doszło do końca. Ale ona chyba ma gdzieś kurczaka…

Udało nam się przygotować do podania na stół część pożywienia i nakrycia, omijając kartofle, ukochaną potrawę Alicji, której w obliczu tego CZEGOŚ mogła pożałować, oraz niepewnego kurczaka, na temat którego zabrakło nam wiedzy. Dostrzeżone właśnie niezwykłe zjawisko otumaniło nas bardziej niż ogniste powitanie.

Pierwszy raz od lat Alicja zwróciła się do swoich gości per „pan". I „pani". Dania operuje formą „ty" bez względu na to, czy rozmawia minister ze śmieciarzem, czy arystokratyczna milionerka z listonoszem. Na własne uszy słyszałam, jak pan profesor Królewskiej Akademii Architektury gawędził per „ty" ze świeżo poznanym cieślą. Alicja zaś, ogólnie życzliwa ludziom, w ogóle nie uznawała żadnej innej formy i dzisiejsza niezwykłość wstrząsnęła nami do głębi. Powiało niepokojącą tajemnicą.

Alicja oderwała się wreszcie od zabiegów gościnnych, podeszła do stołu normalnie i z miejsca dostrzegła stan Julii. Zawsze miała w sobie skłonności pielęgniarskie. Wściekły, pożal się Boże, uśmiech natychmiast znikł jej z twarzy, zęby wróciły na właściwą pozycję, w pierwszej kolejności zażądała wprawdzie napojów, kawa, herbata, jakiś sok, Julia wybrała kawę, ale zaraz potem bardzo łagodnie i taktownie zaproponowała przejście do salonu. Pomogła jej przy tym skutecznie, chociaż wręcz niezauważalnie, resztkami płonącej lawy prychnęła na nas, bo na kogoś musiała.

– Miotają się jak oszalałe, mogą nam tam przynieść kawę. Gdyby panią interesowała łazienka, to ona jest tu, po drodze…

– Chętnie – rzekła Julia i skierowała się do korytarzyka.

Postanowiłam liczyć słowa, które wypowie, bo wyraźnie było widać, że całą część akustyczną związku bierze na siebie Romeo. Nieobecność gości udało nam się szybko wykorzystać, podejmując decyzje w kwestii posiłku. Alicja zgodziła się na wszystko, nie słuchając propozycji, z jednym zastrzeżeniem: żadnego wina! Ma być piwo. Mleko też dopuszczalne.

Poszła z powrotem do salonu, zabierając ze sobą dwie kawy i śmietankę. Cukier stał tam zawsze.

Popatrzyłyśmy z Marzeną na siebie wzajemnie, coraz bardziej zaintrygowane. Ho, ho! Duża rzecz…

Julia opuściła toaletę, powoli i ze skrywanym wysiłkiem trafiła do salonu, z wdzięcznością usiadła w średnio miękkim, ale bardzo wygodnym fotelu, po czym ujawniła zaletę. Okazało się, że nie używa cukru do kawy, woli gorzką z odrobiną mleka.

W oczach niecierpiącej słodyczy Alicji każdy, kto ich unikał, znajdował się po właściwej stronie barykady. Zębata furia sklęsła.

Całą resztę roboty w kuchni odwaliła Marzena, zorientowana w organizacji domu Alicji znacznie lepiej niż ja. W końcu ja, pomijając skłonności, bywałam w Birkerød raz do roku, ona zaś prawie codziennie. Jeśli nie miała koncertu albo wielogodzinnych prób, a Werner był zajęty, jechała do niej tak sobie, dla przyjemności, w dodatku obopólnej.

Obiad został uświetniony wyłącznie sałatką z krewetek w połówkach avokado. Pieczony kurczak znalazł się w piekarniku już pokrojony, kartofelki, zielony groszek, kukurydza i na deser zwyczajne herbatniczki w czekoladzie, całkiem niezłe, aczkolwiek z wyprzedaży. Rzucali niekiedy przeceniony towar zagrożony przedawnieniem i kupiłam to dwa dni wcześniej, chichocząc, że będzie dla gości, bo żadna z nas, ani Alicja, ani ja, tego nie jadała. No i proszę, spełniło się jak w pysk strzelił. W zamrażalniku znajdowały się jeszcze lody, ale jakoś wyleciały nam z głowy. Poza tym napoczęte, więc nieeleganckie...

Piwo, kwaśne mleko, słodkie mleko, sok pomarańczowy... Koniec roboty, nikt od czegoś takiego nie musiał się ochwacić.

– Powiem ci, że jestem cholernie ciekawa, czy tak już zostanie – powiedziała półgłosem Marzena. – Bo może jej przejdzie? Znasz ją dłużej niż ja, myślisz, że to możliwe?

– A cholera wie – odparłam, wyrzucając do śmieci pestki z avokado. – Sama jestem ciekawa, bo na taką sytuację jeszcze się nie nadziałam. Ona jest wściekle pamiętliwa, ale nie wiem, co ją trafiło. Nie słyszysz? Czy ta Julia coś mówi?

Marzena nadstawiła ucha.

– Chyba nie, bo Alicja wsiadła na kwiaty, temat rzeka. O, już przepadło, Romeo wychodzi na scenę...

– Cholera. Trzeba będzie zadzwonić do Hani i dowiedzieć się wreszcie, jak oni się nazywają. Jedno imię na dwie osoby i bez nazwisk, trochę mało...

– ...Bąbelku, czy ty nie jesteś zmęczona, bo może chciałabyś spojrzeć na ten przepiękny ogród, wyglądałem przez okno, cóż za urok, jego siła leży w swobodzie, w bujnym życiu jakim kwitnie, można powiedzieć, że wręcz szaleje, trudno oczy oderwać, widywałem takie zjawisko na Krymie, pokazywał mi attaché kulturalny, z którym jestem zaprzyjaźniony, może przynajmniej spojrzeniem ogarnąć, dopóki jeszcze nie jest ciemno...

Przestałam słuchać, Marzena chyba też. Stała przy stole w doskonałym bezruchu.

– Jakim cudem on mógł cokolwiek zobaczyć przez tamto okno, które, o ile wiem, od początku swojego istnienia nie było myte? – powiedziała w zadumie.

– I bujne życie przyrodnicze zasłania je najmarniej w połowie – dołożyłam zgryźliwie. – Chociaż owszem, było myte czternaście lat temu. Ale już widzę Alicję, jak o tej porze dnia lata po tarasie.

– Gryzą…?

– Jeszcze jak! Słuchaj, może skorzystać i coś zrobić z tym łóżkiem pode mną? Ona mówi, że tam jest dużo.

– O cholera. Dużo, fakt. Głównie łachy. Masz rację, póki oni są tu, my możemy tam. Zaraz, a właściwie po co?

– Elżbieta z Olafem. Ja się przeniosę do środkowego w dziesięć minut, ale łóżko zajmie więcej. Jest tu jakiś worek śmieciowy albo po czymkolwiek? Skoro łachy, wątpię czy wyprasowane, upchnąć w worku i won do atelier. Co ty na to?

– Ona nas zabije, jeśli zostawimy ją samą na pastwę tego słowotoka – orzekła Marzena z przekonaniem, ale poszła szukać worka.

Sprężyłam się trochę i zgodnie z zapowiedzią przeniosłam się do środkowego pokoju w ciągu dziesięciu minut. Ciekawiło mnie, ile Alicja wytrzyma, ale nie takie już sytuacje umiała opanowywać i byłam pewna, że z poetycznego hurgotu nie słyszy ani słowa. Marzena pojawiła się z workami, wyciągnęłyśmy dolne łóżko, rzeczywiście różne łachy, szmaty i trochę butów, bez żadnego szacunku dla nowej i zużytej garderoby upchnęłyśmy to w workach, na paluszkach, ostrożnie oceniając sytuację, Marzena przetargała mienie do atelier i utknęła byle gdzie pod drzwiami. Otarła pot z czoła.

– Wyjątkowo kłopotliwi goście – zaopiniowała niemal z podziwem.

– Najważniejsze odwaliłaś, cześć ci za to i chwała. Możemy chyba już wracać i wkroczyć z tym cholernym obiadem... czy kolacją, wszystko jedno!

W tym momencie usłyszałam Alicję. Zawsze wiedziałam, że ma znakomity słuch i moja wiedza została właśnie potwierdzona. Z całą pewnością dotarło do niej wszystko, co starałyśmy się robić po cichutku i bezszelestnie, bezbłędnie odgadła koniec spektaklu, podniosła się z kanapy i rozpoczęła finał.

– Zdaje się, że mamy obiad na stole – rzekła wdzięcznie, wdzierając się słowotokowi w środek jakiegoś zdania. – Możliwe, że nawet kolację, ale to bez znaczenia. Bardzo proszę, ja jestem głodna, mam nadzieję, że państwo też. Proszę, proszę...

Marzena skręciła do łazienki, żeby szybko umyć ręce. Przedostałam się do stołu od korytarzyka, spojrzałam w głąb salonu. Julia wydobywała się z fotela, Alicja wspomogła ją delikatnym, niezauważalnym ruchem, Romeo gorliwie przytrzymywał oparcie.

I nagle, ni z tego, ni z owego, doznałam osobliwego skojarzenia z czymś. Rany boskie, co to było i gdzie ja to widziałam...? Długie, pękate, pełznące... czarne...? A skąd, szare! Unosiło ku górze przednią część, pokryte było śluzem... Nie, właśnie nie, nie żadnym śluzem, łuską. Drobną łuską. Dlaczego drobna łuska skojarzyła mi się ze śluzem... a, bo jakoś tak gładko lśniła. Co to było w ogóle i gdzie ja to widziałam, w naturze, na obrazku, na znaczku... o, na znaczku!

Cholera, pangolin!

Skąd mi się, u diabła, akurat w tej chwili wziął ten okropny stwór...?

Zdumiona i zaskoczona przyjrzałam się grupie przy salonowym stole. Alicja odpada, Julia również, Romeo...? Coś w nim...? Nie do pojęcia, raczej przystojny facet, chociaż nie w moim guście, ale nie łysy, nie zbytnio tłusty, najwyżej trochę, nie świeci... Owszem, jakiś gładki, ale nie wygina się gumowato w cyrkowych gestach, o żadnej łusce mowy nie ma... Ze środka...? Jakim cudem pangolin może z kogoś promieniować od środka...? Nic nie wiem o charakterze i upodobaniach zwierzątka, nie mam pojęcia nawet, czy jest mięsożerne.

Stałam jak pień i gapiłam się na nich, aż podeszli do stołu, a równocześnie Marzena wyszła z łazienki. Chyba robiłam złe wrażenie, bo rzuciwszy na mnie okiem, gorliwie zajęła się stołem i gośćmi. Alicja też spojrzała i z lekkim naciskiem zaproponowała mi zajęcie miejsca. Posiłek ruszył.

Zarazem ruszyła konwersacja, wciąż mocno zmonopolizowana. Zdaje się, że na temat owoców morza, ze szczególnym uwzględnieniem homarów, langust i ostryg, które poza walorami smakowymi dostarczały biżuterii, zdaje się, że Marzenie udało się wykluczyć nadzieje na znalezienie perły w ostrydze na restauracyjnym talerzu, nawet w knajpie szczytowej kategorii. Nie słuchałam prawie wcale, zajęta nowym odkryciem.

Romeo gadał. Mój osobisty supermen też gadał. Ale jednak gadali inaczej i zaczęłam to rozważać co najmniej tak, jakby od tego zależało dalsze istnienie świata.

Mój jechał po temacie naukowo i ze śmiertelną powagą. Sala wykładowa pełna matołów i tumanów, którzy bezwzględnie muszą nauczyć się wszystkiego i zapamiętać każdy szczegół, z florą bakteryjną przewodu pokarmowego, reagującą rozmaicie na rodzaje, gatunki, lokalizację i nasolenie morza włącznie. Każde pożywienie można było człowiekowi w ten sposób radykanie obrzydzić. Dowcip czy żart był natychmiast niweczony czymś w rodzaju walca drogowego, opakowanego starannie naganą.

Romeo stosował pozorną błyskotliwość, a przerywnik natury humorystycznej chwytany był natychmiast dla radosnego rozwinięcia dygresji i po dość krótkim czasie za cholerę nie było wiadomo, o czym w ogóle jest mowa i od czego się zaczęło. Sensu to miało tyleż samo, co uwaga o urokach ogrodu Alicji, który owszem, rósł bujnie, ale akurat prezentował sobą konkursowy bałagan, ponieważ był w trakcie zmian, a jedyne uporządkowane miejsce, widoczne z domu, zawaliłam właśnie dwa dni temu kupą schnących gałęzi i pieńków. Idiotyzm, nic innego. Lizusostwo. Nadgorliwe.

Alicja nie protestowała przeciwko niczemu, przestała słuchać chyba jeszcze wcześniej niż ja. Ocknęła się na chwilę, kiedy na półmiseczku została jedna, ostatnia połówka avokado.

Osób siedziało przy stole pięć, z trzech avokado zaś połówek wychodzi sześć. Ta akurat przekąska nie lubi długo leżeć.

– Kto się zlituje? Proszę bardzo!

– Bąbelku, może ty, wiem, że lubisz krewetki – wkroczył natychmiast Romeo.

– Nie, dziękuję...

– Która z pań? Proszę, proszę, są doskonałe i avokado we właściwej postaci, idealnie miękkie, zachęcam...

Oczywiście, że przy moim upodobaniu do krewetek mogłam wrąbać sierotkę w mgnieniu oka, lekceważąc potrawy solidniejsze, ale specjalnie czekałam, z ciekawości. Pokręciłyśmy głowami.

– No, jeżeli ma się zmarnować – zadecydował Romeo z determinacją – to byłaby obraza boska!

I zeżarł.

Marzenie coś mignęło w oku.

Na kawkę, herbatkę i ciasteczka z wyprzedaży wszyscy przenieśli się do salonu. Romeo tokował dalej.

Zaczęłam dostrzegać nowy problem. Dom Alicji nie przypominał rozmiarami królewskiego zamku, w gruncie rzeczy był niewielki. Gdzie, na litość boską, będzie można znaleźć miejsce dla intymnej rozmowy? No dobrze, bądźmy ściśli, dla porządnego poplotkowania?

A rzetelne i solidne oplotkowanie nowych gości wydawało mi się absolutnie niezbędne, jak nigdy nikogo. Wręcz ssało do niego, zaś błysk w oku Marzeny wskazywał, że poglądy mamy zbieżne.

No i gdzie?

Ogólnie biorąc, dom Alicji, mimo niezbyt imponujących rozmiarów, był doskonale izolowany akustycznie i słychać w nim było nieźle tylko dzikie krzyki, ale z niewiadomych przyczyn, pierwszy raz, nabrałam kretyńskiego przekonania, że w żaden sposób nie zyskamy swobody. Oni nam nie popuszczą. Julia może nie, zdaje się, że na dzień dzisiejszy ma już dość wysiłków, ale Romeo czymś mi wionął. Wścibską ciekawością...? Jakąś namiętną chęcią pchania się we wszystko...? Natrętnym włażeniem na piedestał, prosto w blask jupiterów...?

W dodatku chwalił się, że ma świetny słuch... No nie, to głupie, gdyby zamierzał podsłuchiwać, twierdziłby, że jest głuchy jak pień! Chyba ten problem stwarzam sama sobie, wymyślając podejrzane matactwo bez racjonalnych powodów…

Szczęknęły drzwi, ktoś grzecznie zapukał, w przedpokoiku ukazała się duńska kuzynka Alicji, Greta.

Natrętny problem w mgnieniu oka diabli wzięli, prawie mi dech zaparło, odebrałam jej wizytę jak niezasłużony prezent losu. Normalnie patrzeć na nią nie mogłam, ale jeśli już miała przyjść, co jej się czasem zdarzało, chwilę wybrała sobie wymarzoną!

Nie była zaproszona ani umówiona, wstąpiła niespodziewanie, obiad z pewnością miała już za sobą, bo nasz wypadł późno, miała zatem zapewne jakiś krótki interesik, który nie wymagał nawet wypicia kawy. Alicja zerwała się z kanapy, pośpieszyła ku niej, załatwiłyby pewnie sprawę przy stole jadalnym, powitanie ograniczając do wdzięcznego pomachania rączką, gdyby nie Romeo. Nie zawiódł. Na widok kobiety w wejściu do salonu, a na kobietę wskazywała spódnica, poderwał się tak, że przez chwilę salon zapchany był do wypęku męską, wspaniałą rycerskością. I już się zbliżał z ukłonem…

Nie było siły, Alicja musiała obce osoby wzajemnie sobie przedstawić.

Zamarłam, zamieniłam się w mysz pod miotłą, chciwie, dziko i zachłannie tylko patrzyłam, bez tchu…

Uroda kuzynki Grety była wielkiej klasy. Ściśle przypominała równo ciosany słup, względnie potężny pień o czterech ruchomych konarach, dwa na górze, dwa na dole, wszystko razem zaś zwieńczone obliczem mocno zbliżonym do końskiego. Widno jeszcze było, nie ginęła w mroku, a mimo to Romeo bez sekundy wahania, możliwe że z rozpędu, chwycił ją w objęcia i na policzkach jął wyciskać soczyste pocałunki.

Zamierzał prawdopodobnie ograniczyć się do trzech, ale źle trafił, nie z kuzynką Gretą taka skromność. Dorównywała mu wzrostem, a niewykluczone, że przewyższała siłą fizyczną, z wyraźnym rozradowaniem też go chwyciła w objęcia i odpracowała swoje, rzetelnie płacąc za czułości. Gdyby im nikt nie przeszkadzał, zapewne poranek ujrzałby tkliwe i namiętne zapasy, których jedna ze stron wcale nie miała ochoty zakończyć, a co do drugiej, pewności nie było. Razem kojarzyli się nieco z grupą Laokoona, postury tylko nie całkiem pasowały.

Alicja grzecznie odczekała chwilę, po czym straciła cierpliwość.

– Czy to wszystko dla mnie, czy połowę mam ci zostawić? – spytała, z roztargnienia po polsku, potrząsając dużą torebką z nasionami. Opamiętała się i powtórzyła to samo po duńsku. Marzena, wpatrzona w grupę równie chciwie jak ja, zaświadczyła, że to samo.

Rozanielona kuzynka Greta z żalem wydobyła się z objęć pangolina i powiedziała, że wszystko dla Alicji, co zrozumiałam samodzielnie. Pangolin przezornie i z lekkim pośpiechem wrócił na swój fotel. Za kawę kuzynka Greta podziękowała, czarujące przeżycie nie zdołało wygrać z duńską solidnością i punktualnością, umówiona była u znajomych, wpadła po drodze, na moment, z nasionkami…

Wyszła, pozostawiając za sobą miód na niektórych sercach.

*

Mój pozornie głupi problem ocknął się na nowo i miał rację. Rzeczywiście, wcale nie było łatwo.

Wydobycie słowa z Julii okazało się prawie niemożliwe, równie dobrze dałoby się z prawdziwego bąbelka wywlec na przykład monolog Hamleta. Na każde najskromniejsze pytanko zamiast niej odpowiadał Romeo, co wprawdzie stwarzało odrobinę nadziei, ale niestety, złudnej. Alicja w końcu spróbowała skorzystać na zasadzie pani jest zmęczona, proszę bardzo, łóżka gotowe, tu łazienka, już służę ręcznikami, Julia nawet chętnie przyjęła propozycję, no i co z tego? Chała drętwa.

Ona poszła, a on nam został.

Nie pomogło sprzątanie ze stołu, nie pomogły uwagi Marzeny na temat konieczności jej powrotu do domu, nie pomogła zapadająca noc, pomogły wreszcie zwyczajna niegrzeczność i podstęp, skojarzone razem.

Z rozpaczy umysł mi ruszył i uświadomiłam sobie, że Alicja ma w swoim pokoju drugi telefon, stamtąd może zadzwonić do Hani i Zbyszka. Złapie ich czy nie złapie, obojętne, w każdym razie ugrzęźnie u siebie i stanie się niedostępna, a my tu z Marzeną wymyślimy następne świństwo. Przypomniałam jej zatem znienacka, że miała dzisiaj zadzwonić do Solange.

Zanim zdążyła spytać mnie, czy nie zwariowałam i o co mi chodzi, dodałam czym prędzej:

– Wiem, że jestem natrętna, ale ciągle jej nie ma, a mnie zależy. Miałaś z niej wywlec nazwisko tego kierownika pracowni, który trzymał Robaczkównę, ona dziś już podobno jest, a jutro znów wyjedzie. Spróbuj może, numer masz u siebie pod lampą, to wiem.

Brednie zawarte w tych trzech zdaniach strzelały pod niebiosa. Jedno, co w nich było prawdą, to istnienie Solange, francuskiej przyjaciółki Alicji, reszta nie miała cienia sensu. W swojej pracowni Solange sama była kierownikiem, mogła mieć zastępcę, ale o tym pojęcia nie miałam, a nawet gdyby istniał, potrzebny mi był jak dziura w moście, Robaczkówna zaś, postać całkowicie fikcyjna, sama jakoś wyskoczyła mi z ust. Ponadto żadnego telefonu do Paryża Alicja nie miała w planach. Zaświtała mi nadzieja, że rozmiary idiotyzmu wstrząsną nią i pójdzie do siebie dzwonić do Hani i Zbyszka.

Nie zawiodłam się.

Spojrzała na mnie dziwnie, pozastanawiała się chwilę i wzruszyła ramionami.

– Może i masz rację – powiedziała z lekkim zakłopotaniem i ruszyła do swojego pokoju.

Romeo zaczął coś mówić.

– Robaczkówna...? – wyrwało się Marzenie. – Wyjedzie...?

Nie zdołała ukryć śmiertelnego zaskoczenia wszystkim z wyjątkiem Solange.

– Robaczkówna jest wyjechana. Solange wyjedzie.

– Na co ci ona teraz...?

– Ona na nic. To jemu chcę dać po mordzie, jak tam będę.

Marzena nagle załapała.

Podnosząc się niemrawo z fotela, zaczęła z troską mamrotać coś o pociągu. Zerwałam się czym prędzej, natchniona kolejnym błyskiem.

– O Boże, byłabym zapomniała! Miałaś obejrzeć tę plakietkę ze zdjęciem, którą dla ciebie przywiozłam i wreszcie wygrzebałam. Ona jest przylepiona na mur, chodź, musisz zobaczyć u mnie w pokoju!

– No i popatrz, co za idiotka! – ożywiła się Marzena, nie precyzując, kto idiotka, ona czy ja. – Przecież ja specjalnie po to przyjechałam! Bardzo przepraszamy...

– Może pan robić co pan chce – zapewniłam gościa. – Umyć się albo co...

I już wolałam nie patrzeć na skutek mojego łaskawego zezwolenia.

*

Alicja dobiła do nas po kwadransie.

– Wacław Bucki – rzekła sucho. – I Julia. Julia się zgadza.

Oderwałyśmy się od wspominania na pociechę upojnego przeżycia kuzynki Grety.

– Powinna być Klara – zganiła Marzena.

– Może i powinna, ale nie jest. Zbyszek na szczęście odebrał Hani słuchawkę, bo inaczej rozmawiałabym do rana. Podobno Hania ich uprzedzała, że u mnie jest trochę ciasno. On bryluje, ona milczy...

– Dało się zauważyć.

– I poprzestaje na tym, że kocha go nad życie, cały ogień na Olesia, czy jak to tam się mówi.

– Ale przecież pracuje?

– Owszem. Zbyszek mówi, że bardzo dobrze i skutecznie. I to ona ma łeb, a on wręcz przeciwnie. Posuń się, też usiądę.

Obie z Marzeną skrzywiłyśmy się tak zgodnie, jak rzadko kiedy.

– Co do wręcz przeciwnie, nie będziemy sprawdzać – orzekła Marzena stanowczo.

Przez ścianę cały czas dobiegał niewyraźny, ciurkający szmer. Alicja nadstawiła ucha.

– Jest w łazience?

– Prawie od początku. Wnioskując z wody, sama się nie odkręciła.

– Myślicie, że musimy tu siedzieć? Ciasno trochę i napiłabym się kawy.

– A cholera nas wie. Nie mogłaś zrobić sobie kawy po drodze?

– Bałam się, że go spotkam. Zaraz. Hania mówi, że oni dopiero niedawno tak porośli w pierze, że kupili sobie samochód. Używany. Coś tam było na przydział, ale nie zrozumiałam co, bo jakaś kraksa jej się wplątała.

– To co to ma do rzeczy?

– Nie wiem.

Ożywiłam się.

– Rany, rzeczywiście, przecież mają samochód! Może pojadą coś oglądać i na całe dni będą z głowy? Powinni chyba?

– A już chciałam się zmartwić, jak wy to wytrzymacie – rzekła z ulgą Marzena. – Mnie nie będzie, jutro mam najpierw takie ćwiczonka, a potem koncert.

– Jutro przyjeżdża Elżbieta z Olafem – przypomniała Alicja, też z ulgą. – Popatrzcie, a w pierwszej chwili byłam na nich zła! Ale tylko przez moment...

– I niepotrzebnie – zganiłam ją. – Nie ma tego dobrego, co by na złe nie wyszło.

– A propos dobre, ja chcę kawy. Nie było jeszcze dotychczas takich gości, którzy by mi kawę z ust wyrwali! I nie będzie, dosyć tego!

– No to idziemy, wola boska...

Z całym zaopatrzeniem, dwie kawy i herbata, na wszelki wypadek od razu usiadłyśmy przy salonowym stole, bo wychodkowa część łazienki miała otwór wentylacyjny, który wprawdzie bez zarzutu spełniał swoje zadanie w dziedzinie woni, ale dźwięki z niego i odwrotnie mogły dobiegać. Głupią podejrzliwością zaraziłam dziewczyny, strzeżonego i tak dalej...

Marzenę dręczyło.

– Mam wrażenie, że z tym złym i dobrym jakoś dziwnie ci wyszło – powiedziała niepewnie w trakcie przenosin. – Czy ja się mylę...?

– Nie mylisz się – zapewniła ją Alicja. – Nie zwracaj uwagi.

– Nie zwracam, bo zastanawia mnie to obcałowywanie. Na was też się rzucił, czy tylko na mnie i na Gretę?

– Na wszystkie.

– Jedno rzucenie źle mu wyszło – przypomniałam z satysfakcją.

Marzenę to złe wyjście zainteresowało, opisałam jej zatem moje wdarcie się na scenę z torbami o twardej zawartości. Gorąco pochwaliła piwny instynkt, wyrażając tylko wątpliwość w kwestii mleka, bo czy kartony wystarczają do walenia w goleń...?

W moim umyśle kompletnie zapomniana puszka wskoczyła nagle na swoje miejsce.

– O cholera! Nie oddałam mu byczków!

– Jakich byczków?

– W pomidorach.

– Zaszkodziło ci jego gadanie? – zaniepokoiła się Alicja. – Trzeba było nie słuchać!

– Nie, do licha, zgubił na twojej ścieżce puszkę byczków w pomidorach i przyniosłam ją w mleku.

– Oszalałaś!

Na długą chwilę byczki w pomidorach wypełniły nam świat. Wyjaśniłam sprawę, Alicja zaniepokoiła się bardziej.

– I gdzie ona jest, ta idiotyczna puszka? Nie chcę mieć w domu byczków w pomidorach, niech on ją sobie zabierze!

Zgadzałam się z nią całkowicie, postanowiłam odnaleźć produkt i postawić na stole albo na innym widocznym miejscu, żeby od pierwszego spojrzenia rzucała się w oczy. Inaczej było pewne, że znajdzie ją Alicja i wtedy już produkt zginie na zawsze. Co ja z nią mogłam zrobić? Była w torbie z mlekiem, mleko wyjęłam, obecnie jest w lodówce, a torba z puszką gdzie...?

– Skąd to się może brać? – zastanawiała się Marzena. – Skąd on w ogóle pochodzi? Przecież obcałowywanie to radziecki obyczaj, a w dodatku jeszcze byczki. On ze Związku Radzieckiego?

– Nic o tym nie wiem, mnie Hania i Zbyszek nie mówili, Alicji chyba też nie.

– Ale byli tam – przypomniała Alicja ponuro. – Może się człowiek zaraża albo co.

– No właśnie, od początku chcę cię zapytać, parę lat się znamy i dużo ludzi tu widywałam, nigdy nikogo tak źle nie traktowałaś. Pierwszy raz słyszę, żebyś mówiła „pan", a nie „ty". To co to ma znaczyć? Nie chcesz, nie mów, ale spać nie będę mogła. I to wino na powitalny obiad... Nic nie rozumiem, Alicja, jakaś tajemnica tu lata. Powiesz?

Alicja milczała przez chwilę, a Marzena wpatrywała się w nią z przejęciem, prawie zaniepokojona. Alicja zdecydowała się udzielić odpowiedzi.

– Inna grupa krwi – wyjaśniła głosem, od którego skóra cierpła. – Samo wyszło.

No to jesteśmy w domu! Byłam ciekawa, czy Marzena zrozumie określenie, które latało między nami od wieków i które właściwie zawierało w sobie wszystko. Zrozumiała doskonale, ale jakieś następne uparcie ją gryzło.

– Bo wiecie... Takie coś... Aż mi głupio...

Z natury Marzena się nie jąkała. Poza tym wcale nie była wścibska, złośliwość rzadko się do niej zbliżała, ogólnie górę brała życzliwość dla ludzi i świata. Teraz na pierwszy plan wyłaziło zakłopotanie i poczułam się zaciekawiona szaleńczo. Na wszelki wypadek rzuciłam okiem na drzwi do pokoju telewizyjnego, obie warstwy były porządnie zasunięte, wierzchnie szklane i spodnie drewniane, patrząc od naszej strony. Od tej drugiej, rzecz jasna, warstwy układały się odwrotnie. Z łazienki też nie dałoby się podsłuchiwać, za daleko i zbyt dużo zakrętów, jak na potrzeby dźwięków. Dzikie wrzaski tak, ale normalny głos nie.

– Mów, póki jest okazja – zachęciłam z zapałem.

– Ja nie wiem, może to ze szczęścia, że w ogóle dojechali. Ale podejrzewam, że był chyba okropnie głodny...?

– Bo co?

– Bo tak jakoś strasznie zachłannie oblizywał łyżkę...

– Łyżkę? – zainteresowała się Alicja. – Po czym? Przecież zupy nie było!

– Po krewetkach...

– Pierwsze słyszę...

– Oblizywania nie słychać – zwróciłam jej uwagę. – Najwyżej widać.

– Zależy jakie...

– Tylko nie kłóćmy się teraz na tematy techniczne!

– My się nie kłócimy, my dyskutujemy.

– Czasami obie jesteście naprawdę okropne – westchnęła Marzena. – Na szczęście rzadko. Ale on oblizywał, w dodatku tak jakoś łakomie... jak by tu powiedzieć... o, z lubością!

Alicja wzruszyła ramionami.

– Może krewetki lubi wyjątkowo. Ja w każdym razie nie zauważyłam.

Ja również nie zauważyłam. Nie patrzyłam na pana Wacława, znacznie bardziej intrygowała mnie Julia. Było w niej coś, czego nie mogłam sprecyzować, a co ukradkiem powiewało wielkimi namiętnościami. Przepełniało ją. Nic wyraźnego, a jednak wyczuwalne. Trudno było zdecydować, czy jest to ślepa i bezgraniczna miłość do faceta, czy równie potężna nienawiść do samej siebie za niesprawność fizyczną, jedno i drugie zgadzałoby się z poglądami Hani. Milczała przy tym uporczywie, a wyraz twarzy, pozornie żywy i pełen zainteresowania, de facto był nieodgadniony i niezmienny. Żyła jakby wyłącznie w środku, nic na zewnątrz, niczego nie wypuścić, niczego nie okazać. Może głupio jej było...? Rzadko spoglądała na swojego Romea, zatem i mnie umknęło oblizywanie łyżek.

– Poza tym sama nie wiem – ciągnęła Marzena. – Jest w nich coś, co nie pasuje, krępuje, słowa na ustach zamierają. Dawno się z czymś takim nie spotkałam. Myślicie, że on pójdzie spać prosto z łazienki, czy jeszcze wstąpi tutaj wziąć udział w rozmowie? Albo może powiedzieć dobranoc? Tak więcej czule i tkliwie?

Obie z Alicją otrząsnęłyśmy się równocześnie, Alicja dodatkowo jęknęła.

– Wypluj te słowa natychmiast i nie strasz mnie. Mam okropne obawy, że to może być coś jeszcze gorszego niż ten jej ciumciasty brzuszek na rozpękniętym zboczu...

– Brzuszek nie był mój! – zaprotestowałam z oburzeniem. – Mnie samo zbocze wystarczy! Nie wszystko ja!

– Co do brzuszka, mój też nie. Ale zbocze twoje.

– A czy ja się niedostatecznie pokajałam?

– Nie. Coś ci przeszkodziło, chyba telefon. Ale na resztę mogę poczekać.

– Nie rozumiem o czym mówicie, ale już mi wszystko jedno – powiedziała Marzena. – Do ostatniego pociągu mam jeszcze pięćdziesiąt minut, nie wyjdę stąd, dopóki nie zobaczę co będzie. Jeśli mnie wyrzucisz, będę podglądała przez okno.

– Przez drzwi – skorygowała Alicja. – Okna pozasłaniane kwiatkami. Już i ty oszalałaś, jak dla mnie możesz tu siedzieć do rana. Żeby tak prawdę powiedzieć, masz rację, coś mnie odrzuciło i dalej odrzuca, sama się nad tym zastanawiam.

Znów mi nagle zamajaczył pangolin. Raczej obrzydliwy, może nim wionęło...?

– A ty przecież niczego się nie brzydzisz? – wyrwało mi się z lekkim zdziwieniem.

Spojrzały na mnie tak, że nie było siły. Musiałam dokładnie opisać pangolina i wszystkie związane z nim skojarzenia, bo nie popuściły. Podejrzewały jakieś robaki, o nie, nic z tych rzeczy, moje wizje były bardziej skomplikowane. Alicja zmartwiła się, że lektur o zwierzątkach ma za mało, głównie interesowały ją rośliny oraz rozmaite roślinne pasożyty, też niezłe, ale całkiem co innego i znacznie mniejsze. Postanowiła poszukać jutro, bo dzisiaj jej się nie chciało, kora z jabłoni leży na razie...

– Zaraz, gdzie jest ta kora z jabłoni?

– Ostatnio widziałam ją obok wiaderka z kompostem – wyjaśniłam uprzejmie. – Ładnie okrytą serwetką.

Alicja po krótkim namyśle zaaprobowała miejsce pobytu kory, niech sobie leży i czeka. Stwierdziła, że dziwnie szybko ta kawa wychodzi i poszła do kuchni dorobić więcej.

Marzenę stworzenie zaciekawiło i chętnie przyjęła propozycję piwa, mój natchniony zakup okazał się przydatny.

– A nie orientujesz się przypadkiem, jak ten pangolin odnosi się do żony? – spytała w zadumie. – No, do swojej samicy.

– Nie wiem, na obrazku nie było. Na jednym znaczku znajdowały się nawet dwa, jeden większy, drugi mniejszy, ale nad ich wzajemnym stosunkiem uczuciowym nie miałam szans się zastanowić. Także płci nie umiałam odgadnąć.

– Szkoda. Ja bym chciała wiedzieć.

Z pewnością nie przyszła tu w celu zdobywania wiedzy o faunie żywej i martwej, zatem w tym pangolinie musiało coś być. Alicja przyrządziła sobie kawę własnym sposobem i wróciła po dwóch minutach, oczywiście, filiżanka w mikropiecu, przyzwyczajona do przyzwoicie parzonej herbaty gorszyłam się tą metodą w najwyższym stopniu, ale ona moje zgorszenie miała w nosie. Kazała nam się natychmiast odczepić od małżonki pangolina, wtłaczając mi z powrotem do ust kolejne pytanie, które już prawie wybiegało.

– Dzisiejsze mycie masz z głowy – powiadomiła mnie. – Woda cały czas leci, zapomniał ją zakręcić czy nie, kocioł ma swoją pojemność i więcej nagrzać nie zdąży.

– Cholera. Rzeczywiście wodolej. Może należało zwrócić mu uwagę, że tu jest więcej osób niż jedna?

– Kto? Ty czy ja?

– No, chyba ty? To twój dom, mam wrażenie?

Alicja postawiła filiżankę na stole i usiadła.

– Też mam takie wrażenie. Ale ja się myję rano, więc nie przyszło mi do głowy, bardzo cię przepraszam...

– Puknij się.

– Poza tym nikt jeszcze tyle czasu nie lał.

– Pewnie – przyświadczyła gorliwie Marzena. – Przez trzy pociągi...?

– Nie wymawiając, przez trzy i pół. Myślicie, że on robi pranie, bo połamanej Julii trudniej? Jeśli tak, może spróbowałabym naruszyć poglądy?

– Lepiej nie – poradziła Marzena. – Pralka u ciebie stoi jak byk. A dwie sztuki oddolnej garderoby pierze się w pięć minut.

– No to nie wiem, co on tam robi. Wanna jest siedząca i wściekle niewygodna.

– Zasnął jak fakir na gwoździach i obudzi się rano – podsunęłam. – Albo zostawił wodę dla niepoznaki, a naprawdę wyszedł przez atelier, lata dookoła domu i szuka swojej puszki, bo doliczył się braków.

– W ciemnościach?

– Co za różnica, i tak przecież nie znajdzie. Ale do wychodka, zawiadamiam cię, pójdę w domu, nie będę szukać ustronnego miejsca w ogrodzie. Najwyżej zaczepię haczyk.

– Uprzedzam cię, że on trochę słabo siedzi. Co do ustronnego miejca, wybór masz duży. Ale ja też pójdę w domu.

– Zaraz. Marzena, skąd ci się wzięła pangolinowa? On, ten cały Romeo Wacław, tak prawdę mówiąc, do zwierzątka nie bardzo podobny, ale ja swoje umysłowe wybryki wyjaśniłam. A twoja żona?

– To nie moja żona – zastrzegła się na wszelki wypadek Marzena. – Ja mam normalnego męża. A ten Wacław Romeo chyba wydał mi się dziwny, Julia siedzi, widać, że ciągnie resztkami, słowem się nie odzywa, powinien się nią trochę zająć, tymczasem nic, tokuje w zapamiętaniu i klei się do Grety. Przy okazji mogę wam wyjawić, że w dywagacjach muzycznych wypuścił z siebie parę nieziemskich bredni. Jak on znawca, to ja królowa Małgorzata.

– Nie twierdził, że jest znawcą – przypomniała cierpko Alicja. – Tylko że kocha.

Poparłam Marzenę.

– Tak, a musiał zabawiać nas, bo uważał, że to grzeczniej niż latać koło żony.

– Możemy się już od niego odczepić? Mam dosyć tego tematu!

Marzena któryś kolejny raz spojrzała na zegarek.

– Możemy. Ja w każdym razie muszę. Powiecie mi jutro, o której z tej łazienki wyszedł? Ostatni pociąg, szkoda, że mam jutro próbę tak wcześnie!

– Bądź spokojna, że nastąpi to niedługo – pocieszyła ją Alicja. – Zapewniam cię, że woda już tam leci kompletnie zimna.

Marzena odjechała, a przepowiednia Alicji spełniła się dokładnie. Tyle było naszego, że pan Wacław zrezygnował z manier i udał się do pokoju telewizyjnego, nie wstępując na salony. Zawsze ulga…

*

Czymkolwiek Alicja mogłaby być, z całą pewnością nie była świnią. Nie była nawet kawalątkiem świni, najmniejszą szczecinką. Świnią za to, zbuntowaną, potężną i wypasioną, okazałam się ja, w dodatku dobrowolnie i całkiem świadomie.

Mianowicie specjalnie wstałam wcześniej i umyłam się pierwsza porządną, gorącą wodą, zużywając jej tyle, ile mi było potrzebne. Alicja na tym nie bardzo ucierpiała, bo zawsze myła się ledwo ciepłą, prawie letnią, twierdząc, że cieplejsza ją parzy, a co do gości, nawet byłam ciekawa, kto tam komu da pierwszeństwo. Pan Wacław okazał się dżentelmenem, puścił Julię przodem.

Gotowy posiłek stał na stole. Alicja przyjrzała mu się z powątpiewaniem.

– Zdaje się, że na śniadanie muszę ich specjalnie zaprosić, bo sami z siebie taktownie nie przyjdą – mruknęła do mnie półgębkiem, odwracając się do kuchennego okna i kwiatków na wąziutkim parapecie. W palcach kręciła dwa oderwane suche listki.

– Rób, jak uważasz. Myślałam, że z wszelkimi gośćmi masz nieograniczone doświadczenie. Cały świat tu już przecież bywał, od sierotki po Rumcajsa.

– Wolałabym Rumcajsa, ci są jacyś dziwni. Odgrodzeni czymś nie do przebicia, w każdym razie tak ich odbieram.

– A kłóciłaś się wczoraj ze mną, że obie z Marzeną przesadzamy.

– Bo może ich nietrafnie odbieram. Jedziesz do sklepu?

– W tej chwili?

– Nie, po śniadaniu.

– Mogę jechać, dokąd chcesz, do sklepu, do Tivoli... – przy Tivoli Alicji w oku błysnęło... – Tylko nie na wyścigi, bo dzisiaj nie ma. Ale ogólnie wolę niezbyt daleko, za skarby świata nie przepuszczę powitania pana Wacława z Elżbietą! A Tivoli razem z gośćmi od razu wybij sobie z głowy, nie zniosę słowotoku Romea i kotłowania się z połamaną Julią!

Alicja westchnęła, wrzuciła listki do wiaderka z kompostem, zajrzała do żółtej serwetki śniadaniowej, po krótkim wahaniu zabrała kawałek kory, obtrząsnęła i zaniosła do swojego pokoju. Wróciwszy, zrobiła sobie małą kawkę, usiadła przy stole i zapaliła papierosa.

– Głodna jestem. Mogłabyś im pokazać wszystko palcem i potem się zgubić.

– I kto później wróci piechotą? Oni, czy ja?

– Pociąg jeździ...

– Owszem, jeździ. I wysiada się z niego dokładnie naprzeciwko wejścia do Tivoli. Ślepa meduza trafi, a głuchy usłyszy wrzaski z kolejki. Kto tam jest w łazience?

– Pan Wacław. Zamierzam wypchnąć z siebie Romea, bo w końcu ktoś się rąbnie.

– No i cóż takiego, powinni być przyzwyczajeni. On niedługo wyjdzie z łazienki, za chwilę zaczną mu lecieć z kranu kawałki lodu. To co, do sklepu ci wystarczy?

– Kawałki lodu, optymistka. Aż tak doskonale mój piec nie działa. Kupisz kartofle?

– Tylko kartofle? – zdziwiłam się.

Alicja zagadkowym spojrzeniem obrzuciła zastawiony śniadankiem stół.

– No, może coś więcej, zobaczymy po śniadaniu. Tylko żebyś się nie ważyła zgubić rachunków!

– Ja ich nie gubię po drodze, tylko dopiero w domu – przypomniałam jej godnie i z urazą.

Państwo Buccy opuścili wreszcie zarówno łazienkę, jak i pokój telewizyjny i pojawili się w salonie. Pan Wacław zaczął roztkliwiać się nad cudami, jakie dostrzegał wokół siebie, ale pani domu szybko go ukróciła, wzywając do stołu. I jak zwykle, wręcz odruchowo, spytała:

– Kto chce jajko?

– Ja chętnie – zgłosił się pan Wacław. – Bąbelku...?

– Nie, dziękuję – rzekła wdzięcznie Julia.

O jajka Alicja pytała każdego gościa codziennie i prawdopodobnie czyniła to odruchowo i nawet zgoła bezmyślnie, bo tysiąc razy tłumaczyłam jej, że nie chcę jajka, a jak będę chciała, sama jej powiem, więc może sobie darować pytanie. Jajka mam w domu, w ojczyźnie, i mogę je spożywać, ile mi się spodoba w dowolnej postaci, w Danii wolę dansk salami i sałatkę z curry. Nic, jak do ściany. Ilekroć jednak ktoś chciał jajko, a zdarzało się to rzadko, sprawiał jej radosną niespodziankę i żywą uciechę. Zaciekawiło mnie teraz, czy przypadkiem pan Wacław trochę się jej tym jajkiem nie zasłużył.

Możliwe, że nieco zmiękła, bo bardzo zachęcająco podsuwała im obiekty do oglądania i zwiedzania, subtelnie biorąc pod uwagę związane z nimi wysiłki. Pan Wacław brał pod uwagę raczej koszty i pilnie wypytywał o ceny wstępu. Żeby mnie kto zabił, nie potrafiłabym powiedzieć, gdzie się płaci, a tym bardziej ile, myliło mi się nawet Tivoli, które wizytowałam przeciętnie trzy razy na tydzień, tyle wiedziałam, że wcześniej jest taniej, a później drożej. Jedynie wyścigi trwały niewzruszenie, pięć koron wstęp i pięć koron stawka, ale na wyścigi pan Wacław jakoś nie reflektował, szalała w nim miłość do kultury i sztuki. Także do gór, Dania w góry słabo zaopatrzona, co za szkoda, górami upiększona byłaby krajem wprost idealnym, istny raj na ziemi, zaśnieżone szczyty rysujące się na horyzoncie, na które można się wspinać, pokonując przeciwności broniące cudów natury przed natręctwem marnych istot ludzkich, a jakiż triumf, kiedy się je pokona, wdarłszy się hen, wysoko i ujrzawszy świat u stóp, on zaś ma za sobą kilka takich osiągnięć, z których nieskromnie mógłby być dumny... Ale też i woda, żywioł uwielbiany, chlapać się w niej, zanurzać, pluskać, Dania wszak leży na wodzie, półwysep, wręcz cypel, ramionami morza objęty, jakby z lubością w te ramiona się wtulał, ekstaza niemal erotyczna...

Jezus Mario, o czym my mówimy? Alicja przestała słuchać już przy wstępie na wyścigi, przysięgłabym, że planuje zakupy spożywcze, których mam dokonać. Przecknęła się na moment przy słowie „pluskać", kiwnęła głową, wyrwało jej się:

– A tak...

I chyba ugryzła się w język, więc zabrzmiało to jak aprobata. Po czym znów popadła w zamyślenie gospodarskie.

Julia milczała konsekwentnie, chociaż wyraz twarzy miała miły, a wzrok pełen ciepłego zainteresowania. Postanowiłam zadzwonić do Hani i zapytać, czy kiedykolwiek ta kobieta odzywa się sama z siebie, przez nikogo nie zachęcona. W najmniejszym stopniu nie robiła wrażenia debilki w przeciwieństwie do drugiej żony mojego męża.

Wszedłszy na męża, zamyśliłam się i nie tylko nie słuchałam słowotoka, ale nawet zapomniałam sprawdzać, czy obliże łyżeczkę. Okazało się później, że Alicja też zapomniała. Nabrałyśmy obaw, że Marzena nie daruje nam takiego niedopatrzenia.

Do męża przyplątał się mój aktualny, więdnący supermen, który tym się różnił od pana Wacława, że sam z siebie z niczym nie wyskakiwał, odpowiadał tylko na pytania i służył wyjaśnieniami. Obszernie, z detalami i dobijająco, człowiekowi temat już nosem wychodził, za wszelką cenę chciał się odczepić, ale nie miał szans. Jeśli zaś zdołał uczynić marginesową uwagę, następowało jeszcze gorsze, mianowicie na scenę świńskim truchtem wbiegał nowy temat, równie starannie traktowany. Rezultat był okropny, istne szkolenie przymusowe, którego nie wolno zlekceważyć pod karą potępienia wiekuistego.

I ja miałam w tej sytuacji pilnować łyżeczek!

Do sklepów pojechałam obarczona zaleceniem Alicji, żeby kupić to co trzeba, niekoniecznie najdroższe produkty, jakie uda mi się znaleźć, ale w każdym razie zdecydowanie mało pracochłonne.

– U siebie w domu też miewasz gości – zawarczała. – I oni do ciebie swojego żarcia nie przynoszą, więc rób, jak uważasz.

– Owszem, przynoszą. U siebie akurat gówno bym kupiła, bo tylko gówno w dzisiejszych czasach jest łatwo dostępne – przypomniałam jej godnie i odjechałam.

Pierwszy raz się zdarzyło, że Alicja na mnie zwaliła zaopatrzenie domu, chociaż miewała znacznie więcej gości, a w dodatku ostatnio właśnie przeszła na wcześniejszą emeryturę, żeby się zająć ukochaną ceramiką, i swobodnie dysponowała czasem. Nigdy wcześniej. Najwyżej jakiś tam mały, przeoczony zakupek, drobiazg pod drodze, ale całość...? Bez uzgodnienia i narady...? Dziwne.

I nagle wszystko wydało mi się dziwne, z Alicją włącznie. Normalnie poleciałaby sama albo pojechała razem ze mną, dlaczego teraz nie? Nie chciała zostawiać domu na pastwę Romea i Julii? Przecież Hania nie przysłałaby jej pary podejrzanych złoczyńców!

Musiałam się odczepić od swędu tajemnicy, bo przypomniała mi się Elżbieta z Olafem, przygniotła mnie odpowiedzialność i zakupy spożywcze w obliczu cudownej, kapitalistycznej obfitości odzyskały nagle swój urok. Zajęłam się rajem.

Kiedy wróciłam z pełnym bagażnikiem, Alicja znów miała zęby dookoła głowy. Pan Wacław starał się pomagać jej w kuchni, coś niewątpliwie wywinął. Nie dociekałam, wniosłam produkty i jak konsekwentna świnia uciekłam do ogrodu spalić co suchsze i drobniejsze gałęzie ze ścieżki, zmniejszając rosochatą kupę. Usprawiedliwienie miałam, ostatnie chwile, za kilka dni zakaz palenia ognia w miesiącach letnich nabierze mocy i cały ten śmietnik zostanie aż do września.

Julia półleżała na tarasiku, na ogrodowym fotelu, grubo usłanym poduchami, więc chyba nie było jej zbyt niewygodnie, chociaż siedzieć się na tym nie dawało, tylko właśnie półleżeć. Na wszelki wypadek dziabałam drewno i paliłam ten ogień odwrócona tyłem do domu, żeby nie brać udziału w niczym, co mogłoby się tam dziać.

I znów uświadomiłam sobie dziwność. Cokolwiek dotychczas działo się u Alicji, było zachwycające, może niekiedy trochę męczące, ale barwne, atrakcyjne i pchałam się do tego z najżywszą zachłannością, jak głodne stado do koryta, jeśli nie włączać się czynnie, to chociaż popatrzeć i posłuchać, a teraz co...? Upadłam na głowę?

Czy to te skojarzenia z moim osobistym życiem, które budził pan Wacław? Ejże, chyba nie. Uporczywe milczenie Julii...? Może trochę, ale nie całkiem. Atmosfera! Coś w atmosferze...

I czy oni cały czas będą siedzieli Alicji na głowie, nigdzie nie idąc, nie jadąc, niczego nie oglądając?

Alicja wyszła z domu razem z panem Wacławem, skierowała się na boczną ścieżkę przy leszczynach i wskazała mu drogę do zasobników kompostowych. Pan Wacław niósł zapełnione wiaderko, poszedł z nim dalej, a Alicja podeszła do mnie. Wyglądała tak, jakby wyrwała się z zaduchu i łapała odrobinę świeżego powietrza.

– Nie zjadłabyś czegoś?

Od śniadania minęło już trochę czasu, nadeszła pora na małą przekąskę. Wsparłam się na pomocniczym drągu, który tym razem wybrałam sobie odpowiednio długi.

– Zjeść, bym zjadła. Ale chyba pojadę do kiosku pod Irmę i tam sobie kupię parówki.

– Mam powiedzieć, co o tobie myślę?

– Po pierwsze, to nie o mnie, a po drugie, ja myślę to samo. Poza tym też możesz jechać pod Irmę i zjeść parówki, a ja przez ten czas poświęcę się i zostanę w domu.

– Nie mogę, jedno koło mi siedzi i akumulator mam wyładowany.

– Romeo cię popchnie. Pojedziesz na obręczy, to blisko.

– Idiotka. To już wolałabym iść piechotą, pięć minut drogi. No, siedem.

– Dziesięć.

– A poza tym... Słuchaj, nie chcę przesądzać, ale prawie głowę bym dała, że on jest partyjny!

Spróbowałam ukoić jej uczucia.

– No i cóż takiego, moja ciotka też jest partyjna. A całkiem do niego niepodobna.

– Nie wątpię, że przede wszystkim z twarzy…

– Nie obrażaj mojej ciotki! Z reszty figury też, jest raczej niska i ma biust.

– I nie ma brody, jak sądzę. Zadzwoniłabym do Hani i Zbyszka, żeby się upewnić, ale musiałabyś siedzieć przy telefonie. Nie wiem, może ja się mylę, przedwcześnie to mówię, nie powinnam, dopóki sama się z tym nie uporam, ale coś mi nie gra.

Kiwnęłam głową z zapałem, bo też mi nie grało, i dorzuciłam opału do ognia. Śmietnik wyraźnie się zmniejszał.

– Czuję się zaszczycona, że mnie włączasz w połowie wątpliwości…

– Idiotka.

– …a ten nabój zaraz załatwię do końca, grubsze podgarnę pod klomb i pójdę posiedzieć, chociaż Hani i Zbyszka i tak o tej porze nie złapiesz, Hania stoi w kolejkach, a Zbyszek załatwia. Mogę posiedzieć w kuchni i tylko rzucać okiem?

– Możesz pod warunkiem, że nie zamkniesz się w łazience.

Pan Wacław wyłonił się z pokrzyw z pustym wiaderkiem i dziarsko zmierzał ku nam, ale w połowie drogi zawahał się i skierował ku Julii na tarasiku. Możliwe, że wezwała go gestem, obie stałyśmy tyłem do domu i nie mogłyśmy tego widzieć, a możliwe, że pchnęło go woniejące wiaderko, w którym odpadki roślinne wzmacniał aromat skorupek jajek, stanowiących źródło wapna. Alicja na wszelki wypadek odwróciła się przodem do domu.

– Ale! – przypomniałam sobie. – Co on zrobił takiego, że wprawił cię we wściekłość?

– Obluzowała się śruba przy solniczce nad kuchnią. Rzucił się ją naprawiać i zwalił całość na moją najnowszą patelnię. Wgniótł jej dno.

– Po cholerę trzymałaś na wierzchu najnowszą patelnię?

– Zamierzałam jej użyć i właśnie wyjęłam.

– I solniczki już przy drzwiach do łazienki nie ma?

– Nie ma. I tak zaraz nie będzie.

– Chwałaż Bogu! Też ją kiedyś zrzuciłam, o ile sobie przypominasz. Popatrz, nawet obrzydliwość może się okazać przydatna! Prawie zaczynam go lubić.

– Obrzydliwość! – podchwyciła z nagłym zainteresowaniem Alicja. – Masz rację, chyba tu lata w powietrzu jakaś obrzydliwość, nie wiem, skąd się bierze ani jak wygląda, ale gdzieś mnie uwiera. Skończ już z tą piromanią i zajmij się podglądaniem, a ja pójdę się zastanowić i przy okazji zadzwonię...

Przy lanczu, który w końcu znalazł się na stole, opóźniony nieco, a wyprodukowany z lekkim oporem naszego wnętrza i żywą pomocą pana Wacława, napoczęty przeze mnie, ukończony przez Alicję, pan Wacław na nowo rozwinął skrzydła. Natchnieniem okazały się trzy zasobniki kompostowe, z których jeden śmierdział potężnie spożywczo-roślinną zgnilizną, drugi ział wonią średnio, a trzeci prawie wcale, objawiał się już tylko uczciwą, żyzną ziemią. Jeszcze nie przesianą, ale to nie miało znaczenia.

Niczego równie wdzięcznego i romantycznego pan Wacław w życiu na oczy nie widział. Możliwe, że i nie wąchał, tę okoliczność jednakże jakoś pominął. Urok zakątka, tonącego w bujnej zieleni, no owszem, zieleń istotnie była bujna, nikt jej jeszcze nie zaczął porządkować, zaraz, co ten urok...? A, natchnieniem dla poety, nie wyłapałam, był, jest, będzie, powinien być...? O podobnych miejscach pisał Wargacz, rany boskie, nie znam człowieka, jego poezje krótkie i przejmujące... a, to nic dziwnego, że go nie znam, nie czytuję współczesnych poezji, pan Wacław też się skusił, dwa tomiki wydał, nie uważa się za poetę, jego domeną jest krytyka, ale ośmiela się sądzić, że mu nieźle wyszło...

Poezja wymieszana z kompostem ogłuszyła mnie zdecydowanie i przestałam słuchać. Gorliwie zajęłam się łyżeczką do oblizywania, majonez zawierały w sobie wszystkie sałatki, z kartofli, z makreli, z curry, czyhałam chciwie na właściwy moment, no i proszę, doczekałam się! Mało poetycznie, ale za to dokumentnie i starannie oblizał te łyżeczki po kolei. Widelec też. Dwa razy.

No, uszczęśliwię Marzenę!

Alicja nie dostrzegła niczego, najwyraźniej w świecie zaczynało jej być wszystko jedno, piła kawę i patrzyła w ogród. Postanowiłam, że nigdzie już dzisiaj nie jadę, i z herbaty przeszłam na piwo, chociaż w Danii to żaden problem, piwo za kierownicą nikomu nie przeszkadza, a do napoju od dawna byłam przyzwyczajona i musiałabym wytrąbić cysternę, żeby się urżnąć.

Zadzwonił telefon i jego dźwięczny terkot wydał mi się jednym z najpiękniejszych odgłosów, jakie w życiu słyszałam. Alicji chyba też, bo wyjątkowo szybko podniosła się od stołu, błyskawicznie opanowała odruch i nie tykając telefonu w salonie, od razu poszła odebrać w swoim pokoju. I dokładnie zamknęła za sobą drzwi.

Nic się w tym domu nie działo normalnie. Nigdy, ale to nigdy Alicja nie zamykała swoich drzwi, bardziej czy mniej, zawsze pozostawały uchylone. Zamknięte były raz, kiedy nie mając absolutnie żadnego innego wyjścia, bardzo wiekowej cioci Thorkilda oddała swój pokój i swoje łóżko, i skutki zamknięcia okazały się niemal katastrofalne. Z żadnymi telefonami natomiast nie ukrywała się, nie miała powodu.

A teraz zamknęła. A pewnie. Ja też bym zamknęła. Aktualni goście nie wiedzieli przecież, że nigdy nie zamyka.

Nie było jej dostatecznie długo, żebym zdążyła zadać intrygujące mnie nieco pytanie. Ten nieopanowany wodolej miał piękny, radiofoniczny głos, znałam się na tym, bo mój mąż też miał taki, a nawet jeszcze lepszy, zgodnie z posiadanym talentem pracował jakiś czas jako spiker, więc dlaczego ten słowotok nie?

Ależ tak, oczywiście, od czasu do czasu, broń Boże nie chce się angażować na stałe, bo już człowiek czuje się uwiązany, a jemu wszelkie więzy nader wstrętne...

Ułamek sekundy to był, coś drgnęło w oczach Julii, zgasiła to natychmiast, jak zwykle wykorzystując kwiatki. O, niech ja w domu nie nocuję, coś tu wisi w powietrzu...

– Elżbieta – powiedziała Alicja, wróciwszy, i nie zdołała całkowicie ukryć ulgi w głosię. – Już dopływają, będą tu za pół godziny. Czy państwo widzieli moją kwitnącą jukę? Nie tę tutaj, przed domem, ta jest młodsza, tylko z drugiej strony, za atelier. Pierwszy raz mi tak pięknie zakwitła, jak się pójdzie dołem dookoła klombu, można obejrzeć. Nic męczącego.

– Ja chętnie – rzekła Julia i pierwszy raz z własnej inicjatywy rozszerzyła wypowiedź, okazując skruchę.

– Przepraszam, że nie pomogę przy sprzątaniu, ale obawiam się, że mogłabym coś upuścić i stłuc. Jeśli trzeba, Wacław mnie zastąpi.

Alicja zaprotestowała ze straszliwą gwałtownościa, ale zarazem tak elegancko, że wprawiła mnie w podziw. Cała życzliwość świata biła z niej, kiedy wyrażała pogląd, że pan Wacław powinien raczej pomóc żonie, to po pierwsze, a po drugie, jest, jak widać, niezwykle wrażliwy na uroki roślinności i też ma prawo ponapawać się kwieciem. Ona sama, posiadaczka kwiecia, jest z niego bardzo dumna.

Tylko drewniany wół nie poleciałby oglądać juki. Postanowiłam bezwzględnie postarać się o własny ogród i posadzić w nim coś równie niezwykłego. Cholera wie czy jukę, oni tu nie mają mrozów...

Ledwo wyszli, Alicja skorygowała informacje o Elżbiecie.

– Wcale nie dopływają, tylko już dopłynęli, dzwonili z automatu w porcie, zaraz tu będą. Uprzedziłam ją, że zastanie tu wodoleja i słowotoka, ale się nie przejęła.

– Jeszcze nie widziałam, żeby Elżbieta czymś się przejęła.

– Owszem, wyobraź sobie, przejmuje się pacjentami, tyle że po swojemu. Więcej jej nie powiedziałam, zapomniałam ją ostrzec przed tymi... zaraz, co to było? Z tymi ramionami w morzu...

Króciutko szukałam w pamięci.

– Zdaje się, że ekstaza erotyczna.

– Tak mi się właśnie wydawało, nie słuchałam dokładnie i teraz mi trochę głupio, że jej nie ostrzegłam. Ale skorzystałam i zadzwoniłam do Hani i Zbyszka, miałaś rację, nie było ich w domu. A propos, na obiad chcą ryby i polską wódkę.

– Mam nadzieje, że Elżbieta z Olafem, a nie Hania i Zbyszek?

– Dla Hani i Zbyszka chwilowo obiadu nie robię. Kupiłaś ryby, czy mam iść do atelier i otworzyć zamrażalnik?

– A on się w ogóle otwiera?

– Zgłupiałaś chyba, oczywiście, że się otwiera. I mam tam lody.

– Tu też.

– Gdzie?

– W zamrażalniku.

– Co ty powiesz? Mam? Myślałam, że już zjedzone.

– Nie, zapomniałyśmy wczoraj wyjąć tę resztę, bo wygląda mało elegancko. Z lodami w ogóle rób, co chcesz, ale do ryb chodzić nie musisz. Kupiłam normalne filety, bez nadzienia, wolę te z nadzieniem, tylko one do kartofli nie pasują, więc się poświęciłam. Dajemy wino? Było francuskie stołowe, więc też kupiłam na wszelki wypadek.

– Bardzo dobrze. Właśnie dajemy!

Zaciętość w głosie Alicji zrozumiałam doskonale.

– Pochwalam. To całkiem jak z tym tańcem.

Zapychająca do ostatecznych granic zmywarkę Alicja odwróciła się do mnie gwałtownie i spojrzała podejrzliwie.

– Z jakim tańcem? Z winem się nawet kojarzy, ale z rybami...?

– Nie, to jeszcze niedawno... co ja mówię, jeszcze i dziś. Odmówisz tańca jakiemuś w znajomym gronie, wykręcając się czymkolwiek, a zaraz potem pójdziesz tańczyć z innym, znaczy tego poprzedniego obraziłaś. Mam na myśli eleganckie towarzystwo. Po odmowie jednemu z drugim nie wypada, wiesz o tym lepiej ode mnie…

– Ostatnio jakoś wyleciało mi z pamięci. Myślisz, że z winem wyjdzie podobnie?

– Sama też tak myślisz.

– Ja chyba lepiej wiem co myślę?

– A nie myślisz? Z uciechą?

Przez chwilę Alicja nadłamywała w sobie wrodzony opór.

– No, może…

– A do tej zmywarki już nic więcej nie wepchniesz, uwierz mi na słowo. Może jednak ją włączyć, do obiadu zdąży odwalić robotę. Lepiej niech zacznie przed wodolejem…

Ugryzłam się w język, bo państwo Buckowie pojawili się na tarasie. Cholera, krótko tę jukę oglądali. Alicja ich wyczuła nie widząc, ale nie ucięła nagle rozmowy, przztyknęła guzikiem.

– Na twoją odpowiedzialność. Jeśli mi tu świecisz optymizmem, zabraknie nam talerzy, tylko filiżanki zostaną.

– Proszek! – jęknęłam.

– Proszek wsypałam już wczoraj, żeby nie zapomnieć.

– Może coś pomóc? – włączył się gorliwie pan Wacław. – A tak przy okazji, zgubiła pani w ogrodzie dwa długopisy, właśnie je znalazłem, proszę bardzo, zabrudziły się ziemią, może oczyścić? – położył na bufecie dwa zwyczajne długopisy, jeden niebieski, drugi żółty. – Cóż to za przepiękny kwiat, jeszcze u nikogo w ogrodzie nie widziałem tak kwitnącej juki! Ona z pewnością wymaga jakich specjalnych zabiegów!

Pomyślałam, że zabiegów zaraz będzie wymagał pan Wacław, z tym, że chirurgicznych. W ogóle opatrunkowych, no nic, Elżbieta za chwilę nadjedzie... Ale chyba o robaczkach będę już mogła jej powiedzieć...?

Alicji o mało szlag na miejscu nie trafił, ale opanowała się do tego stopnia, że nawet przygasiła zęby. Wzięła długopisy do ręki.

– Już długo nie oglądałam tej juki, chętnie na nią popatrzę. Pójdzie pan ze mną i przy okazji pokaże mi pan, gdzie pan znalazł te długopisy i który był w którym miejscu. Tak się składa, że one nie zostały zgubione, tylko zaznaczały miejsce posadzenia cebul, o tej porze roku niewidocznych. Wszędzie zostawiam stare długopisy w odpowiednich kolorach i znajdzie ich pan w moim ogrodzie jeszcze bardzo dużo, ale może niech pan jednak nie szuka...

Panu Wacławowi zamurowało gębę, niestety na krótko. Już na tarasie, zaraz za drzwiami, rozpoczął ekspiacje, cichnące w miarę schodzenia za klomb.

Julia odsunęła krzesło i usiadła przy stole. Robiła wrażenie, jakby coś w sobie musiała przełamać.

– Czy stała się jakaś wielka szkoda? – spytała z odrobiną niepokoju i troski.

Nie do uwierzenia, odezwała się pierwsza! Musiało z Alicji nieźle strzelać, a fajerwerki dla osób obcych były oczywiście niezrozumiałe.

Usiadłam również.

– To zależy. Jeśli miejsce pobytu długopisów zostanie odnalezione, żadna, jeśli nie, dla Alicji ogromna. Jeden rok starań zmarnowany. Mogę pani wyjaśnić, jeśli pani chce.

– Bardzo proszę.

– Ona ma fioła na punkcie tulipanów i cały ogród nimi zapycha, robiąc z nich przepiękne zestawienia kolorystyczne. Ustawicznie dosadza nowe, zdaje się, że dawno przekroczyła już trzy tysiące, a w porze sadzenia w ogóle ich nie widać, liście nikną, tylko cebulki w ziemi zostają, więc zaznacza kolory. Tych zepsutych długopisów ma około miliona, no, może kilka mniej, wtyka je w odpowiednie miejsca, bo właśnie są kolorowe i wszystkie kolory pamięta. Może zapomnieć, jak się nazywa, ale to pamięta. Żółte oznaczają zapewne żółte, białe to białe, a niebieskie mogą być też białe, ale inne, względnie niebieskie, fioletowe, łososiowe, różowe... Najprędzej coś z odcieni różowych, bo różowych długopisów jest mało, a tulipany ona ma takie od najbledszego różu aż prawie do czerni. W dodatku ma strzępiaste, papuzie, dwubarwne, pojęcia nie mam co jeszcze, bo ciągle dosadza, mają tu rozmaitości z Holandii. Wygląda to wstrząsająco, widziałam na zdjęciach. Powiedziała, że zabije osobę, która jej zaproponuje wyjazd z domu w porze kwitnienia tulipanów, dwa razy dała się namówić i straciła ukochany widok, nigdy więcej. Robi zdjęcia tej orgii i kiedy już przekwitną, siedzi i wpatruje się w nią w upojeniu. Nie napije się pani piwa?

Zaschło mi w gardle, bo śpieszyłam się, żeby wszystko powiedzieć, zanim Alicja wróci, po co ma ją dodatkowy szlag trafiać. Podniosłam się, wyjęłam z lodówki butelkę ukrytą pod sałatą, otworzyłam i sięgnęłam po papierosy.

Julia za piwo podziękowała, wpatrywała się we mnie i słuchała wręcz zachłannie.

– Mówiłam, żeby używała czegoś innego, bo długopis każdy uprzejmy nadgorliwiec znajdzie, podniesie i dostarczy jej z triumfem, to nie. Nic innego jej nie pasuje. Właściwie ma rację, albo to będzie coś użytecznego i skutek taki sam, albo przy byle patykach ona sama się nie połapie. Zresztą różne bulwy i kłącza tu w grę wchodzą, osłonięte późniejszymi roślinami. A do wiązania wstążeczek Alicja nie ma cierpliwości, poza tym z doświadczenia wiem, że wstążeczki po tych paru miesiącach tracą kolor i za cholerę nie wiadomo, co to jest, czerwone, pomarańczowe, białe czy żółte. Długopisy rzeczywiście najlepsze.

– A druty do wełny...?

– W czterech kolorach i ani jednego więcej. Zabawki dziecięce, jakieś kulki na patykach... To samo co z długopisami, każdy złapie i przyniesie, „Alicja, takie znalazłem, pewnie zgubiłaś, a teraz ci potrzebne". Myślę, że kiedyś ona kogoś naprawdę zabije. Może kawy...?

– Kawy chętnie. A gdyby tak zawiesić napis: nie przynosić niczego z ogrodu...?

Coś podobnego, Julia ze mną rozmawia! Jakaś zapora pękła...?

Czajnik zagulgotał, mało wody w nim było, wyjęłam jedną z nielicznych jeszcze czystych filiżanek, reszta utensyliów stała na półeczce nad stołem, podetknęłam jej wszystko pod nos.

– Musi pani sama sobie nasypać, bo ja w kawie wprawy nie mam. Tu jest śmietanka, proszę bardzo. Co do napisu, to polecenie najwłaściwsze dla kota, który przynosi różne świstwa z myszami na czele, z Alicją nie przejdzie, ustawicznie coś rzeczywiście potrzebnego plącze się po ogrodzie i trzeba to zbierać. Chyba jedyne wyjście, to te zdjęcia, szczęście, że ona umie je robić. I da się z nich rozpoznać, które jest które.

– O, kawa! – powiedziała Alicja od drzwi tarasowych ożywionym głosem. – Może ja też bym się napiła? Jest jeszcze jakieś czyste naczynie?

– Rozumiem, że państwo pożądane ślady odnaleźli? – rzekłam wytwornie. – Z naczyń prawie wszystkie garnki są czyste, także patelnie, ale parę filiżanek też się znajdzie. Starczy ci tej wody, a dla ludzi zaraz dogotuję.

– Ślady odnalezione – radośnie odpowiedział za Alicję pan Wacław. – Pamiętałem! Już zrozumiałem swój błąd, za który kajam się z najgłębszą skruchą i obiecuję uroczyście niczego więcej...

– Jeśli znajdzie pan duży brylant, może go pan przynieść – zezwoliłam łaskawie i przytknęłam napełnionym czajnikiem.

Rozmowa z Julią straciła szanse na rozwój, pan Wacław wsiadł na dwa tematy równocześnie, opisywał małżonce wyprawę w dziką dżunglę i wyjawiał swój osobisty stosunek do brylantów oraz innych drogocenności. Przyglądałam się Alicji, dowiadując się o jej szaleńczych krzykach szczęścia i euforycznych podskokach na widok dziurki po długopisie, ale nic mi z tego przyglądania nie przyszło, bo nie słuchała. Rozsądnie i przezornie, mogłoby jej do zębatego uśmiechu głowy nie starczyć. Alicja i krzyki, czy ten facet jest w ogóle normalny?

Dywagacje na temat właściwości efektownych kolorystycznie minerałów i miażdżącej krytyki traktującego o nich dzieła jakoś mi kompletnie umknęły, bo znów zajęła mnie dziwność. Przecież we wszystkich innych wypadkach, pełna współczucia dla Alicji i zaciekawiona poszukiwaniami śladów, poleciałabym też wziąć udział w niweczeniu małej bo małej, ale jednak klęski, a tu nic.

Na krok się nie ruszyłam, odrzuciło mnie. Może Julia? Ale na Julię wszak już straciłam nadzieję...

Niech ta Marzena przyjedzie, muszę to z kimś porozważać, bo inaczej kretyńska atmosfera przegryzie mnie na wylot!

Słuchać, Alicja nie słuchała, ale zęby zaczynały jej się mnożyć...

*

Szczęknięcie furtki i głosy na zewnątrz zabrzmiały niczym muzyka niebiańska. Elżbieta z Olafem, nareszcie!

– Ja mówie po polsk! Ja mówie po polsk! – zagrzmiało radośnie i dumnie już na dziedzińczyku.

– Mówi, mówi, nie słuchajcie go – uspokoiła nas Elżbieta od progu przedpokoju i nie oglądając się za siebie wkroczyła dalej.

No tak. Na to czekałam!

Nie straciła nic ze swojej urody zmęczonej Madonny, przeciwnie, nawet chyba jeszcze wypiękniała. Charakter natomiast jej został, w nosie miała bagaże, weszła z torebką przewieszoną przez ramię, z bagażami kotłował się Olaf. Zerwali się wszyscy z wyjątkiem Julii, która wstała z krzesła powoli i zastygła przy oparciu.

Nawet jeśli Elżbietę zdziwiło nasze przesadnie entuzjastyczne powitanie, nie zareagowała na nie nijak. Weszła dalej, bo w przedpokoiku Olaf z bagażami nie bardzo się mieścił.

Pan Wacław grzecznie, ale z niecierpliwą chciwością, oczekiwał swojej kolejki. Nie dało się zwlekać dłużej.

– Goście z Polski, państwo Buccy... – zaczęła salonowo Alicja, no i cześć.

Namiętnym gestem pan Wacław chwycił Elżbietę w objęcia i jął obcałowywać ogniście, czemu w obliczu jej urody właściwie trudno się dziwić, szczególnie po kuzynce Grecie. Elżbieta niewątpliwie zdążyła już przywyknąć do osobliwych zachowań pacjentów, ale tu zaskoczenie zrobiło swoje, pacjentów w domu Alicji raczej się nie spodziewała. Udało jej się weprzeć pięściami w klatkę piersiową napastnika i tyle, odepchnąć go już nie, odchylała tylko twarz. I na tę chwilę właśnie trafił wchodzący Olaf.

– Hej, kotas! – krzyknął strasznie, upuścił torby, z których jedna zabrzęczała i rozdzielił złączoną parę tak, że pan Wacław poleciał aż na fotel salonowy, a ponieważ był wysoki, na oparcie trafił tyłkiem, przewinął się jakoś dziwnie i zastygł w pozycji siedzącej, odwrotnej od powszechnie przyjętej. Z nogami w górze, a stołem za plecami. Elżbietę, mimo wzburzenia, Olaf oszczędził, nie wylądowała na dziedzińczyku, cofnął ją zaledwie do progu salonu, gdzie uchwyciła się futryny.

– Co to było? – spytała bez wielkiego zainteresowania i od razu uznała za stosowne wyjaśnić: – Mówił wam przecież, że mówi po polsku, trochę mu się myli.

Cudem chyba udało nam się zachować jako tako przyzwoicie. Pan Wacław wygrzebał się z fotela, zdziwiony, zmieszany, zmartwiony, sumitował się, czymś usiłował usprawiedliwić, ale tak mętnie, że nie tylko Olaf, także i polskojęzyczne osoby nic z tego nie zrozumiały. Olaf bystrym i gniewnym wzrokiem obrzucił wszystkich, w oku mu zaiskrzyło, znienacka rzucił się na Julię, też ją chwycił w objęcia i ucałował w oba policzki równie namiętnie i do tego wyzywająco. Po czym chmurnie popatrzył na potencjalnego rywala.

Rywal odpowiedział eleganckim ukłonem i obaj z tego doszczętnie zgłupieli.

– On ma temperament – westchnęła Elżbieta. – Nie zdążyłam ci o tym powiedzieć, zresztą, nie wiedziałam, że trzeba. Mogę coś tam zrobić? Przywieźliśmy zimne piwo.

– Rób co chcesz, tylko wynoście się z tej kuchni – zażądała Alicja, kryjąc chichot pod radosną gościnnością. – Do salonu proszę, tu za jakiś czas zacznę robić obiad. Elżbieta, jeśli miałaś na myśli kawę, to może być i dla mnie.

Elżbieta również pomieszkiwała u Alicji przez dłuższe i krótsze okresy czasu i umiała się zachować, można ją było zostawić samą. Nie wtrącałam się do niczego, chłonąc sytuację, niepewna czy zdołam wytrwać w opanowaniu, bo aż tak pięknych scen się nie spodziewałam. Lekceważąc salon, zdopingowane przez Olafa towarzystwo przeniosło się na taras.

– Bede wodka? – dopytywał się Olaf, wciąż żywiutki, ale już promienny. – Do dinner? Polsk wodka?

Na tym chwilowo jego zasób polskich słów się skończył, przeszedł zatem częściowo na duński, a częściowo na angielski. Przyglądałam mu się z wielką sympatią, prawdziwy Szwed, wysoki, jasnowłosy i kościsty, z tym że na tych kościach wyraźnie rysowały się mięśnie i ścięgna całkiem niezłe, jak zresztą można było wywnioskować z ataku zazdrości. No i refleks, od razu wypatrzył właściwą osobę do zemsty, to znaczy refleks się nigdzie nie rysował, tylko dał o sobie znać poniekąd czynnie.

Ulga, która pojawiła się w powietrzu i gdzieś dookoła, uświadomiła mi dogłębnie, jaki gniot ciążył nad nami przez cały czas. Nie wydawało mi się, on istniał i diabli wiedzą skąd pochodził, teraz wreszcie na jego miejsce wskoczyła jaka taka równowaga. Nawet Alicja, z grzeczności skrywająca wewnętrzne doznania, prawie całkowicie wróciła do siebie.

Elżbieta komplikacjami językowymi nie przejmowała się w najmniejszym stopniu.

– Stefana jeszcze nie było? – spytała, zastawiając stół napojami.

– Stefana? – zdziwiła się Alicja. – A miał być?

– Wraca z Polski okrężną drogą i zamierza wstąpić do ciebie. Miałam cię o tym zawiadomić, więc pewnie będzie.

– To świetnie, dawno go nie widziałam!

– Właśnie mówił to samo o tobie.

Stefana znałam ze słyszenia. Od wielu lat jeden z najlepszych przyjaciół Alicji, w zasadzie architekt, chociaż hobbystycznie uprawiał liczne inne zawody, głównie historię, a równolegle z nią dziennikarstwo, mieszkał na stałe w Szwecji, miał tatusia Szweda i szwedzkie obywatelstwo, mamusię Polkę, a interesował się wszystkim. Nasłuchałam się o nim mnóstwo od nieskończoności, a w życiu człowieka na oczy nie widziałam nawet na zdjęciu, pojawiła się szansa, że go wreszcie zobaczę. Lubię poznawać ludzi optycznie.

I od razu błysnęło mi, że nie ma siły, trzeba już będzie zużytkować atelier, nie da rady inaczej, Stefan polata sobie po ogrodzie i przez tarasik do łazienki, podobno zdrowy i bardzo sprawny fizycznie, więc mu nie zaszkodzi.

Elżbieta przywlokła z kuchni stołek dla siebie i na tym zakończyła swoją ożywioną działalność gospodarską.

Olaf usiłował rozmawiać ze wszystkimi równocześnie, co nie wychodziło mu najlepiej, Alicja nie nadążała z tłumaczeniem i poprawkami, Elżbieta dopomagała skąpo, pan Wacław, ku własnej zapewne udręce, brał udział nikły, władał podobno tylko francuskim, mało przydatnym w Skandynawii, i oto nagle ujawnił się cud. Okazało się, że Julia doskonale zna angielski. Pan Wacław, koniecznie usiłując się wtrącić, sam tę tajemnicę bardzo gromko wyjawił.

No i przepadło. Nie mogła już poprzestawać na swoim „tak, proszę" i „nie, dziękuję", temperamentny Szwed bowiem zadawał pytania, wszystko chciał wiedzieć, wszystko go ciekawiło, Polska jako kraj intrygowała go do szaleństwa, dużo mu akurat ta nieszczęsna kobieta mogła powiedzieć o wodogrzmotach Mickiewicza i tańcach góralskich, o polowaniach w Białowieży i połowach ryb słono- i słodkowodnych w rozmaitych akwenach, a ryby, najwyraźniej w świecie, bardzo lubił. Głównie interesowały go pstrągi w górskich potokach, poławiane kłusowniczo. Więcej zapewne dowiedziałby się od niej o konfliktach historycznych i szwedzkim potopie.

Elżbieta siedziała na swoim stołku tuż obok mnie. Szturchnęłam ją.

– Uwolnij na chwilę panią Julię i powiedz mu o węgorzach w Zalewie Wiślanym, jeśli dotychczas nie mówiłaś.

– Co o węgorzach w Zalewie Wiślanym?

Ściagając na siebie ogólną uwagę, z zimną krwią wyjaśniłam dobitnie:

– Przez parę lat po wojnie węgorze w Zalewie biły wszelkie rekordy. Wielkie jak krowy, grube jak dwie ręce, a nie jedna, i tłuste jak tuczne świnie, a było ich tyle, że się w wodzie nie mieściły. Odżywione jak się patrzy, bo w chwili przechodzenia frontu potopiły się tam tysiące uciekinierów. Przed Ruskimi tak spieprzali, a statki szły na dno jeden za drugim. Narodowość uciekinierów węgorzom była obojętna, z natury są mięsożerne.

– I co się z tymi węgorzami stało?

– Nic. Zostały skonsumowane z wielką przyjemnością i apetytem. Do dziś ze łzą w oku są wspominane przez co starsze osoby.

– Co to za pomysł upiorny?

– Żaden pomysł, fakt. Sama święta prawda. Powiedz mu, niech wie.

Elżbieta we wszelkich sytuacjach również zachowywała zimną krew. Przerwała Olafowi i wystąpiła z informacją, bo co jej szkodziło.

Polski tekst w moim wykonaniu zrozumieli wszyscy, szwedzki natomiast tylko Olaf i częściowo Alicja. W głębokiej ciszy, jaka zapanowała nad stołem, słuchali z lekką zgrozą. Olaf nie, bez zgrozy. Przysięgłabym, że też mu łza w oku błysnęła i westchnął z głębokim żalem.

– Jaka szkoda... – skomentował smutnie, rzecz jasna po szwedzku, więc Elżbieta musiała przetłumaczyć.

– On żałuje, że go tam wtedy nie było – dodała spokojnie od siebie.

Szczerze mówiąc, ja też żałowałam, tego rodzaju wtórny kanibalizm w najmniejszym stopniu by mi nie przeszkadzał, spojrzałam zatem na niego z sympatią pełną współczucia.

Alicja wygrzebała się z fotela.

– Nie przeszkadzajcie sobie – rzekła jakoś dziwnie, chyba w czterech językach równocześnie, bo i niemiecki jej się przyplątał. – Zacznę robić obiad. Będą ryby.

I w progu domu niczym grom z jasnego nieba zastopowały ją słowa gościa, najwidoczniej starającego się zniwelować nieco własną wcześniejszą gwałtowność.

– Pan wodolej, pywo?

Życzliwym gestem Olaf wręczał panu Wacławowi otwartą butelkę piwa...

Na ciąg dalszy sceny można by spuścić zasłonę milczenia, gdyby nie błyskawiczna reakcja Alicji. W mgnieniu oka stanęła na wyskości zadania.

– A propos wody – rzekła żywo, wciąż jeszcze w wejściu do salonu, z lekkim roztargnieniem, ale nie dając wodolejowi dojść do słowa. – Czy u was, w Szwecji, też powtarzali tę prośbę o wodę? A nie, wam nie brakuje... U nas owszem, ze względu na miesiące letnie, powtórzyli apel. Coś okropnego.

I znikła w głębi domu, możliwe, że z nadzieją na moją inwencję.

Wykazałam się inwencją, zanim ktokolwiek zdążył się odezwać. No i co z tego, że Alicja oderwała ten kawał kory z robaczkami akurat znad głowy pana Wacława, reszta żywiny niewątpliwie została w pierwotnej siedzibie i pozbawiona wierzchniego okrycia, mogła wszak lecieć, wpadać do talerza... a nie, do talerza nie, Elżbieta nie dała talerzy...

Zacząwszy o robaczkach, zająknęłam się, doznałam wrażenia, że to mi nie wychodzi najlepiej i czym prędzej weszłam w temat napoczęty przez Alicję, Elżbiecie i Olafowi doskonale znany, Olaf przy tym nie miał prawa zrozumieć ani słowa, nie wiadomo zatem do kogo mówiłam...

Przeciwnie, wiadomo.

– Danii brakuje wody wbrew pozorom, bo geograficznie tkwi w wodzie, ale to słona, a brakuje słodkiej, więc co roku apelują do społeczeństwa, żeby oszczędzało. To nie znaczy, że ludzie mają się nie myć, nie prać i nie zmywać garnków, tylko nie lać niepotrzebnie, u siebie w domu odkręcam kran i ona leci, a ja odbieram telefon albo co. A oni tutaj zakręcają. Myję zęby, a ona leci, tu z grzeczności i dla świętego spokoju w trakcie zębów zakręcam. Duńczycy się stosują, bo to porządny naród, już im chyba w nałóg weszło. Olaf, jest jeszcze trochę piwa?

Z całego mojego gadania Olaf rzeczywiście nie zrozumiał ani słowa, ale pytanie o piwo owszem. Natychmiast wyciągnął flachę, a co do całej reszty, bardzo liczyłam na to, że pan Wacław weźmie ją do siebie. Nie wziął, aczkolwiek temat podchwycił, zaczął o studniach Napoleona, rany boskie, małżonka milczy... Istotnie, coś okropnego.

Atmosfera udręki na nowo zaczęła wracać. Na litość boską, czy nie mogła tu przyjechać jakaś osoba bodaj trochę gadatliwa...?! Nie, zaraz, jedna gadatliwa jest, siedzi pod paprochami sypiącymi się z jabłoni i ględzi, pożytku z niej niewiele, bo audytorium skażone. Z rozpaczy wpadłam w amok i zaczęłam zabawiać Olafa językiem niezwykłym, angielsko-niemiecko-duńskim z polskimi wtrętami, unikając tylko z największą starannością francuskiego. Okazało się, zdumiewająca rzecz, że ten Szwed jest w Danii pierwszy raz, kraj o miedzę, a nieznany, dotychczas preferował Islandię, Anglię, Norwegię, Finlandię, troszeczkę Włochy, troszeczką Stany Zjednoczone i nawet Polskę, gdzie zachwyciła go wodka i bigos, ale w Polsce właściwie na wybrzeżu poprzestał, dalej niczego nie zwiedzał, bo był zbyt pijany. Kamień mu zleciał na głowę.

– Elżbieta, czy ja dobrze rozumiem? Kamień mu na łeb zleciał? Gdzie?

– Nie wiem.

Olaf gorliwie jął wyjaśniać. Budowla bardzo stara, nad samym brzegiem, sypie się, kawałki odrywają się i lecą. A on siedział pod. Wydaje mu się, że to pół kościoła.

– Trzęsacz! – zgadłam natychmiast. – Zbudowany był prawie kilometr od plaży, morze zabrało grunt, kilkaset lat to trwało. Po cholerę siedział pod?

– Pijany był i z jakąś dziwką.

– Dziwka musiała być też pijana, trzeźwe osoby wiedzą, że kościół się wali. Wyjaśnij mu, że tam nie należy siedzieć pod, bo w końcu człowieka zabije. Nie daj Boże pojedzie drugi raz i nieszczęście gotowe.

Elżbieta bez emocji wyjaśniła, na ile jednak zdołałam zrozumieć, raczej niestosowność kontaktów z pijanymi dziwkami. Wróciłam do zachwalania uroków Danii i z szalonym zapałem zaczęłam go informować, co powinien zobaczyć, Kronborg, Hillerød, Skagen, Tivoli, Baken, tam jest kolejka, druga co do okropności w Europie, pierwsze miejsce ma ta pod Londynem, a jeśli chce bliżej, tu jest prześliczne jezioro, a nad nim takie coś dla turystów, słowa „barak" w żaden sposób nie umiałam sobie przypomnieć w żadnym języku, stoły, ławy i piwo dają. Do piwa dołożyłam kiełbaski, chociaż wcale nie byłam ich pewna.

Co przeżyłam, to moje.

I nagle zbuntowałam się. Przerwałam w pół słowa, przeprosiłam grzecznie i zerwałam się, o ile tak można określić opuszczenie cudownego fotela ogrodowego. Niech sobie myślą, że wychodek mnie wzywa, co mi zależy.

– Alicja, na litość boską...! – jęknęłam w kuchni.

– No właśnie – przyświadczyła Alicja w zadumie. – Popatrz, a taki piękny temat zaczynał nam się rozwijać i co?

– I gówno.

– Różnych gości tu miewałam, jak sama wiesz, ale czegoś podobnego nie. Nic z tego nie rozumiem, Z dwojga złego już wolałam, jak się tu wszyscy mordowali...

– Szczególnie że mało skutecznie...

– A one obie milczą? U Elżbiety to normalne, ale ta Julia? Nie mogłaby się trochę zmobilizować? Nie przymyka mu gęby?

– Najwidoczniej nie. Już całą turystykę odpracowałam i nic.

– Nosem mi wychodzą te ryby – powiedziała Alicja z niezadowoleniem i odwróciła filety na drugą stronę. – Nie cierpię ryb. Może teraz ty je trochę posmażysz?

– Bardzo chętnie, lubię ryby, ale wzięłabym drugą patelnię, niech się smażą wszystkie razem.

– To weź. W piecu mam klopsiki w sosie, niedużo, ale też chcę coś zjeść. Nie dowalić do krewetek szparagów?

– Ja bym dowaliła. A kartofelki?

– W mikrofalówce.

– To właściwie wszystko jest. Z czym się tutaj tak grzebiesz?

– Nie grzebię się, tylko odpoczywam – pouczyła mnie Alicja nieco jadowicie. – Nawet niegłupio te zakupy zrobiłaś, tyle roboty, co kot napłakał. Nie wytrzymałam tam już dłużej, Olaf mi się podoba, a Elżbietę bardzo lubię, ale tamci dwoje...?

– Romeo cierpi, a Julia zatruwa – orzekłam stanowczo. – Powiem ci szczerze, że zaczyna mnie ciekawić, jakich jeszcze rozrywek ten wybrakowany wodolej dostarczy.

– Mnie nie...

Wezwanie do stołu ucieszyło wszystkich co najmniej tak, jakby od tygodnia nie mieli nic w ustach. Olaf i Elżbieta może i byli głodni, diabli wiedzą kiedy coś jedli, ale państwo Buccy...? O cholera! Zdaje się, że do tej pory nie oddałyśmy im tych wyturlanych z torby byczków w pomidorach... No nic, trudno, nie czas było na nie w tej chwili.

Elżbieta wzięła mnie na stronę. Strona znajdowała się na końcu tarasiku, przy poprzewracanych fuksjach. Jedną podniosła.

– Słuchaj, co to były te studnie Napoleona? Co on miał na myśli?

– Jak to? – zdziwiłam się. – To samo co Ilja Erenburg. Nie słyszałaś?

– Nie. Jeszcze bardziej nie rozumiem.

– O Boże, inne czasy czy co...? Wcale nie dowcip, tylko fakt, chociaż zrobili z tego dowcip. Na egzaminie w liceum nauczyciel spytał ucznia, co wie o stu dniach Napoleona, na co on zaczął ględzić, że jak Napoleon był w Afryce, to kazał na pustyni kopać takie studnie, żeby armia miała wodę i tak dalej. Studnie Napoleona, znana rzecz!

– A Ilja Erenburg?

– To na egzaminie wstępnym, i to na moim wydziale, prawie w moich czasach, kandydat na studenta dostał pytanie, kto to był Ilja Erenburg. Na co bez wahania odpowiedział: „Ostatnia kochanka Hitlera". Jak Boga kocham, święta prawda, ale zauważ, że to było niewiele lat po wojnie!

– Piękne! – zachwyciła się Elżbieta.

– Więcej było takich kwiatków, ale to nie przy tobie, jesteś za młoda, przy okazji ci opowiem – obiecałam jej i posłuszne wezwaniom, weszłyśmy do salonu.

Wino do otwierania Alicja wręczyła Olafowi. Czerwone wino do krewetek i ryby, pomysł dosyć upiorny, ale po pierwsze, były jeszcze klopsiki, po drugie, wiedziałam doskonale, że białego w domu nie ma, a po trzecie, to i tak było byle jakie, wprawdzie francuskie, ale całkiem zwyczajne, stołowe.

No i tu pan Wacław dorwał się wreszcie do głosu. Zakręcił trunkiem w kieliszku, obwąchał, spróbował i ruszył.

– Znakomite wino. No tak, francuskie – obejrzał butelkę i przeczytał etykietę, zapewne dla upewnienia się. – Oryginalny bukiet... Długi, ciągnie się... lekko się zmienia po chwili... Odrobina kwaskowatości ginie, ujawnia się cierpkość... W drugim takcie...

Też spróbowałam troszeczkę, kwaśne było jak piorun i ostre, typowe do obiadowego mięsa. Pan Wacław roztkliwiał się nadal, prezentując znawstwo wielkiej klasy.

Nikt nie odzywał się ani słowem, cztery osoby wpatrywały się w niego w milczeniu, Olaf z wyraźnym zainteresowaniem, nie rozumiał wprawdzie nic, ale być może miał jakieś pojęcia o winach jako takich. Reszta grzecznie. Bez wyrazu.

Tak naprawdę prawie wszyscy ze zgromadzonego towarzystwa coś o winach wiedzieli, wyglądało, że Julia też. Elżbieta ceniła naprawdę dobre, najmniej doświadczenia miałam ja, bo niby skąd? Z kraju, gdzie przez całe lata szczytem luksusu było egri bikawer? Dopiero w Danii zaczęłam uczyć się win.

Każdy spróbował, zapewne z ciekawości, od komentarzy się powstrzymano, po czym w mniejszych nieco kieliszkach pojawił się narodowy napój polski, który żadnej wiedzy nie wymagał. Przy winie pozostał tylko pan Wacław i Julia, kurczowo trzymająca się niezmienionego wyrazu twarzy. A co myślała, to jej.

Pan Wacław zabawiał Elżbietę, uniemożliwiając jej całkowicie tłumaczenie czegokolwiek, na szczęście Alicja dawała sobie radę z Olafem całkiem nieźle, trochę przecież ten szwedzki zdążyła poznać, Julia niekiedy wtrącała się pod przymusem, aż do chwili, kiedy rozochocony Olaf zdecydował się podciągnąć znajomość polskiego. Zaczynało mnie to coraz bardziej ciekawić, ale równocześnie z ust naszej duszy towarzystwa padło nazwisko. Maria Rohacz.

Ejże, co Maria Rohacz?

Świetna autorka satyrycznych nieco kryminałów, wielbiona przeze mnie od lat nie tylko za wyjątkowo piękny i barwny język, ale i za niezwykłą umiejętność omijania polityki. Część jej współcześnie pisanych książek sięgała akcją czasów przedwojennych, cenzura nie miała się do czego przyczepić, o czym wiedziałam poufnie, bo to samo wydawnictwo wydawało i ją, i mnie, a parę lat znajomości ze stałymi redaktorkami drobną plotką zakwitnie. Byłam pewna, że w życiu jej wyżyn nie sięgnę, ale gdybym chociaż doszła do połowy...!

Zaczęłam słuchać uważniej.

– Zdaje się, że wydana została w Szwecji – informował pan Wacław Elżbietę – ale chyba się nie przyjęła. Jedna książka czy dwie i na tym koniec, zapewne tłumaczenie nie było najlepsze, a starałem się jak mogłem, pisałem bardzo obszerne recenzje z jej książek, wszystkie pochlebne, z odrobiną krytyki, niby soli do smaku, to niezbędne, żeby uniknąć posądzenia o stronniczość, znałem doskonale jej agenta, nie najlepiej się spisał. Nie chciała jechać do Sztokholmu dla podtrzymania własnego wizerunku, odmówiła stanowczo, były jakieś kłopoty z paszportem... Ostatnio nieco podupadła, być może wiek robi swoje. No i alkohol...

Walnął mnie jak obuchem. Już otwierałam gębę, żeby się wtrącić z wielkim ogniem, ale w tym momencie Olaf powiedział dobitnie:

– Wy mamy...

– Nie – poprawiła odruchowo Alicja. – Wy macie. To my mamy. Wy macie.

– Wy ma... Nie?

– Nie.

– My macie? – ucieszył się nagle. – Mymacie, mymacie, mymacie!

Spodobało mu się nowe słowo tak nadzwyczajnie, że nie był w stanie się od niego odczepić. Mymacie i mymacie grzmiało nad stołem, a z każdym grzmotem afmosferze jakby ubywało ciężaru. Alicja najwidoczniej doceniła zjawisko, bo znienacka i bardzo gromko wzniosła toast:

– No to za księdza Kordeckiego!

– Mymacie! – zaaprobował potężnie Olaf.

Pan Wacław odczepił się od Marii Rohacz i ochoczo podjął historyczny temat, ale wyniku nie poznałam, bo zadzwonił telefon. Zerwanie się z krzesła wręcz sprawiło mi przyjemność.

– Odbiorę, odbiorę. Jeśli nic nie zrozumiem, powiem cokolwiek i pokiwam na ciebie.

– Powiedz, że mnie nie ma w domu...

Z drugiej strony była Marzena, więc nie musiałam czynić żadnych akrobacji językowych ani ukrywać obecności Alicji.

– Chyba nie możesz swobodnie rozmawiać? – zgadła natychmiast.

– No pewnie. Jak to, koncert się skończył? Tak wcześnie?

– Nie, skąd. Dzwonię w antrakcie, Wernera opadły miłośniczki i rozdaje autografy. I co się tam dzieje?

– Wszystko! – zapewniłam ją radośnie.

– O Boże! Jutro przyjadę bardzo rano, o wschodzie słońca.

– Popieram całkowicie. Miewasz doskonałe pomysły.

– Czy na Elżbietę też się rzucił?

– Jeszcze jak! Z dodatkami.

– Jakimi...? No nie, rozumiem, nie powiesz mi teraz. Jecie obiad? Albo może kolację?

– Ryby. Olaf lubi ryby.

– O rany, a Alicja przeciwnie... Ta cała Julia coś mówi?

– No coś ty! W połowie ja smażyłam, ja lubię.

– W życiu nie odbyłam równie głupiej rozmowy, spać nie będę mogła z ciekawości. Ciągle siedzą na tyłkach i na krok się nie ruszają?

– Oczywiście, nawet sobie nie wyobrażam... jak by to wyglądało, gdybym tych gałęzi nie spaliła... a tak, przynajmniej można chodzić i jest widok.

– Rozumiem, te ozdobniki mają zamącić treść. Nie rozumiem ich wcale, ale co, powinnam je zapamiętać?

– A po cholerę ci to?

– Nie wiem. Myślisz, że jak przyjadę, on się znów na mnie rzuci? To u niego stałe, czy tylko za pierwszym razem?

– Pojęcia nie mam, ale złe przeczucia mnie gryzą.

– Może ja bym się jakoś zakradła, żeby nie wchodzić przez drzwi tak jawnie? Przez ogród albo co? O, przez tę dziurę w żywopłocie!

– Pomyślę nad tym. Może uda mi się oczyścić ścieżkę z tych kłujących patyków...

– Rozumiem, że nie patyki masz na myśli. Cholera, muszę kończyć, ta małpa, dyrygent, już buty przeciera...

– I dobrze rozumiesz. Ucałowania dla Wernera!

Odłożyłam słuchawkę podtrzymana na duchu, z wielką nadzieją, że wybrnęłam z pogawędki bez rażącej kompromitacji.

– Serdeczne pozdrowienia od Marzeny dla wszystkich! – ogłosiłam powszechnie, przebijając niemal mymacie Olafa. – Od Wernera pewnie też, ale zajęty był właśnie czepliwymi panienkami i antrakt im się skończył.

Alicja przegoniła towarzystwo do salonu i chyba z rozpaczy przyrządziła na deser irish coffee, odżałowawszy whisky. Pan Wacław, porzuciwszy chwilowo twórczość literacką i księdza Kordeckiego, wsiadł na czepliwe panienki, żartobliwie suponując upojenie Wernera objawami namacalnej chwały, nie spotkał się z życzliwym odbiorem, przeskoczył zatem na dekoracje teatralne, a zaraz potem na stylowe meble. Skąd mu się wzięły meble, pojęcia nie miałam, bo przestałam słuchać, Elżbieta zamilkła radykalnie, Olaf znęcał się nad Julią, domagając się tłumaczenia na angielski, Alicja z litości wyręczała ją chwilami, ale rzadko. Nie wytrzymałam tego dłużej.

– Na pewno chcesz kawy – powiedziałam do niej z naciskiem.

– Głupie pytanie – odparła na to.

– Herbaty też zrobię na wszelki wypadek.

Wolałam już wszystko niż ten gniot przy stole, choćby zmywać ręcznie i kopać kartofle. Doniosłam napoje i wróciłam do kuchni, symulując napad pracowitości, na który Alicja w najmniejszym stopniu nie dała się nabrać. I słusznie, skorzystałam z okazji i zamknęłam się w łazience, otóż nie zmienię przyzwyczajeń dla przyjemności słowotoka, umyję się wieczorem, a nie rano!

Smętne resztki przyzwoitości skłoniły mnie do sprzątnięcia ze stołu i nawet część talerzy włożyłam do opróżnionej przed obiadem zmywarki, a wszystko razem z myciem trwało dwadzieścia minut. Po czym wróciłam do salonu w stroju wysoce wieczorowym, mianowicie w rannych pantoflach, w szlafroku Alicji żółtym w brązowe gwiazdki i we własnej niebieskiej nocnej koszuli, której pół metra spod tego szlafroka wystawało dołem. Niewątpliwie stanowiłam pendant do dywagacji pana Wacława na temat abstrakcji we wszelkiej sztuce, ale zarazem zasiałam ziarenko myśli, że wesoły wieczór już się chyba kończy i warto byłoby zbierać się do snu.

Ziarenko wykiełkowało, rozkwitło i nawet wydało owoce.

*

– Nie zniosę tego dłużej – powiedziała półgłosem Alicja, wyszedłszy za mną na tarasik o świeżym poranku. – Miałaś wczoraj najlepszy pomysł świata z tym umyciem, a już przemyśliwałam nad podpaleniem domu. Dlaczego ja nie mam złych psów?

– Bo gniotą roślinki i niweczą ogród – przypomniałam jej. – Pierwszy raz w życiu widzę cię w takim stanie.

– Ja siebie też. Zastanawiam się, skąd to pochodzi. Czy nie przez nią? Gdyby ona była zdrowa i w pełni sił... Ale ciągle jest połamana.

– I milczy intensywnie. O ile wiem z wypowiedzi Hani, w szczękę nic się jej nie stało i mówić może – zauważyłam cierpko, bo to milczenie Julii zaczynało mi się wydawać zgoła nienormalne. – Milczy dobrowolnie z jakiegoś powodu albo w jakimś celu, to po pierwsze... Chociaż, czy ja wiem...? Może to nie to? Może człowiekowi wstyd za nią przez tego palanta?

Alicja zawahała się.

– To raczej jej wstyd za palanta i chyba nie umie zareagować. Mnie chyba trochę jej żal. A co po drugie?

– Jakie dru... a! A po drugie, nie połamana, tylko niedozrośnięta.

– No właśnie. I może ją to ciągle boli?

– Trzeba spytać Elżbietę, co o tym myśli.

– Elżbieta do udoju krów nie wstaje, jeśli nie musi. Nie da się gdzieś usiąść? Nie tak na widoku...

Pewnie że się dało, w głębi ogrodu pod jabłonią stał biały żelazny stolik i trzy takież krzesła, zwyczajne, praktyczne, z pewnością wygodniejsze niż fotele tarasowe. Alicja używała ich tak rzadko, że w ogóle o nich zapominała, zapewne także dlatego, iż dalej było do kawy od nich niż z tarasu. Ale miejsce wybrane znakomicie, tuż obok białymi kwiatuszkami kwitł duży krzew, który bielą mieszał się z krzesłami, z domu prawie nie było ich widać, za to dom od nich owszem. Obiecałam, że w razie czego pójdę po ożywcze napoje, a także po Marzenę, która wszak miała się pojawić już o wschodzie słońca.

Usiadłyśmy, wyliczając pociągi, na jakie mogła zdążyć i wyszło nam, że za jakiś kwadrans powinna już być.

Zainteresowałam się dziurą w żywopłocie, przez którą niegdyś przekradali się rozmaici złoczyńcy i okazało się, że owszem, dziura jest, tyle że trochę zarośnięta kłującą roślinnością. Właśnie obok niej paliłam wczoraj patyki, nawet jej nie dostrzegając, najwidoczniej była mało używana. Alicja potwierdziła przypuszczenie, poszerzały ją dzieci, które zakradały się tamtędy, żeby kraść śliwki, obecnie dzieci podrosły, a śliwy w ogóle nie było, została ścięta, ponieważ rosła tak głupio, że wręcz nie istniała osoba, której nie usiłowałaby wydłubać oka. Zgadzało się, mnie też usiłowała, a ile razy zaczaiła się na moje włosy, nie dało się zliczyć.

– Cholera! – zdenerwowałam się. – Skoro dziura jest... Muszę natychmiast jechać na stację i powiedzieć jej, żeby nie szła tamtędy, tylko tędy...

– Siedź! – przyhamowała mnie Alicja. – Tam dookoła rośnie strasznie kolczaste, Marzena nie przyjeżdża w pancerzu. Bez osłony nie przejdzie, to drapie do kości.

– Do kości...? Może poobcinać te kolce sekatorem? W rękawiczkach? Ale i tak teraz nie zdążę... No trudno, to już niech będzie tędy. Znaczy, tamtędy. Nie ma tego złego i tak dalej.

Alicja nie była w stanie pozbyć się myśli o swoich dziwnych gościach.

– Zastanawiam się, czy oni kiedykolwiek się ruszą. Przecież nie przyjechali tu po to, żeby z całej Danii obejrzeć mój dom i nic więcej.

– Nie ruszą. Mam czarne przeczucia. Ruszą, jeśli im ktoś zaproponuje, że ich zawiezie i będzie pokazywał. Sami nie.

– Dlaczego uważasz, że sami nie?

– To nie ja uważam, to moja dusza. Ona jest wybrakowana, a on skąpy.

– I co to ma do rzeczy? Przecież mogą jechać samochodem.

– Mówię, że skąpy. Benzyna kosztuje.

– Skąd wiesz?

– Rozumiem, że o skąpstwo pytasz, a nie o benzynę, bo skąd wiem o benzynie, łatwo zgadnąć. Bo zauważ, że nie przywieźli ci ani z Polski, ani z promu najparszywszej flaszki niczego, przyjechali z pyskiem na żarcie. Niemożliwe, żeby Hania i Zbyszek nie powiedzieli im o różnicy cen, a w końcu sama grzeczność czegoś wymaga.

– Moi goście nie muszą...

– Nie udawaj idiotki. Przywozi się drobiażdżek. Papierosy. Żadne z nich nie pali.

– Bali się kontroli celnej...

– O, rzeczywiście, płochliwe zajączki! Też się zastanawiam, co tu zrobić, bo niby jest ich tylko dwoje, a robi to wrażenie, jakby dom był pełen uciążliwych ludzi, z których jedno w dodatku wpędza w rozterkę. Nie widzę nikogo, komu dałoby się ich wtrynić, bo na mnie nie licz. Zaparłam się.

– Może Elżbieta z Olafem pojadą coś oglądać i wezmą ich ze sobą.

– Optymistka. Poza tym chciałabym z Elżbietą parę słów zamienić, bo coś tu węszę, więc wcale mi się ten pomysł nie podoba.

Alicja znalazła w kieszeni połówkę papierosa i zapaliła. Pomacała inne kieszenie, więcej papierosów nie miała.

– Marzena. Trochę liczę na to, że Marzena coś wymyśli.

– Albo coś powie – poparłam ją. – Idę przed dom popatrzeć, nie mam cierpliwości tak czekać. Siedź na tyłku, przyniosę pomoce naukowe.

Pod leszczynami i przez dziedzińczyk ukradkiem wyszłam na ulicę i trafiłam doskonale, Marzenę ujrzałam przy trzecim sąsiedzie, akurat tam, gdzie przed paroma laty paliła się czerwona lampa. Mignęło mi, czy to przypadkiem nie jest jakiś omen, ale zlekceważyłam mignięcie. A nie należało...

– Oblizał? – padło z ust Marzeny na powitanie, z dziką zachłannością.

– Oblizał. Widelec też.

– No proszę!

– Czekaj, muszę zdobyć zaopatrzenie...

Uszczęśliwiona informacją Marzena pomogła mi, zgarnęłam pożądane produkty, udało nam się przemknąć skrycie do celu.

– Nikt nas nie widział – powiadomiłam Alicję z triumfem, lokując na stoliku kawę, piwo, herbatę i papierosy. – Ktoś jest w łazience, bo woda leci, a gdzie reszta, to nie wiem.

– Będę musiała zrobić jakieś śniadanie – westchnęła Alicja z niechęcią.

– Nigdy takich idiotycznych problemów nie było! – rozzłościła się Marzena, rzucając torbę pod stół i też siadając. – Elżbieta niech zrobi, a że później, nie szkodzi, poza tym banany na stole i ser w szufladzie, z głodu nie umrą. Mówcie, co tu wczoraj było, bo to szał jakiś i słusznie po tej rozmowie telefonicznej z Joanną prawie spać nie mogłam!

Wydarzenia dnia wczorajszego z występem Olafa na czele w pełni wynagrodziły jej bezsenność. Alicja przyznała się, że dzwoniła wieczorem do Hani i Zbyszka, Zbyszka nie było, a Hania twardo trzymała się uczuć i błagała o litość dla wybrakowanej Julii. Ona go kocha dziko, cierpi strasznie, bo za wolno się zrasta, szwy ma na skórze i o tych dzieciach jeszcze nic nie wiadomo i tak się okropnie stara nie być uciążliwa...

– Dla kogo? – warknęła Marzena.

– Dla niego. Rzeczywiście ogólnie małomówna, a dodatkowo zostawia mu pole do popisu...

– O Jezu...

– ...nie ośmiela się wykazywać inicjatywy – ciągnęła Alicja złym głosem. – Idiotyzm bezdenny i nie do zniesienia, ale jedno muszę jej przyznać, że siedzi spokojnie i nie histeryzuje, więc zgodziłam się jakoś znosić. Zrozumieć nie potrafię i nawet się nie zamierzam wysilać. Ale teraz właśnie tak myślę, że skoro ona inicjatywy nie, to może by tak ktoś inny? Bo ona mówi – i wytknęła mnie palcem – że słowotok mowy nie ma. Przez skąpstwo.

– Podpisuję się wszystkimi rękami – poparła mnie Marzena energicznie.

Niecierpliwie wskoczyłam z kolejnym problemem, bardziej osobistym.

– Ale czekaj, do diabła ze skąpstwem, bo mnie inne dręczy, niech chociaż zdążę napocząć, on mi tu zaczął pieprzyć o Marii Rohacz.

– Maria Rohacz? – zainteresowała się natychmiast Marzena. – Ja ją czytałam, to ta od tych książek z taką cudowną satyrą między wierszami? Genialna! A czego od niej chciał?

– No właśnie, zaczął bździć podejrzanie i smród mi zaleciał, ale właśnie w tym momencie Olaf wystrzelił z mymacianiem i straciłam wątek...

– Już są – powiedziała Alicja, siedząca twarzą do domu.

Na tarasiku pojawili się państwo Buccy w towarzystwie Olafa. Przez chwilę trwałyśmy w milczącym bezruchu. Marzena jęknęła.

– Rany boskie, myślicie, że będzie mnie witał...?

Było to bardzo prawdopodobne. Istnieją osoby, które witają się maniacko przy każdej okazji, wchodząc do biurowego pokoju, potrząsają każdą rączką, wieczorami pocałunkiem żegnają całą rodzinę, jakby wybierała się nie do snu, tylko w daleką podróż, nie przepuszczą nigdy i nikomu. Tu zaś mieliśmy osobę wyjątkowo skłonną do przesadnie czułych gestów. Obawa, iż osoba zechce korzystać z bezpośrednich kontaktów bez żadnego umiaru, wydawała się w pełni uzasadniona. Jak, do licha, przeciwdziałać...?

– Gałęzie! – rozbłysło mi nagle. – Marzena, przynajmniej ciebie da się ocalić, tych stąd nie ściągałam i nie paliłam, bo mi się nie chciało, proszę, lenistwo nagrodzone, a to suchy berberys, też kłuje jak cholera! Trochę mało, ale przecież na nogi ci nie potrzeba?

– Dawaj, dawaj, gdzie...?

Tego berberysu nie tknęłam nie tyle może z lenistwa, ile z braku rękawiczek, ale trudno, poświęciłyśmy się wszystkie. Okręciłam kłującego straszaka własnym paskiem od kiecki i przyczepiłam do Marzeny, która natychmiast zaczęła być niepodobna do niczego, nawet do stracha na wróble, poruszała się dziwnie wygięta ku tyłowi, usiłując chronić przed podrapaniem przynajmniej twarz, chociaż z litości dołożyłam kilka świeżych gałązek leszczyny.

– Wolę szramy niż pangolina – wymamrotała spoza tej skromnej imitacji zeriby.

Alicja zabrała jej torbę, a papierosy i zapalniczki rozmieściła po kieszeniach, resztę beztrosko zostawiając na stoliku. Cofnęła się jeszcze tylko po dzbanek do kawy.

– Nie pamiętam, gdzie jest drugi…

A jednak pan Wacław w kierunku wiąchy roślinnej na damskich nogach ruszył, tyle że ruch był krótki. Aczkolwiek ostro spontaniczny. Olaf, spojrzawszy, dostał ataku śmiechu i też ruszył, tyle że ze zdecydowanie mniejszym szwungiem, wyjął Alicji torbę Marzeny i dzbanek z rąk, co powiedział, nie byłam w stanie odgadnąc, ale Alicję rozweselił, obecna na tarasie Julia zapewne też nie odgadła, bo powiedział to po szwedzku, po czym natychmiast objawił się nasz kolejny, tym razem prywatny kłopocik.

Co mianowicie miałyśmy teraz zrobić z ochronną przyrodą?

Gdzie Elżbieta? Nie miałam kogo o to spytać, Alicja zabrała Olafa do ogrodu, nikogo więcej nie było, poza wiąchą berberysu i tymi dwoma żywymi elementami na tarasie, których, jak Boga kocham, zaczynałam się bać. Wstała już przecież? Gdzie Elżbieta…?!!!

Nie po raz pierwszy taki rozpaczliwy okrzyk rozlegał się w tym domu. Możliwe, że po prostu, spragniona chwili świętego spokoju, poszła myć głowę, mogłabym wejść do wychodka i zapukać do niej, ale opamiętałam się, myślmy logicznie, ona też nie będzie wiedziała, gdzie rozdziać Marzenę z warstwy ochronnej, to już, uczciwie mówiąc, najprędzej ja, zdążę to jeszcze spalić przed jutrem…? Zdążę, trudno, suche jak pieprz i niedużo…

Męska decyzja to męska decyzja. Paliło się jedenaście minut, odzyskałam pasek od sukienki, Marzena okazała się podrapana ledwo odrobinę, a jedyne osoby, które dostrzegły nasze poczynania, to byli Alicja i Olaf. Przyszli, jak już dogasało.

– No tak – rzekła Alicja z powątpiewaniem. – Ale czy on teraz czym prędzej nie skorzysta, żeby odpracować poranne czułości? Na nas, zdaje się, nie miał szans, bo nas zmyło, a Elżbieta spała. Nie budził jej chyba pocałunkiem?

– Do mnie ruszył – mruknęłam. – Ale zdążyłam się wywinąć, bo ciebie wybrał na pierwszy ogień.

– I źle trafił, bo ode mnie odgrodził go Olaf, więc też mu uciekłam.

– Czy już resztę życia będziemy miały zatrutą...?

– A gówno! – wdarła się Marzena i pomachała nam przed nosem niedużą, ale wściekle drapiącą gałązką. – Specjalnie zostawiłam sobie kawałek i będę go traktować jak chorągiewkę. Przyczepię kokardki. Alicja, masz chyba jakieś tekstylne śmietki, kolor obojętny, może mi wypaść flaga Konga albo co. I będę machała uporczywie.

Olaf patrzył na nas tak, że należało mu to wszystko przetłumaczyć, czego obie dokonały wspólnymi siłami, wracając do domu. Zmienił już repertuar, odczepił się od mymacia i przerzucił na czynności kontrastowe, jedzą i jadą. Jadli i jadzali śniadanie. Śniadanie wychodziło mu nie najlepiej, zbliżało się zmiennie do sadzenia, sadania i sań, zrezygnował z niego chwilowo i poprzestał na porannym posiłku bez nazwy. Przy okazji „jadą" problem wypchnięcia dokądkolwiek państwa Buckich pojawił się na nowo także w obcym języku, i aż do wejścia na taras nie został rozwiązany. Za to znalazła się Elżbieta i od razu rzekła do mnie:

– Ty masz jakieś chody w tym sklepie na Kajerødgade czy tam na Kajerødvej, wszystko jedno... nie, stanowczo Kajerødvej, a ja potrzebuję protekcji. Jedźmy tam od razu, nie masz chyba nic przeciwko temu? Oni tu sobie dadzą radę i bez nas. Marzena też mi się przyda.

Rzadko zdarzało mi się w życiu zdziwić równie potężnie.

Sklep wcale nie na Kajerødvej, tylko właśnie przy Kajerødgade był sklepem wprost przecudownym, zawierał w sobie istny skarbiec narzędzi szlifierskich, polerskich, tnących, ogrodniczych, medycznych, rybackich, rzeźbiarskich i Bóg raczy wiedzieć jakich jeszcze, wszystko to najwyższej klasy, przeważnie z najrozmaitszych metali, chociaż i drewno się przytrafiało, i byłam święcie przekonana, że nie ma na świecie przyrządu, którego tam by się nie znalazło. Zważywszy, iż moja wiedza techniczna oscylowała w czołówce idiotyzmu, a ogólnego zachwytu nie kryłam, sprzedawca zapamiętał mnie chyba na zawsze i niekiedy pytał nawet Alicję o oryginalną klientkę. Jeśli to miało się nazywać chodami i stwarzało pole do protekcji, proszę bardzo.

Mniej zdziwiło mnie zainteresowanie Elżbiety sklepem, w którym dostępne były także narzędzia chirurgiczne, niż domaganie się obecności Marzeny. Na plaster jej do tych narzędzi Marzena?

– Samochodem – zażądała zwięźle, znalazłszy się już na ulicy.

Marzena nie odezwała się ani słowem, tylko wyszła razem z nami oraz z suchym kolczastym badylem, który pieczołowicie ukryła w żywopłocie zaraz za furtką. Szczęśliwie nikt z nich mnie nie zastawił, wyjechałam bez przeszkód i ruszyłam we właściwym kierunku. Elżbieta wypchnęła Marzenę do tyłu i usiadła obok mnie.

– Mam gdzieś ten sklep – powiadomiła nas, zanim zdążyłam dojechać do placyku przed kupcem i skręcić w Kajerødgade. – Jedź do autostrady i skręć do centrum, wstąpmy gdziekolwiek na kawę. Albo na piwo. Muszę z wami pogadać, bo jestem dziko wściekła i może mnie szlag trafić.

I mnie, i Marzenę zamurowała doszczętnie, bo powiedziała to najdoskonalej spokojnym głosem, bez cienia najmniejszej emocji, przy czym wszystkiego można się było po niej spodziewać, tylko nie wyznania takiej treści. Znałam ją od dziewczynki w wieku szkolnym i nie było wypadku, żeby Elżbieta czymkolwiek się przejęła, trupy mogły padać wokół niej i bomby lecieć na głowy, nie szkodzi, nie mrugnęłaby okiem. Nie pomogłaby nawet tych trupów zbierać, uznawszy, że i tak nic im to nie pomoże, a porządek na ulicy mają głęboko w nosie. Jeśli jeszcze trochę żywi, a, to tak, ale skoro już przepadło...

Wybrałyśmy kawiarnię w centrum na końcu głównej ulicy, blisko Brugsena, najdroższego marketu w Birkerød, z wielką nadzieją, że nikt nas tam nie znajdzie.

– Chociaż szkoda, że Alicja też nie usłyszy – powiedziała Elżbieta, siadając – ale liczę na to, że jej powtórzycie. Wyjątkowa świnia zagnieździła się w jej domu.

Marzena omal nie usiadła obok krzesła.

– Zaczekaj chwilę, niech przyjdę do siebie, bo jeszcze ciągle jestem oszołomiona. Spodziewałam się atrakcji, ale tempo mnie przerasta. Czy to, co chcesz powiedzieć, ma jakiś początek?

Elżbieta westchnęła ciężko, pomilczała trochę i zebrała siły.

– Ma, owszem. Tak się składa, że niejaka Maria Rohacz jest ciotką mojej bliskiej koleżanki, właściwie przyjaciółki, jeszcze ze szkoły podstawowej. Nawet poznałam ją wtedy osobiście. Podobała mi się.

Po czym zamilkła. Nie dziwiło mnie to, długich przemówień nigdy nie lubiła wygłaszać, wiadomo było, że tyle powie, ile musi. Kelnerka dostarczyła nam oba rodzaje napojów, kawę i piwo. No tak, Maria Rohacz, dręcząca mnie od wczoraj, rzeczywiście, od trzech lat nie było jej żadnej nowej książki, co ten znawca literatury wygadywał? Niechże wreszcie coś rozwikłam!

– Możesz teraz powiedzieć kawałek dalszego ciągu – przyzwoliłam Elżbiecie.

Musi skąpić wypowiedzi, trudno, nie szkodzi, niech będzie po kawałku. Marzena na wszelki wypadek milczała, kiwnęła tylko głową kilka razy i bardzo gwałtownie.

– Niedawno byłam w Polsce i widziałam się z Magdą. Też była wściekła. Te cudowne recenzje padalca to najobrzydliwsze paszkwile, jakie można sobie wyobrazić. Obliczone na poziom umysłowy tej… siły rządzącej. Zeszmacił ją i zrobił z niej wroga ustroju, wydawnictwo wstrzymało się z przyjęciem do druku. Ty rozumiesz, co to znaczy?

O, tak, rozumiałam doskonale!

– Przecież ona jest apolityczna! – zdumiała się Marzena.

– No jest.

– To jak…?!

– On jest perfidnym kretynem w kratkę, umie czytać między wierszami. Co u niej subtelne, to u niego wydłubane starannie i wyłupane młotem. A w Szwecji pierwsza książka poszła doskonale.

– A druga?

– Szkoda, że nie umiecie czytać po szwedzku. Drugą tłumacz spieprzył radykalnie.

– Dlaczego?!

– Inny tłumacz. Układy.

– A pangolin to wykorzystał radośnie?

– Z hukiem.

Przez chwilę milczałyśmy, opanowując uczucia.

– Nauczę się czytać po szwedzku – zapowiedziała Marzena z zaciętością.

– Ta twoja Magda – zwróciłam się do Elżbiety. – Ja niedługo wracam, daj mi jej telefon albo co. Skąd mu się wzięła nagonka na Marię Rohacz?

– Strasznie dużo tego gadania – westchnęła Elżbieta. – Magda mówi, że przez zemstę.

– Za co?!

– Chyba chciał być jej agentem, a ona mu odmówiła.

– A! To dlatego przejechał się i po agencie!

– I z zawiści.

Tu mnie nieco zdziwiła.

– Dlaczego? Co on ma do niej i odwrotnie? Przecież sam nie uprawia takiej zwyczajnej byle jakiej literatury, tylko szaleje w obłokach poetyckich? Sam się przyznał! I co mu do tłumacza, przecież go nie zastąpi!

– Ale ona więcej zarabiała. I jest znana. A on nie. Chciał ją namówić na wyjazd do Sztokholmu razem z nim, jako impresariem i w ogóle osobą towarzyszącą.

Nie zrozumiałam, co słyszę. Na litość boską, Maria Rohacz mogła jechać do Szwecji, kiedy jej się podobało, za własne legalne pieniądze, miała tam przecież honoraria, nawet zaproszenie nie było wymagane. Tak jak ja mogłam jechać do Czechosłowacji, do NRD, nawet do Związku Radzieckiego! Znała angielski, niemiecki również. Na jaką grypę azjatycką był jej potrzebny impresario?

– Elżbieta, powiedz to bardziej szczegółowo – poprosiłam żałośnie. – Niechby już kawałkami, ale detaliczniej.

– Pieniądze...? – zgadła jadowicie Marzena.

Elżbieta westchnęła ponownie, tym razem z uznaniem i wdzięcznością.

– No pewnie. Wmawiał jej, że tam ją strasznie zapraszają, pół Szwecji na nią czeka i za wszystko płacą. Wcale nie chciała jechać, jej szkodzi górski klimat, a Szwecja górzysta. Na szczęście dosyć szybko się okazało, ktoś stamtąd przyjechał, znajomy Magdy, że gówno prawda. Tamci byli zniesmaczeni, bo dowiedzieli się, że ona się strasznie pcha i żąda zaproszenia z osobą towarzyszącą, za ich pieniądze. Magda mi to wszystko wyrypała, bo o mało jej szlag nie trafił.

– Od tego wodoleja się dowiedzieli? W jakim języku?!

– Przez ministerstwo kultury i szwedzką ambasadę. Ktoś tam z kimś miał sitwę.

– A wodolej tkwił w środku?

– Okopany. I nie ją jedną tak załatwił. A w dodatku swoim zwyczajem rzucał się na nią, chwytał w objęcia i całował publicznie.

Temat się rozrastał wstrząsająco, zdenerwowała mnie myśl, że z Elżbiety nic więcej nie wydoimy, już i tak zdobyła się na potężny wysiłek oratorski. Musiała ją ta sprawa nieźle dziabnąć, skoro aż tyle powiedziała.

– Kogo jeszcze? – spytała Marzena, która znała Elżbietę krócej i mogła mieć nadzieje na obfity ciąg dalszy.

Elżbieta wzruszyła ramionami.

– O wszystkich nie wiem, Magda wie więcej, ale ona też nie siedzi w zawodzie. Reszta to już tylko podobno. O, Stefan wie jeszcze więcej, powinien dzisiaj przyjechać, to on mi powiedział, że ten cały Bucki łże na każdym kroku i tak strasznie chce być ważny, że o mało nie pęknie. Alicję też obszczeka.

– Na litość boską! Przecież Alicja nic nie pisze! Ma piórowstręt!

– Ale jest barwną postacią, na której można sobie używać, nie?

Marzenę zatchnęło, mnie przeciwnie. Poczułam w sobie materiał wybuchowy.

– No, niech tylko spróbuje! O, specjalnie mu oddam te byczki w pomidorach publicznie, przy wszystkich, i grzecznie zapytam, czy miał obawy, że Alicja głodzi swoich gości, czy też miał to być prezent! Każde świństwo powiem, jakie mi tylko przyjdzie do głowy, a potem jeszcze to opiszę! O Danię też zapytam, czy zamierza później rozgłaszać, jak to zwiedzał cały kraj i jak wszedł w bliskie stosunki ze Szwedami...!

Elżbietę, jeśli już cokolwiek interesowało, to raczej sprawy międzyludzkie, wszelkie dolegliwości cielesne dotyczyły ludzi, a ona nie zdążyła jeszcze przejść profesjonalnie na same przypadki chorobowe. Przypadki, jak dla niej, chodziły po ludziach. Obejrzała się na kelnerkę, zastanowiła i zadysponowała po jeszcze jednym piwie.

– Małe te butelki. Mnie tak trochę intryguje coś innego. Z tego co słyszałam, ona go kocha. Myślicie, że naprawdę kocha go aż tak szaleńczo?

– Julia?

– No a kto? Przecież nie Maria Rohacz!

– Musi go kochać nieziemsko szaleńczo, skoro wytrzymuje to wszystko – orzekła Marzena stanowczo. – Ja bym nie wytrzymała, gdyby Werner robił z siebie takiego idiotę, a słowo daję, że też go kocham i wcale tego nie zamierzam ukrywać.

– Co do Wernera, nikt się nie dziwi. Jest pełen zalet...

– Aż się przelewa, zostaw trochę miejsca na wady. Ale one są na dnie, nie bulgocze nimi pod samą przykrywką! A ten pangolin wręcz kipi szumowinami!

Elżbieta w zadumie wpatrywała się w rzeźbę na placyku, źle widoczną za drzewkami, kioskiem z parówkami, wózkami sklepowymi i ławkami dla ludzi. Rzeźba przedstawiała grupę trzech dam wstrząsającej postury, pozbawionych odzieży, i przyszło mi na myśl, że należałoby ją zarekomendować wielbicielowi płci pięknej, panu Buckiemu.

– Ciekawe... Ale mnie się nie chce.

– No! – pogoniłam niecierpliwie. – Co ci się nie chce? Niegramatycznie, ale nie szkodzi. I co ciekawe?

– Jak oni rozmawiają, kiedy są sami i nikt ich nie słyszy? On rozkwita, a ona dyszy uwielbieniem?

Przypomniałam sobie długopisy.

– Co do sami razem nie mam pojęcia, ale co do rozdzieleni, wiem połowicznie. Ona nawet mówi sama z siebie i ma coś w głowie. Ale on... O! Spytam Alicję, we dwoje przeszukiwali dżunglę, wedle jego relacji Alicja wydawała z siebie dzikie wrzaski i czyniła cyrkowe podskoki.

– Zwariował – zaopiniowała Elżbieta z niesmakiem. – Ale może ta Julia go sobaczy?

– Jeśli nawet, to chyba raczej mało skutecznie...

– Odporny. Opancerzony. Są takie charaktery.
– Ale goście...! – prychnęła gniewnie Marzena.
– Jeszcze tylko Marianka brakuje!
– Wypluj to słowo trzy razy przez lewe ramię i odpukaj w złą godzinę. W zeszłym roku się na niego nadziałam, łaska boska, że krótko, bo przyjechał jak już prawie odjeżdżałam. Ale też mi wystarczyło.
– Nie znam Marianka – powiedziała Elżbieta obojętnie. – Kto to jest?
– Jeden młody... – odparłyśmy z Marzeną równocześnie i potem nam się zróżnicowało, zderzyli się ze sobą debil i kretyn. Zostawiłam Marzenie głos.
– Boże, jak on żre! Niedojda, tylko nie do żarcia. Rozumiem, że młody, ma dwadzieścia lat, ale za całą tuczarnię trzody chlewnej obstanie. Ma tu siostrę i szwagra, szwagier Duńczyk, ale siostra niegłupia, przegania braciszka miotłą, żeby sobie robotę znalazł, a on do roboty, jak krowa do tańca. Od Alicji domaga się dostarczenia mu pracy i solidnej zapłaty, niedobrze człowiekowi się robi. To już byłaby klątwa!
– A nie konkurencja dla tego znawcy win...?
No i proszę, jak się ta Elżbieta wyrobiła! Kiedyś nie chciałoby się jej skomentować fachowych, iście kiperskich opinii pana Wacława, a teraz? Widocznie Olaf jej dobrze robi. Albo może pacjenci...?
Marzena, mimo wszystko, zachowała gospodarską przytomność umysłu.
– A propos tfu na psa urok Marianka, skoro już tu jesteśmy, możeby zrobić jakieś zakupy...?
Dla odzyskania równowagi uzgodniłyśmy między sobą, że Alicja musi ruszyć zamrażalnik w atelier. Gdyby się okazało, że istnieje w nim wyłącznie noga barania,

o której już parę razy słyszałam, nigdy na oczy nie widziałam i nigdy nie odczuwałam na jej tle wielkiego entuzjazmu, trudno, przyjadę do sklepu ponownie. Tym razem jednak bez listy zakupów sporządzonej przez nią, samodzielnie, mogę kupić wyłącznie kartofle i frykadele. Pan Bucki będzie żarł delikatesy po moim trupie!

Bardzo zdenerwowane, aczkolwiek nieco pocieszone wizją mojego trupa, wróciłyśmy do domu.

*

– Najwyższy czas! – powiedziała Alicja. – Cholery z wami dostanę.

Była niezadowolona zwyczajnie, nie musiała maskować uczuć tym swoim zębatym uśmiechem dookoła głowy. Została z Olafem i tą parą z Werony, co, zdaje się, wykluczyło jej dokładnie normalny tryb życia. W planach miała wizytę w atelier i owszem, właśnie penetrację zamrażalnika, ale w żaden sposób nie mogła się zdecydować, w jaki sposób przewozić jedną łodzią tę kozę, kapustę i wilka. Wziąć do pomocy Olafa, a tych dwoje zostawić samopas…? Wziąć pana Wacława, a Julię rzucić na pastwę Olafowi…? Pan Wacław natychmiast zacznie się zachwycać wszystkim, cokolwiek w tym atelier zobaczy, czego ona absolutnie nie zniesie, bo do oglądania zawsze było tam dużo…

Nasz powrót rozwiązał sprawę, zabrała ze sobą jednostkę najtępszą językowo, mianowicie mnie, raz w życiu ucieszyłam się z braku upragnionych dotychczas i nieodżałowanych zdolności. Zachwyty z mojej strony jej nie groziły, ustawioną na wielkim biurku ceramikę częściowo już znałam i poglądy na urok przedmiotów mogłam zachować przy sobie. Co innego tkwiło mi na pierwszym planie.

– Ty, powiedz mi – rzekłam chciwie, odbierając od niej tajemnicze, na śmierć zamrożone kamienie w rozmaitych opakowaniach – co robiłaś, odnajdując miejsce po długopisach pod juką? Kwiczałaś i skikałaś?

– Oszalałaś? Zgrzytałam zębami.

– Bardzo głośno?

– Kota masz chyba. Szanuję swoje zęby, prawie wszystkie mam własne. Z wyjątkiem jednego, ale do niego jestem bardzo przywiązana.

– I nie słuchałaś, co on potem mówił?

– Kto?

– Romeo, wodolej, słowotok, pangolin, pan Wacław...

– Coś podobnego! – zdziwiła się Alicja zgryźliwie. – Popatrz, nie zauważyłam towarzystwa takiej licznej wycieczki! Odłóż to gdzieś, bo nie zmieści ci się w rękach.

– A czego właściwie szukasz?

– Wieprzowiny od szynki. Mam taki piękny kawał do upieczenia, akurat odpowiedni. A co w ogóle kupiłyście?

– Frykadele.

– Zamrożone?

– Nie, gotowe do podgrzania. Chleb, kartofle i najgorszy ser z Irmy.

– Bardzo dobrze, frokost mamy z głowy...

– A! I rybę. Możemy ją zeżreć we dwoje z Olafem.

– Też dobrze. A co oni mówili?

– Kto?

– No, ta wycieczka...

– Dobrze zgadłam, że nie słuchałaś. Już mi się nie chce powtarzać, bo mógłby cię szlag trafić, mnie też, ale przeciętna histeria przy twoich ekscesach to mały pikuś, gdybym cię zobaczyła w takiej formie, wezwałabym pogotowie, to specjalne dla umysłowo chorych. Z kaftanami bezpieczeństwa. Albo sama uciekłabym z krzykiem, wzywając pomocy we wszystkich możliwych językach, z tym, że po angielsku myli mi się „pomocy" i „połowa".

– I w jakim stopniu uwierzyłaś? – zaciekawiła się Alicja, przerywając na chwilę swoje zajęcie, z rękami w lodzie.

– Zwariowałaś? W żadnym. Nie wiem, dlaczego on takie głupoty pieprzy. W stanie prawdziwej histerii widziałam cię raz w życiu.

– Co ty powiesz... Kiedy?

– Jak myślałaś, że Torsten spalił się razem z twoim samochodem.

– A, rzeczywiście. Możliwe, że dałam wtedy niezły pokaz.

– Owszem, nie da się ukryć. Po czym rozpoznasz tę wieprzowinę?

– Po opakowaniu. Ma różową kokardkę. No, jest!

Ze stęknięciem Alicja wyprostowała się, pomasowała sobie kręgosłup i schyliła się ponownie, wyciągając kolejny kamień. Rzeczywiście, miał na sobie doszczętnie przypłaszczoną pozostałość po różowej wstążeczce.

Był już najwyższy czas. W rękach trzymałam tak z pół tony lodowca, tyłkiem zaś przyciskałam z całej siły drugie tyle polarnych produktów, upchniętych na regale. Mignął mi żal, może jednak należało przyjąć pełną zapału propozycję pomocy pana Wacława, teraz on by ulegał hibernacji, a nie ja. Skwapliwie, chociaż po kawałku, zaczęłam się pozbywać mrożącego obciążenia.

– Elżbieta powiedziała straszne rzeczy – oznajmiłam szeptem. – I kazała ci wszystko powtórzyć.

– Dlaczego szepczesz? – zdziwiła się Alicja.

– Żeby nikt nie podsłuchał. Ja tam nie wiem, co się dzieje na górze.

Alicja odruchowo cofnęła się trzy kroki i łypnęła okiem na schody.

– Stąd tam nic nie słychać, a prawie jestem gotowa się założyć, że w salonie szaleje słowotok. Ale zostawiłaś z nim przecież dwie normalne dziewczyny, które chyba coś myślą? Zgadną, że skorzystasz z okazji?

– No dobrze, to odciążaj mnie dalej, bo jeszcze mi tyłek przymarza. Ale głośno krzyczeć nie będę, masz słuch jak nietoperz, więc i szepty usłyszysz.

– To nie nietoperz, tylko wąż. Gówno widzi, za to ma słuch. I odczucia. Czuje ruch.

– I temperaturę. Ciepło, nie?

– I ciepło. Czy to miały być te straszne rzeczy? O nietoperzu i wężu?

– Nie, o wodoleju. Elżbieta mówi, że jej przyjaciółka, siostrzenica Marii Rohacz, niejaka Magda, mówi, że jest to załgana świnia. Chcesz od razu szczegóły?

Alicja uwolniła mnie od ostatniego mrożonego kamienia, zgarnęła resztę spod mojego odwłoka, zamknęła zamrażalnik i przyjrzała mi się dziwnie.

– Czytuję Marię Rohacz i wiem, kto to jest. Czy ma to znaczyć, że Elżbieta podała ci jakieś szczegóły? Coś jej się stało?

Otrzepałam się z trocin, które równiutką warstwą pokrywały górną półkę regału i zdążyły trochę przymarznąć do mojej spódnicy, weszłam na dwa schodki i też popatrzyłam ku górze. Niczego podejrzanego nie zobaczyłam.

– Wstrząsnęło nią. Do tego stopnia, że wydusiła z siebie część treści całymi zdaniami. Zamierzam po powrocie do Polski spotkać się z tą Magdą i usłyszeć więcej, poza tym Elżbieta mówi, że Stefan też wie więcej. Marzeną, żeby nie było wątpliwości, też wstrząsnęło.

– Też?

– Też.

– No, no...

Alicja przez chwilę wpatrywała się w drzwiczki zamrażalnika, jakby je pierwszy raz w życiu widziała na oczy. Uświadomiłam sobie, że przy poszukiwaniu wieprzowiny z różową kokardką mnóstwo rzeczy zostało wyjęte, a noga barania jakoś nie wpadła mi w oko. Powinno to być chyba coś dużego...?

– A noga barania...? – wyrwało mi się niepewnie.

– Co noga barania?

– Mówiłaś, że masz. Dlaczego jej nie wyjęłaś? Masz ją naprawdę?

– Mam. I co z tego? Leży na samym spodzie, bo weszła tam jako pierwsza. Po diabła miałam wyjmować? Zależy ci specjalnie?

– Broń Boże! Tak tylko spytałam, przez grzeczność...

Jakieś nikłe dźwięki dobiegły nas z góry, Alicja jakby się ocknęła.

– Może niech ja to zacznę rozmrażać, bo inaczej obiad będzie pojutrze. Chodźmy stąd. Co się tam dzieje na górze?

– Zmieści ci się ta kobyła do mikrofalówki?

– Właśnie nie wiem, muszę sprawdzić, jeśli nie, rozmrożę w piecu. Idź pierwsza i otwórz mi drzwi, cholernie to grzeje... to znaczy przeciwnie, chciałam powiedzieć ziębi.

Przepchnęłam się obok niej na schodach i zawahałam się przed drzwiami.

– Zapukać chyba trzeba, nie? Może lepiej było iść dołem...?

– Do diabła z dołem. Możesz nawet kopać jeśli chcesz, ale niech ja się tego pozbędę, bo mi ręce odmarzną!

Zapukałam elegancko i nie czekając na odzew, otworzyłam drzwi. Państwa Buckich w pokoju nie było, drzwi do salonu stały otworem, puściłam Alicję do przodu i zza jej pleców ujrzałam kliniczny przykład złej godziny, niewątpliwie skrzyżowanej z klątwą.

Rozproszone po kuchni, salonie i tarasie towarzystwo powiększyło się o jedną osobę.

Marianka.

I, rzecz oczywista, Marianek znajdował się najbliżej kuchni, prawie w środku, od lodówki i szafki z pożywieniem odgradzała go tylko Marzena, prawie widziałam, jak rozkłada ramiona, warcząc: „Po moim trupie!". A prosiłam w tej knajpie, żeby splunęła trzy razy przez lewe ramię, to nie, zaniedbała, splunęła tylko raz!

Julia na kanapie przy salonowym stole, pan Wacław, pełen życia, mniej więcej pośrodku w kilku miejscach równocześnie, Olaf w drzwiach do ogrodu, Elżbieta tuż obok niego na tarasie, tobół Marianka pod nogami w przejściu do kuchni. Z tyłu głowy Alicji pod włosami ukazały się zęby, polarny ciężar w rękach nadłamał odrobinę jej opanowanie.

– O, Alicja... – zaczął radośnie Marianek.

– Niech to ktoś zabierze! – syknęła zgrzytliwie Alicja, kopiąc tobół zagradzający drogę i nawet nie udając, że przypadkiem. – Już!

Pan Wacław i Marianek rzucili się spełnić rozkaz równocześnie, Marianek niemrawo, pan Wacław energicznie i z zapałem, z tym że Marianek do swojego mienia miał znacznie bliżej. Skutek był taki, że zetknęli się nad przeszkodą w tym samym momencie, schylili się razem i huknęli głowami aż echo poszło. Energia pana Wacława zrobiła swoje, Marianek się zachwiał, odbiło go do tyłu i wlazł Marzenie na nogę.

– Kurwa – powiedziała grzecznie Marzena, ale dostępu do lodówki i bufetu nie odblokowała.

Alicja wypuściła swój kamień z rąk na blat koło mikofalówki i przede wszystkim przymierzyła, na nic poza tym nie zwracając na razie uwagi. Patrzyłam jej na ręce, zdumiewające, zmieścił się!

– Uff! – odsapnęła z ulgą. – Jednak! Sama się dziwię...

– Nie chcę krakać, ale on chyba zrobił się liofilizowany – zauważyłam delikatnie za jej plecami.

– No to co? W piecu odzyska swoje rozmiary.

– Żeby tylko dał się wyjąć...

– Rzeczywiście kraczesz jak rzadko. W razie czego poodcina się po bokach. Cześć, Marianek, nie zawracajcie mi głowy przez chwilę, muszę to odpakować.

– Pod wodę – poradziła Marzena.

– Dobra myśl. Niech ktoś zacznie coś robić z frokostem!

Z miejsca Marianek wykazał niezwykłe ożywienie. Własną ręką rozciągnął stół, prawie całkowicie uniemożliwiając komunikację między kuchnią a salonem, usiłował coś mówić, ale nikt go nie słuchał, pieczołowicie rozłożył wietnamskie serwetki, podetknięte mu przez Marzenę, rozejrzał się i przystopował. Produkty spożywcze znajdowały się po stronie niedostępnej mu, stracił impet wraz z szansami na dalszą działalność. Nie zrezygnował jednak, serwetki śniadaniowe były blisko, doznałam wrażenia, że chyba używane, ale Mariankowi to nie przeszkadzało, jął je gorliwie rozkładać...

I nagle coś mnie tknęło. Rzuciłam okiem na opróżnione wiaderko kompostowe i stwierdziłam, że serwetki obok niego już nie ma. No nie ma, a była, Alicja zabrała tylko korę bez opakowania, opakowanie zostało i cały czas leżało spokojnie, złożone na czworo.

Spojrzałam na stół. Marianek naprawdę się starał, żółta serwetka śniadaniowa, ładnie rozłożona spoczywała przed nakryciem pana Wacława, na niej zaś widniały drobne okruszki, jakby z pieczywa. Możliwe, że otworzyłam usta, ale głos z nich nie wyszedł i same mi się zamknęły, bo w końcu wszystkie serwetki odpracowały już swoje, aczkolwiek nic na nich nie leżało, co ja się będę czepiać tej jednej, wyjątkowej. Przystopowało mnie Mariankowi do towarzystwa, pomyślałam o piwie...

Alicję przy rozpakowanym z warstw ochronnych mięsie również przystopowało, obejrzała się na nas.

– Frykadele...?

– W garnku – zarządziła twardo Marzena, rozcierając sobie stopę. – Tosty, chleba starczy, jest ser i pasztet. Sałatę zaraz poszarpię, pomidory nie problem. Mogę wstawić jajka, po pół na głowę, wszystko razem dojdzie.

Podkład dźwiękowy dobiegał z salonu, pan Wacław, Marianek i Olaf mówili coś równocześnie, Alicja rozejrzała się po kuchni, kiwnęła głową i raczyła wreszcie zwrócić uwagę na gości. Czym prędzej poszłam na dziedzińczyk po piwo, na które w lodówce brakowało miejsca, a tam, w cieniu komórki i drzewa, było nieco chłodniej niż w domu. Kiedy wróciłam z butelkami, trwało to ledwo chwilę, Marianek już zdążył zagarnąć Alicję, kompletnie lekceważąc zarówno pana Wacława, jak i Olafa. Olaf przyswajał sobie właśnie nowe polskie słowa i razem brzmiało to mniej więcej tak:

– ...korwa? Macz? ...moja, no, tak ją od razu wziąłem... media mają potężną siłę... krowa...? Do mleko! ...ale masz przecież miejsce w atelier, mnie wystarczy... sztuka również, nie chwaląc się, mogę podtrzymać... kuh-wa? Kurrrrrwa! Nie mleko? ...co on z tym mlekiem, myślałem, że na te trochę... śmielej pokazany seks, to zawsze pociągające... Kurwa, niemleko... bez...? Bezmleko, bezmleko, jedzali bezmleko... A to może tu, w salonie...?

Obaj przy tym, pan Wacław i Marianek, jakoś zgodnie i chyba bezwiednie pocierali sobie ciemię.

– Kto chce piwa?! – wrzasnęłam gromko.

Olaf był pierwszy.

– Ja chcze!

– Proszę – podpowiedziała cierpko z progu drzwi tarasowych Elżbieta.

– Ja prosze!

– Ja owszem, dlaczego nie...

– Jeśli można, bardzo chętnie...

Trzema butelkami zatkałam im gęby, z czwartą zwróciłam się do Elżbiety.

– Ty też chcesz, czy korygujesz?

– Koryguję.

Wsparta o furtynę i oplątana nieco zwisającym bluszczem, nie odrywała wzroku od siedzącej na kanapie Julii. Wpatrywała się w nią jakoś zagadkowo, w głębokiej zadumie, ale nie agresywnie. Takie beznamiętne, wręcz bezosobowe spojrzenie nie przyciągało uwagi, można było go nie dostrzegać i nie czuć. Julia chyba nie czuła, marmurowo spokojna, oglądała spektakl w salonie.

– Nie – powiedziała Alicja do Marianka miękko, ale pod atłasem i aksamitem dźwięczała stal. – Nikt nie będzie spał w salonie, a do atelier przyjeżdża właśnie Stefan.

Marianek nie rezygnował tak łatwo.

– Kiedy przyjeżdża?

– Dzisiaj. Przed obiadem.

– A oni wszyscy do kiedy będą?

– Do września – odpowiedziałam skwapliwie za Alicję, co najdoskonalej mijało się z prawdą. – Stefan też ma urlop i zostanie przez trzy tygodnie.

Stefan przyjeżdżał na trzy dni, ale wolałam się wtrącić, żeby przypadkiem Alicji nie wyrwało się coś nieco bardziej zbliżonego do prawdy. Zagnieżdżony bodaj na chwilę Marianek z łatwością mógł się przeistoczyć w element stały, nie do usunięcia, Alicji zaś nawet najokropniejsze doświadczenia nie dawały rady. Odruch, przyjmować wszystkich, miała w sobie zakorzeniony.

Potrawy istotnie doszły razem, siedem osób zmieściło się przy stole, Julia samodzielnie podniosła się z kanapy i zajęła swoje miejsce, Elżbieta niezauważalnie przyglądała jej się nadal. Marianek porzucił pertraktacje noclegowe i zajął gębę pożywieniem.

– Bezmleko – poprosił wdzięcznie Olaf, podsuwając szklankę.

Dostał mleka, nikt mu nie żałował, Marianek, dzielnie konkurując z panem Wacławem, wykończył frykadele, starannie wygrzebując resztki sosu z salaterki. Wcale one nie były takie złe, te frykadele, klopsiki jak klopsiki, sos do nich nawet lubiłam, ostatecznie naszą kaszankę podsmażaną też dawało się zjeść bez wstrętu. Frykadele posiadały tę przewagę, że zawsze miały taki sam smak, podczas gdy nasza kaszanka prezentowała fanaberyjną rozmaitość, od śmiertelnej obrzydliwości do prawie zupełnie dobrej, zależy na co człowiek trafił. Poza tym jedno i drugie było bardzo tanie.

Pan Wacław swoje frykadele doprawił. W ferworze subtelnej autoreklamy ujął ostrożnie serwetkę i strząsnął okruszki na własny talerz z potrawą w gęstym sosie. Wymieszał i skonsumował. Żeby się nic nie zmarnowało...? Z jabłoni, owoce jadalne, robaczki nie powinny być trujące!

Stłumiłam zalążek jęku.

Alicja niczego nie zauważyła, Marzena owszem, wpatrywała się w pana Wacława, niewątpliwie czatując na proces oblizywania, ale nie miała pojęcia o pochodzeniu serwetki i paprochów na niej. Korciło mnie straszliwie, żeby zmartwionym głosem powiedzieć o robaczkach, ale powstrzymałam się, bo, nie daj Boże, próbowałyby może jakoś zareagować, szczególnie Elżbieta, profesjonalnie zobowiązana do ratowania ludzkiego życia. Akurat, życia! Taka odrobina żyjątek z owocowego drzewa...?

Po czym nastąpił cud. Uświadomiłam sobie, że potrójny, bo jego źródłem okazał się znów Marianek. Najpierw robaczki, dzieło życia, a teraz... Znienacka zwrócił uwagę na Olafa.

– On by się mógł zdecydować, czy chce tego mleka, czy nie – rzekł nie wiadomo dlaczego z goryczą. Możliwe, że jej głównym źródłem było definitywne znikanie ze stołu produktów jadalnych, a nikt nie wykazywał chęci donoszenia repety. Deseru do kawy również nie było. – Powinien woleć piwo...

Pan Wacław podchwycił.

– Dla naszego podniebienia mieszanina mleka i piwa jest dość niezwykła, nie jesteśmy przyzwyczajeni, przewód pokarmowy może reagować jak na niektóre potrawy egzotyczne...

Marianek nie pozwolił odebrać sobie głosu. Było mu absolutnie ganc pomada, kto u kogo jest gościem i jakim.

– ...a w ogóle to najlepsze i najtańsze piwo sprzedają w takiej gospodzie nad jeziorem, ona dla turystów, ale jak na turystów to całkiem luksus, a do tego jeszcze dokładają takie różne siupki-chrupki za darmo. Ja mogę pokazać, gdzie to jest, na piechotę się obleci, ale ja tu widzę, państwo mają samochód, tam się da podjechać, ja znam drogę i od tej drugiej strony, a on niech sobie siedzi na tym swoim bezmleku. Frajer, ale oni wszyscy tacy. To co, podjedziemy? Możemy nawet zaraz.

Siła przebicia niedojedzonego najwidoczniej Marianka była potężna, odporność na nią wyrabiało się w sobie długo i z dużym trudem, a przemówienie coraz wyraźniej kierował do państwa Buckich. Ściślej: do pana Wacława.

– A tam jest bardzo ładnie – dodał nad wyraz zachęcająco. – Nawet jeszcze prawie ładniej niż tu, u Alicji. I więcej wody, i te takie duże białe, i w ogóle. I krajobrazy, i świeże powietrze, co to każdy musi zobaczyć...

Propozycja padła znienacka i pan Wacław się złamał.
– Benzyna – bąknął. – Na resztkach...
– A tu zaraz po drodze jest stacja benzynowa, taka z tych tańszych.
– Bąbelku...?
Julia dostrzegła wreszcie beznamiętne spojrzenie Elżbiety. Coś jej w twarzy drgnęło.
– Może istotnie... Ale to dla mnie zbyt długi spacer. Bardzo mi przykro.
– Toteż mówię, samochodem.
– W takim razie... Jeśli rzeczywiście pokażesz nam drogę...
– A jak? Bez pudła!
Przerażające milczenie panowało przy stole aż do chwili, kiedy na ulicy zastartował samochód państwa Buckich. Tym bardziej przerażające, że trwało długo, bo Julia nie zaczęła znienacka wykazywać ogromnej ruchliwości, Marianek zaś cofnął się jeszcze po swoje torby, które zabierał tak, jakby stawiały wściekły opór. Nie przerywając straszliwej ciszy, Marzena zerwała się z miejsca i wypadła z domu, hamując dopiero za furtką, ostrożnie wyjrzała na ulicę i wróciła już krokiem normalnym.
– Coś podobnego! Pojechali...
Milczące zaskoczenie trwało jeszcze przez chwilę.
– Kawy! – zażądała gwałtownie Alicja, już odsuwając krzesło.
Marzena przepchnęła się na stronę kuchenną.
– Kawy...! Już robię, siedź! Czego zechcesz! Nieba bym ci przychyliła! Widzisz? – zwróciła się do mnie. – Wcale nie trzeba było spluwać trzy razy, rzeczywiście nie ma tego złego...! Cud!

– Teraz sobie przypomniałam, że Alicja miała w ręku lody – poparłam jej pogląd z głębokim przekonaniem i nieco obszerniej. – Jestem pewna, że zamierzała je wziąć na górę, ale zmąciłam ją nogą baranią i wetknęła z powrotem do zamrażalnika. A gdyby nie to, proszę, byłby deser z bitą śmietaną i cud by się wściekł. Potrójny cud!

– Zgadza się – przyświadczyła z posępnym niesmakiem Alicja. – To było wyjątkowo chamskie i ordynarne.

– Lody? – zdumiała się Marzena, podając jej kawę – Czy ten potrójny cud?

– Oszalałaś, jakie lody, jaki cud! To ich wyjście z tym kretynem Mariankiem. Lody rzeczywiście schowałam z powrotem przez pomyłkę, ale w życiu tak się nie zachowałam! Coś mi w gardle stanęło...? Pojęcia nie mam, co teraz zrobić.

Nie miałam gdzie wetknąć najpiękniejszej informacji, bo Elżbieta oderwała się od Olafa, który wprawdzie z poprzedniej rozmowy i gadania Marianka nie zrozumiał ani słowa, dziwność jednak wywęszył i na wszelki wypadek też przez cały czas milczał, i któremu usiłowała możliwie skąpo streścić, co się w ogóle stało i o co tu chodzi, żeby z wyjątkowym, jak na siebie, ogniem zwrócić się do Alicji:

– Czy ty masz źle w głowie? Czy ona ci w tej piwnicy nie powtórzyła ani słowa z tego, co jej mówiłam...?! Czy ja teraz będę musiała drugi raz...?!

– Nie – odparłyśmy wszystkie trzy równocześnie, Marzena, Alicja i ja, po czym przy głosie została Alicja. – To znaczy tak, powiedziała mi. W skrócie.

– Szczegółowo nie zdążyłam – usprawiedliwiłam się pośpiesznie.

– Istotnie, w paradę weszły ci węże i nietoperze...

– To nie mnie, to tobie!

– Boże! – jęknęła Marzena, szalejąca w kuchni nad kawą i herbatą dla wszystkich. – Czy wy nie możecie chociaż raz się nie kłócić?!

– My się w ogóle nigdy nie kłócimy – pouczyła ją Alicja z naciskiem. – My teraz wspominamy przełomowe chwile. Ale, mimo przeszkód w postaci fauny, zrozumiałam, że z tym pawianem coś nie gra.

– No proszę, towarzystwo przy długopisach ci się rozrasta. A propos, czy to pawian ma czerwoną dupę?

– Taką wystającą? Pawian.

– Myślałam, że mandryl – zdziwiła się Marzena.

– Mandryl ma kolorową. Brodę i coś tam jeszcze. Zapomniałam w jakich kolorach. Jeśli chcecie, mogę od razu sprawdzić...

Już znów zaczęła się podnosić.

– Nie trzeba, siedź spokojnie, może być pawian.

– Mymacie lody? – zainteresował się nagle Olaf, ucinając nam temat tak radykalnie, że przez chwilę nie wiadomo było, co z tym fantem zrobić. Lody z szaloną energią weszły na tapetę.

– I bita śmietana... – uzupełniłam słabiutko.

– Bita...? Bija... Wali po morda!

– Mówiłam, żebyście nie zwracały uwagi...

– Ale z jakim świetnym akcentem mu to wychodzi!

– Mymacie lody. Bija morda.

– Co za kretyn zaczął go uczyć polskiego...

– No dobrze, to może ja pójdę do atelier i przyniosę... – zaczęła niepewnie Alicja i ponownie zaczęła odsuwać krzesło.

Poderwało mnie.

– Siedź, do cholery, skoczę do kupca i przyniosę, bitą śmietanę w spreju też. Dwie minuty to potrwa, a ona też niech wreszcie usiądzie i nie lata po tej kuchni jak z pieprzem! Bo nic nie wiecie, a ja nie mam kiedy wam powiedzieć, chora będę i pęknę!

Skłamałam, dokonanie zakupu trwało cztery i pół minuty. Kiedy wróciłam z towarem, Elżbieta wisiała na słuchawce i pęknięcie groziło mi nadal. Spojrzała na mnie.

– To Magda. Pyta, czy ty tu jesteś.

– No, chyba widać, że jestem? – zdumiałam się, bez protestu pozwalając Marzenie wyrwać sobie torbę z rąk.

– Jest – powiedziała Elżbieta do słuchawki. – Czekaj, zapytam Alicję. Alicja, Magda pyta, czy może natychmiast przyjechać... to znaczy jutro... Co? Mówi, że może spać w ogrodzie, ma dmuchany materac i śpiwór... A, mówi, że może i w hotelu, ma pieniądze od ciotki. Co...? A, przez Szwecję. Ma paszport i szwedzką wizę, wie, że tu nie sprawdzają... A w ogóle już jest w Szwecji. Co mam jej powiedzieć?

Popatrzyła na nas pytająco. Kuchnią w tym momencie zaczął zajmować się Olaf, złoty chłopiec, rozpakował dwie paczki lodów, znalazł kompotierki, „mymacie, lody, bita, po morda, morde, mordy" podśpiewywał przy tym pod nosem, zasobnikiem z bitą śmietaną posłużył się wprawnie, znalazł nawet łyżeczki, radośnie podał deser na stół. Żadna z nas nie zwracała na niego uwagi.

Marzena myślała ze zmarszczonymi brwiami.

– Ta Magda jest ładna i młoda? – spytała ostrożnie.

– Bardzo ładna – odparła Elżbieta. – W moim wieku.

– Dokładnie jaka? Gruba, chuda? Sprecyzuj.

Elżbieta, wciąż ze słuchawką w ręku, zastanawiała się przez chwilę.

– Chuda jak szczapa, sama skóra i kości... co? Mówi, że utyła pół kilo, trudno uwierzyć. Jak na babę, bardzo wysoka, prawdziwa blondynka, łan pszeniczny do pasa, wisi jej w strąkach, ale twarzowo, oczy jak chabry, w ogóle taka więcej rolnicza...

Na twarzy Marzeny ukazał się wyraz ulgi.

– To w porządku, może zamieszkać u nas. Werner nie znosi ani blondynek, ani chudych. A poza tym w ogóle wyjeżdża na czterodniowe tournée i zostawia mi samochód.

– Możesz – powiedziała Elżbieta do słuchawki i odłożyła ją wreszcie. – Jutro ona tu będzie. Mam nadzieję, że nie spełni groźby i nie przyjedzie z tasakiem, chociaż się odgrażała.

Zważywszy, iż obsługę kelnerską załatwił Olaf, można było wreszcie usiąść spokojnie i uporządkować wiedzę. Marzena przyglądała mi się podejrzliwie od chwili, kiedy wróciłam z lodami, nawet w momentach rozważania urody Magdy.

– Słuchajcie, ona wygląda tak, jakby naprawdę miała pęknąć. Czy to, co chcesz powiedzieć, to jest o tym cudzie?

– Potrójnym? – prychnęła drwiąco Alicja i domacała się papierosów.

– A potrójnym, potrójnym – przyświadczyłam z triumfującym zapałem. – Mogłam mieć wątpliwości w kwestii skąpstwa pangolina... nie miałam, ale mogłam. Teraz mam pewność!

– Skąd...?

– A stąd, że zeżarł twoje robaczki.

Alicja zatrzymała zapalniczkę przed papierosem i spojrzała na mnie z uwagą.

– Co zeżarł?
– Twoje robaczki. Te z jabłoni.
Zapaliła papierosa i trwała chwilę w zadumie. Marzena i Elżbieta milczały i patrzyły na mnie, nie pojmując tajemniczej przenośni.
– Ty jesteś pijana, czy ja? – zastanowiła się Alicja. – Możesz to powiedzieć jakoś zrozumiale?
– Popieram – powiedziała szybko Marzena.
Powiedziałam zrozumiale. Przypomniałam z detalami o oderwanej korze i w upojeniu opisałam losy opakowania. Alicja zniosła informację z całkowitym spokojem, a nawet zadowoleniem, reszta audytorium robiła wrażenie, jakby jej dech zaparło i mowę odjęło.
– Strząsnął sobie?
– Strząsnął.
– I zeżarł?
– Zeżarł. Z frykadelami.
– Bardzo dobrze. Będzie można sprawdzić, czy mu zaszkodzi. Jeśli nie, to znaczy, że żadnej zarazy w nich nie ma i nie muszę tej jabłoni niczym pryskać ani smarować! Doskonały sposób, mam tu jeszcze takie pędraki, które mi się nie podobają, myślisz, że pędraki też zeżre? A w ogóle, czy to dowód skąpstwa? Bo może tylko upodobań kulinarnych...?
– Jesteś pewna, że tam były robaczki, a nie same paprochy? – spytała Elżbieta bez żadnych emocji.
– Paprochy też, ale i robaczki, Alicja oglądała je bardzo pilnie. Dwa rodzaje wykryła.
Elżbieta z namysłem patrzyła w kuchenne okno.
– Tylko nie próbuj mu dawać żadnego antidotum! – ostrzegła gwałtownie Alicja. – Mnie naprawdę zależy na tych pasożytach!

Elżbieta zrezygnowała z okna, przyjrzała się nam jakimś dziwnym wzrokiem i po kolejnej chwili namysłu wzruszyła ramionami. Marzena ożywiła się nagle i odzyskała głos.

– Czekajcie! Marianek mu to podetknął?

– Marianek. Osobiście rozkładał serwetki.

– One były używane – wyznała zakłopotana nieco Alicja. – Ale za późno to zauważyłam i wolałam nic nie mówić, bo się nie rzucało w oczy... Ale robaczków nie widziałam.

– Siedziałaś dalej od niego...

Marzena nas nie słuchała, wchłaniała w siebie całe zajście i rozkwitała słonecznym blaskiem.

– Ale wiecie. że to naprawdę jest cud, Joanna ma rację! Marianek...! To rozlazłe obladro...! W życiu bym nie przypuszczała, że może się tak przydać! I jeszcze udało mu się wypłoszyć ich z domu, nie do wiary, no dobrze, niech będzie, zduszę w sobie protest, kiedy zacznie coś zeżerać...

Alicja rozejrzała się dookoła.

– Nie ma go na pewno? Skoro nie słyszy, nie muszę się wygłupiać, ta twoja Magda spokojnie może spać tu w salonie, na kanapie. Jeśli będzie chciała, bo istnieje niebezpieczeństwo, że Romeo postanowi ją adorować.

– Da sobie radę – mruknęła Elżbieta i przysunęła sobie bitą śmietanę. – W ostateczności pożyczy tasak od ciebie...

*

Przez pół godziny świętego spokoju robiłyśmy dokładnie to, co robią prawie wszyscy normalni ludzie.

W każdym domu każdemu z każdym najlepiej rozmawia się w kuchni, u Alicji zaś owo najlepsze miejsce znajdowało się niejako w progu salonu, tym bardziej zatem było doskonałe.

Prawie całkowicie rozmrożona w mikrofalówce wieprzowina została starannie przyprawiona i wstawiona do pieca na mały ogień i na tym prace kuchenne stanęły. Reszta mogła poczekać, my zaś mogłyśmy wreszcie porządnie poplotkować, a tematy pchały się nam przemocą. Elżbieta z Olafem udali się do sklepu z winem, przy czym Elżbieta, wychodząc, rzuciła nam na żer ostatnie zdanie.

– Ona wcale nie jest taka zdemolowana fizycznie – rzekła sucho. – O Julii mówię. Przyjrzałam się. Trzy czwarte niesprawności udaje całkiem zręcznie, może nawet więcej niż trzy czwarte. Nie zamierzam się wtrącać.

I poszła.

Przez chwilę patrzyłyśmy za nimi w milczeniu.

– Cholery można dostać – streściłam pogląd osobisty.

– Jedyna pociecha to ta, że może kupią naprawdę dobre wino – westchnęła Marzena. – Do wieprzowiny bym się napiła. Lubię wieprzowinę o wiele bardziej niż wołowe.

– Z czego wynika, że przynajmniej jeden mój gość ma szanse cieszyć się twoją sympatią – zauważyła Alicja z kąśliwością wprost niebotyczną.

– Bo zbliżony do wieprza? Na sympatię małe szanse. Niewidoczne nawet pod mikroskopem.

– Chciałam się z wami naradzić, szczególnie z Marzeną, żeby sobie uporządkować ten cały mętlik w organizmie – przerwałam im smętnie – i teraz już sama nie jestem w stanie niczego z kotłowaniny wydłubać. Mam wyłącznie wrażenie. Takie wielkie wrażenie, wołami wydrukowane. A wy?

– Co do mnie, też mam…

– Nie wiem, czy to wrażenie, ale chyba nigdy w życiu nie byłam do tego stopnia ogłuszona – rozzłościła się znienacka Alicja. – Czy ktoś wypił moją kawę? Marianka przecież nie ma?

Marzena odwróciła się na krześle i sięgnęła ręką na bufet.

– Sama wypiłaś, co nie ma znaczenia, bo byłam przezorna i zrobiłam cały dzbanek. Ten mniejszy.

– Co ty powiesz? Znalazłaś go?

– Przypadkiem, ale znalazłam. Te cholerne byczki w pomidorach też znalazłam i postawiłam tak, żeby nie zginęły, później wam powiem gdzie. A wrażenia zaczynają mi się stabilizować.

– A, właśnie! – przypomniała sobie Alicja, której kawa przed nosem od razu przywracała równowagę. – Może teraz któraś z was powiedziałaby mi szczegółowo o tych rewelacjach Elżbiety? Bez żadnej fauny?

Z wielkim zapałem ożywiłam donos, rozpoczęty w atelier w lodowatej atmosferze. Marzena mnie wspomogła, starałyśmy się o taką ścisłość, jaka tylko była możliwa, i wyszło nam tak doskonale, że Alicja nie miała gdzie wcisnąć wątpliwości. Przyjęła informację niechętnie, ale przyjęła i po zdumiewająco krótkiej chwili wyciągnęła wniosek. Naszym zdaniem prawidłowy.

– Wynika z tego, że ten cały pangolin, pawian, Romeo i tak dalej, stanowi jedno wielkie wredne łgarstwo. Obie dobrze wiecie, że porzuciłam własny kraj dlatego, że jedzie na łgarstwie. I teraz to łgarstwo wlazło mi do domu. No i proszę, dobrze zgadłam, że musi być partyjny! Jak twoja ciotka!

Oburzyłam się.

– Tylko nie ciotka, tylko nie ciotka! Ona łże w przeciwną stronę! Ona jest przedwojenna!

– No, skoro przedwojenna, to może... Ale ten twój od zbocza...?

Mój od zbocza w mgnieniu oka przebił robaczki, Julię i rewelacje od Magdy.

– Czuję w sobie protest przeciwko zaimkowi, ale trudno, chwilowo jeszcze niech będzie. Łże jeszcze lepiej niż ustrój.

– A twój mąż mówił prawdę?

– Wyłącznie i zgoła maniacko. Patologicznie.

– To nad czym ty się jeszcze zastanawiasz?!

– Nad chodzeniem...

– Zdaje się, że znów przestałam rozumieć, co mówicie – zdenerwowała się Marzena. – Nie szkodzi, mnie się krystalizuje i już prawie chyba wiem, co tu lata w powietrzu i paskudzi atmosferę i dlaczego Alicja wywęszyła inną grupę krwi. Łgarstwo! I do tego jeszcze to, co Elżbieta powiedziała, ta Julia! Jej też nie wierzę!

Ledwo zdążył nam ruszyć temat potęgi uczuć, jak wiadomo Tytania oszalała na tle osła, kiedy w samo zaranie wdarły się dźwięki z zewnątrz. Normalne, szczęknięcie furtki, grzeczne pukanie, drzwi...

– W lasku Idy trzy boginie – zadeklamował uroczyście osobnik w progu.

– Stefan! – krzyknęła radośnie Alicja i zrywając się z miejsca, omal nie przewróciła dzbanka z kawą. – Nareszcie ludzka istota!

– Tak wspaniałym komplementem jeszcze nigdy nikt mnie nie witał – ucieszył się Stefan i wszedł do salonu.

Spodobał mi się. Było w nim coś, co pasowało do prawdziwych przyjaciół Alicji. Normalnego wzrostu, normalnej postury, średnio ciemny, promieniował życiem, energią, może nawet siłą, w każdym razie zdołałabym wyobrazić go sobie, jak uczepiony jedną ręką kawałka himalajskiego zbocza, drugą pstryka zdjęcia, trzecią opędza się od yeti albo czegoś podobnego... Spokojny, opanowany, a żadnej sztywności.

– Brudny jestem – oznajmił z lekką skruchą, witając się trochę na dystans. – Tu baran jakiś kraksę zrobił i coś tam pomagałem, a że dość blisko, przyjechałem prosto do ciebie. Mógłbym się umyć? Tylko przedtem powiedz, gdzie mnie utkniesz.

– W atelier. Może być?

– Głupie pytanie.

– Ale będzie pan latał dookoła domu...

– Jaki pan? Ja będę latał, nie żaden pan. Joanna, ja cię znam teoretycznie już od wieków, odczepmy się od razu od tych pań i panów!

– Bardzo chętnie, samo przyjdzie. Ja też cię znam i wiem ile, przeszło dwanaście lat.

Marzena od pierwszej chwili poddała się odruchom, podróżnego w dom przyjąć, głodnego nakarmić, nie było wprawdzie pewne, czy Stefan jest głodny, ale w odniesieniu do mężczyzny takie założenie zawsze można przyjąć.

– Hej, ja nie popuszczę! – krzyknęła od lodówki. – Jestem ograniczona...

– Od kiedy? – zdążył się zdziwić Stefan.

– Czasem! Nie umysłowo! Ograniczona czasem, muszę bywać w domu, jak już pojadę, będziecie sobie snuli, a teraz pamiętajcie, co Elżbieta mówiła. Stefan wie więcej!

– Niech się przedtem umyje – zarządziła stanowczo Alicja i poszła za gościem do atelier, zaprezentować mu zachwalane ogniście materace razem z pościelą.

*

Cud cudem, spółka złej godziny z klątwą jednakże nie popuściła.

Ledwo Alicja zdążyła wrócić i zajrzeć do dzbanka z resztkami kawy, ponownie za progiem zaszczękało i objawił się nam Marianek. Zastygłyśmy wszystkie trzy, wpatrzone za jego plecy w oczekiwaniu pojawienia się państwa Buckich w ariergardzie.

Państwa Buckich jednakże widać nie było, Marianek zaś wydawał się jakiś zmartwiony. Nie miał przy sobie swoich tobołów. Ożywił się troszeczkę, szybciutko obiegając wzrokiem stół, bufet i Marzenę przy lodówce.

– O, taką przekąskę robicie...? Do luftu ci, jak im tam, Buckie, to głodomory. I jakieś takie nieużyte...

– Trafił swój na swego... – mruknęła w głąb szuflady Marzena, zapominając o deklaracjach łagodności.

– ...ledwo ich namówiłem, żeby mnie podrzucili do siostry, ale jak nie masz miejsca, to już u niej zostawiłem rzeczy. Jakby co, mogę przynieść...?

– Stefan już jest – poinformowała go życzliwie Alicja.

– A, to jego gablota przed domem...

Moja inwencja twórcza nagle kwiknęła.

– A w dodatku jeszcze dzisiaj wieczorem przyjeżdża jego narzeczona, razem będą nocowali w atelier. Pokłócili się i właśnie zaczynają się godzić, trochę to pewnie potrwa, ale żadna asysta im niepotrzebna, więc trochę swobody należy im zostawić.

– Tak będą latać po całym domu? – rozczarował się Marianek.

– Po całym to nie, ale po atelier, po salonie...

Marianek westchnął ciężko. Szczerość go rozpychała i musiał jej dać ujście, rozejrzał się żałośnie po kuchennych kątach i usiadł przy stole.

– Nic prawie całkiem nie zamówili, jedno piwo i tyle, na spółkę pili, jak Boga kocham. A do jednego piwa to oni tam nawet patyczka nie dają...

Alicja i Marzena z lekkim wysiłkiem starały się opanować reakcję na narzeczoną Stefana, rozumiejąc doskonale, że był to mur oporowy przeciwko niepożądanym zakusom. Alicja nie wytrzymała, do Marianka zawsze miała niepojętą słabość.

– Kawy pewnie byś się napił? I kawałek sera możesz dostać.

Marianek gotów był przyjąć każdy poczęstunek, a Marzena z jakąś niezwykłą gorliwością wyciągnęła nagle z szuflady ser i zaczęła go pośpiesznie kroić. Przypomniało mi się, że są to resztki tego najgorszego z Irmy, bardzo dobrze, niech Marianek zeżre, bo inaczej musiałybyśmy kombinować różne wymyślne potrawy z czegoś zapiekanego, w tym kraju smaki sera są zbyt dobrze znane i nikomu kitu się nie wciśnie.

Marianek gębę miał zatkaną zaledwie częściowo, zatem narzekał swobodnie.

– Doprowadziłem ich jak należy, pod sam ten barak turystyczny, pokazałem jezioro i te duże, białe...

– Zaraz – przerwała mu Marzena. – Te duże białe, to co to takiego?

– No, drób... No, nie gęsi... Nie kaczki, kaczki mniejsze... No, te...

– Łabędzie – mruknęła Alicja.

– No właśnie, łabędzie. One żrą co popadnie, bułki i w ogóle. Nawet bułki im nie kupili. Skąpe takie czy co? A pieniądze to on ma, sam mówił.

Zachłanność pytania niedokładnie udało nam się ukryć.

– Co mówił...?!

– A bo ja wiem? Dużo gadał. O jednym takim, co go wysłali na reportaż gdzieś tam w demoludy, do ruskich chyba, sam mu to załatwiał, też pojechał, premię dostał...

– Jakoś on się nazywał?

– Kto?

– Ten wysłany.

– A faktycznie. Tak spożywczo. Golonka czy coś... On taki więcej super, a płacą mu, że hoho, a ten cały Bucek Wacław mu to załatwia, to i jemu chyba co obleci, nie? A jeszcze sam z siebie, z dobrego serca miejsca mu ustąpił...

W ciemnym korytarzyku, mniej niż metr od kuchni, przy drzwiach toalety, stał umyty już Stefan z jakąś częścią garderoby w rękach i słuchał z wielkim zainteresowaniem. Marianek siedział twarzą do niego, a mimo to go nie widział, możliwe, że trochę zasłaniała mu widok ciemność, a trochę głowa Alicji, pożałowałam nawet, że cała Alicja nie urosła bardziej i nie sięga wzrostem trzech metrów. Bardziej prawdopodobne jednakże wydawało się, że przykuty wzrokiem do stołu Marianek nie dostrzegał świata wokół, po stole poniewierały się jeszcze resztki sera i pokruszonych ciasteczek z przeceny, najwidoczniej Marzena posprzątała szufladę dokładnie.

– Jakiego miejsca mu ustąpił? – spytała teraz grzecznie.

– No, tego reportażu, czy co to tam było. Ale i tak jakiś tam konsul go zaprosił, więc też pojechał, tylko oddzielnie, na Krym chyba. To co, na głupią bułkę dla łabędzia nie ma?

– Ty też nie miałeś?

– A czy mnie który konsul gdzie zaprasza? – oburzył się Marianek z wielką urazą, ale całkiem logicznie i powęszył w kierunku piecyka. – Tam się coś piecze?

– Piecze.

– Na obiad?

– Nie, na kolację. Obiad w ogóle będzie na kolację, wcześniej nie da rady.

Wpatrzony w drzwiczki piecyka Marianek uniósł wzrok wyżej i wreszcie dostrzegł Stefana. Westchnął bardzo ciężko.

– O... – powiedział tonem ostatecznie zrezygnowanej beznadziei. – To pan już jest...

– Jestem – przyświadczył Stefan i wszedł przez kuchnię do przedpokoju. – Alicja, mogę to położyć w kotłowni?

– Możesz położyć wszystko co chcesz, gdzie tylko zechcesz.

Marianek siedział jeszcze, pełen wahań. Najwidoczniej obiad u jego siostry przewidywany był wcześniej. Z rozpędu zapewne wyszło z niego jeszcze jedno pytanie:

– A ta pańska narzeczona...?

– Już jedzie i niedługo tu będzie – odparł z kamiennym spokojem Stefan, do którego wcześniej wygłoszony komunikat o narzeczonej z całą pewnością nie zdążył dotrzeć.

I rzeczywiście. Wychodząc z wielką niechęcią, Marianek pocieszył średnio nas, a bardzo siebie, że może jeszcze tu wpadnie. W tej kwestii nikt nie miał żadnych wątpliwości, wpadnie bez wątpienia na kolację u Alicji zaraz po obiedzie u siostry.

– Jaka narzeczona? – zaciekawił się Stefan, siadając na jego miejscu. – Jeśli mam jakąś, nie mówcie o niej mojej żonie.

Odblokowana wreszcie Marzena z miejsca wzięła niezły rozpęd, zastawiając stół czymś, co fonetycznie brzmiało „kaweoti", oznaczało „kawa i herbata", pisało się „kaffe og te", unieruchamiało całą Danię przy stole o trzeciej po południu i składało się praktycznie z czego kto chciał: kawy, herbaty, piwa, mleka w dowolnej postaci, naleśniczków, ciasteczek, kanapeczek, a gdyby ktoś się uparł, to nawet z potraw solidniejszych. Nasze kaweoti było nieco spóźnione. Stefan nie grymasił, postawił na stole flachę whisky i flachę wyborowej i usprawiedliwił się grzecznie:

– To z promu, rzecz jasna. Wnioskując z podsłuchanych tekstów, wolałem doczekać chwili intymnej...

Odepchnęłam krzesło.

– Alicja, nie jestem gospodarna, ale pozwolisz, że na razie to schowam...?

– A byśmy sobie jednego...?

– Zaraz wrócą kochankowie z Werony!

– Na powitanie Stefana trzeba! – poparła Alicję Marzena.

– O, właśnie! I Marzena będzie pokrzywdzona...!

Z tym się zgodziłam natychmiast.

– No to siup, chluśniem, bo uśniem, Marzena, nie wiem, gdzie kieliszki. Te większe! Którą ruszamy?

– Wyborową oczywiście. Stefan, w twoje ręce…

W szalonym tempie i nader sprawnie odpracowaliśmy czyny naganne, whisky schowałam do świętej szafki Alicji, napoczętą butelkę wyborowej Marzena jakimś cudem upchnęła w lodówce, jako „kaweoti" posiłek wypadł oryginalnie, ale wszystkim się spodobał. Alicja wskazała mnie widelcem.

– To ona ci wymyśliła narzeczoną, żeby się pozbyć balastu…

– Miałam skojarzenie z Magdą – wyjaśniłam z cieniem skruchy. – Lubię łgać na bazie realiów.

– Nie znam Magdy – zmartwił się Stefan. – Powinienem znać? Kto to taki?

– Siostrzenica Marii Rohacz! – wyłupała Marzena z jadowitym triumfem. – I przyjaciółka Elżbiety! Od szkolnych lat!

– Aaaaa! – zacharczał z jakąś osobliwą ulgą Stefan. – No to jesteśmy w domu, wszystko rozumiem, szczególnie że dopiero co padło tu nazwisko niejakiego Adama Golorczyka, o ile zdołałem odgadnąć! Co to jest, to coś, co tu siedziało? Czy nie ten balast do pozbycia się przypadkiem? Żródło natchnienia przy narzeczonej?

– Jak to? – zdumiałam się, ze zgorszeniem spoglądając na Alicję. – Ona ci nigdy nie mówiła o Marianku?

– Sama twierdziłaś, że każdy swoje błędy ukrywa – wytknęła mi Alicja. – Nie, nie mówiłam, nie miałam kiedy, trzy lata temu jeszcze o Marianku nawet nie słyszałam. Zagnieździł się dopiero w zeszłym roku.

– Dwa lata temu – skorygowała Marzena. – I tym się odznacza, że wczepia się jak kleszcz i zdolny jest przeżreć całe Birkerød, całą Kopenhagę, całą Europę…

– Dołóż mu jeszcze pozostałe części świata, nie żałuj sobie. Widocznie ma doskonałą przemianę materii, młodzież miewa, tylko pozazdrościć...

– Przesadzacie – zganiła nas Alicja jakoś bardzo łagodnie. – Stara się przynajmniej...

– O, jeszcze jak się stara! Co na stole, to nieprzyjaciel!

– No, no, nie odbieraj mu zasług! A cud...?

Bóg raczy wiedzieć, czy Marianek obszczekiwany z tak szybko rosnącą energią nie dostałby nieodwracalnej czkawki, gdyby nie to, że w tym momencie wrócili Elżbieta z Olafem. Młodzieńcza przemiana materii oraz zasługi poszły w zapomnienie.

Olaf załapał się jeszcze na egzotyczny fragmencik „kaweoti", po czym problem nabrał zarówno ognia, jak i powagi. Stefan siedział w temacie, żadnych tłumaczeń nie potrzebował, a dookoła niego miejsca na łagodność nie było ani odrobiny.

– Nie wiem, jaka kolejność do was dotarła, ale i tak węszę tu mało czasu, więc powiem w punktach jak leci. Możliwe, że mi wyjdzie od końca. Golorczyk to jest taki sobie dziennikarz-folklorysta, obsługuje wszelkie występy, zespoły ludowe, nasze i obce jak leci, pisze nieźle, chociaż bez ikry, za to wiedzę posiada. Teraz jest moda na ludowość, tkwi w tym nawet historycznie, nieszkodliwy idealnie, więc go wysyłają po demoludach, wielkich wymagań nie ma, żadnych osób towarzyszących ze sobą nie zabiera, chyba że mu wtrynią. Bucki na łbie staje, żeby go wygryźć i zastąpić, na razie bez skutku, a ten głupi Adam nawet sobie z tego sprawy nie zdaje.

– Ale konsul pangolina zaprosił?

– Konsul pan... co?

– Pangolina. Buckiego. Nie zwracaj uwagi, wyjaśnimy ci później, teraz szkoda czasu. Zaprosił?

– A mnie zaprosił Krzysztof Kolumb.

– A nasz rodzinny pies zaprosił robaki, żeby w nim zamieszkały – warknęłam. – I różne osoby zapraszały solitera.

Stefanowi się spodobało.

– Metafora daleko idąca, ale trafna, poza tym, o ile wiem, siedzą tu wyłącznie osoby z jakimś tam wykształceniem. Wazeliny w aptekach zabrakło. Satysfakcji doznało całe towarzystwo, robaki, soliter i pan Bucki, uczuć zapraszających nie będę oceniał.

Zachwycił nas.

Zmiana w osobowości Elżbiety, zaszła w ciągu ostatnich prawie pięciu lat, potwierdziła się teraz ostatecznie. Kiedyś nie odezwałaby się ani słowem, czekając, aż ktoś inny załatwi to za nią, teraz wystąpiła osobiście.

– Maria Rohacz – powiedziała spokojnie, ale takim jakimś głosem, że mógł się przyśnić i zadusić człowieka w zastępstwie zmory.

Stefan wydawał się odporny, ale trochę jakby czymś zgrzytnął. Chyba zębami.

– Świństwo rzadkie i dość obrzydliwe. Miał na nią zakusy, ona już nie jest młoda i w tym widział nadzieję. Usiłował się wkręcić na przydupasa, nie dosłownie, chociaż, czy ja wiem, gdyby chciała...?

Głos Elżbiety zabrzmiał tak dziwnie, że budził dreszcz na plecach.

– Postaraj się nie być moim pacjentem w najbliższym czasie...

– Natychmiast odwołuję powyższe słowa, chociaż miałem na myśli jego charakter, nie jej. Do licha, znam ją przecież!

– To nie mów głupot.

– Zaczął od impresaria, ględził o stosunkach w szwedzkiej ambasadzie, wyleciało mu ze łba, że ona szwedzką ambasadę zna lepiej niż on, ten jej wyjazd do Sztokholmu wymyślił, jak Boga kocham, niesmacznie to wypadło. Zniszczył na polskim rynku świetnego tłumacza metodą intryg i plotek, jak wiecie, u nas o to łatwo, antykomunisty nie aprobujemy, to, zdaje się, było pomyślane długofalowo, druga książka gorzej poszła, zatem niech jedzie i sama siebie reklamuje. Koniecznie z nim razem, też zaproszony, za ich forsę, a tak to wyszło, że ona się pcha. Mało jej szlag nie trafił. A...! Już wiem kto to jest Magda, jej siostrzenica, słyszałem o niej przecież, nie skojarzyłem od razu. Magda, fakt, Buckiego kocha tak, że nóż jej się sam w kieszeni otwiera, poparcie ma duże, całe jej pokolenie Marię czyta, słuchajcie, mnie już w gardle zasycha, czy ja tu mam konferencję prasową...?

Miotnęły nami mieszane uczucia, dać mu coś do picia, niech mówi dalej póki można, co mu dać, wodę, piwo, od wódki szybciej zachrypnie, co piją wyschnięci na pustyni... a, mleczko kokosowe, po pierwsze obrzydliwość, a po drugie, skąd u diabła mamy wytrzasnąć na poczekaniu kokosa z mleczkiem, Elżbieta podsunęła korzeń prawoślazu, poparłam ją natychmiast, znałam zioło, idealnie wygładza błony śluzowe, ale wymaga godziny parzenia...

– Wodka! – wydał rozkaz Olaf, najwidoczniej chwilami informowany o treści konferencji. – Woda! Loda!

– Dobrze mówi – pochwaliła Alicja. – Wódka z wodą i z lodem. I z cytryną.

– Gorzka herbata! – przypomniałam sobie.

– Kwaśne mleko – podsunęła Marzena.

– Jasne, cała ta mieszanina świetnie mu zrobi na przewód pokarmowy – oceniła beznamiętnie Elżbieta. – Ale wyżyje. Tyle wiem.

Zważywszy, iż ruszyły się cztery dorosłe kobiety, Stefan został obsłużony w ciągu pięciu minut. Zważywszy zarazem, iż w grę weszła także czysta wyborowa, a państwa Buckich można było spodziewać się w każdej chwili, całe towarzystwo przeniosło się na taras.

Stefan starał się jak mógł.

– Próbowałem w punktach, ale widzę, że nie da rady. Owszem, jest krytykiem literackim i teatralnym, w obu tych dziedzinach wiedzą dysponuje, tego mu nikt nie odmówi, ale pcha się maniacko do, pożal się Boże, ważnych stanowisk. Prezes, dyrektor, naczelny redaktor, cokolwiek, byle się jakoś nazywało, bo i splendor...

– Dla kogo? – wyrwało mi się, chyba trochę wzgardliwie.

– Dla żłobów. ...i korzyści materialne, te wszystkie przydziały, na których demoludy jadą...

– A samochód podobno kupił używany...?

– Owszem. Przydziałowego fiata żona rozpieprzyła, fakt, że niewinna była przy tym jak dziecko, ale odszkodowania na używany starczyło i jeszcze trochę zostało. Te swoje krytyki wielki geniusz pisze imponująco perfidnie i równie niezrozumiale, świetnie trafia w umysłowość czytelników... źle mówię, pseudoczytelników, tych, którzy niezrozumiałe oceniają jako genialne. Normalni ludzie w ogóle takich bzdetów nie czytają, ponadto wyłapią łgarstwo, o którym ćwoki nie mają pojęcia. Jak ja mam to ująć w punktach?

– Wysepki na trzęsawisku...

– Trzęsawiska znacznie więcej niż wysepek. Co zdolniejszych stara się zgnoić, ponadto odwala robotę na zamówienie. Mnie też próbował załatwić, ale animozji osobistych możecie mi nie przypisywać, bo mu nie wyszło bez mojego udziału, nawet o tym nie wiedziałem...

– Co ci mógł zrobić, skoro masz szwedzkie obywatelstwo? – zirytowała się Marzena.

– Mam podwójne. Usiłował odseparować mnie od polskiego języka i polskiej prasy, rozpuszczał ploty, że uciekłem nielegalnie, kłody pod nogami napotkał, bo mój ojciec ożenił się z moją matką jeszcze przed wojną i w dodatku przed moim urodzeniem. Plotami się wspierał tak idiotycznymi, że nawet ich nie pamiętam, bzdet i tyle. Próbuje walczyć intrygami na wszystkie strony, przy czym, co mnie zdumiewa... Przecież to nie może być debil totalny, bo debil totalny nie zdobyłby takiego wykształcenia humanistycznego...

– Wybrakowane – wyrwało się teraz Marzenie.

Stefan popatrzył na nią pytająco, musiała zatem pociągnąć dalej. Postarała się krótko.

– Muzyczne mam na myśli. Dużo udaje, nadrabia wyszukanymi definicjami, brednie mówi z wielką pewnością siebie, laik nie zauważy, ale fachowiec wyłapie. Już.

– Rozumiem. Wracam do sedna. Jakim cudem jednostka powyżej debila może nie brać pod uwagę, że ludzie spotykają się ze sobą, gęby mają, coś mówią i wzajemnie udzielają sobie informacji? Najbliższy przykład, Maria Rohacz, ona jakoby mówi jedno, szwedzki wydawca mówi kompletnie co innego, ze zdumieniem dowiadują się od siebie wzajemnie, co powiedzieli, odkrywają źródło i w tym momencie nasz Waculek jest skończony. Dużo ma za sobą takich osiągnięć.

– Niektórzy mu wierzą – odezwała się w zadumie Alicja, mając chyba na myśli nieszczęsną Hanię. – Ale mam wrażenie, że bardziej kobiety...

– Chcecie więcej? – spytał Stefan z wyraźną nadzieją, że nie. – Bo mnie on już nosem wychodzi. Jeszcze mogę dołożyć, że jest patologicznie chciwy i skąpy, także śmierdząco leniwy, chory na sławę i chwałę, i talentów organizacyjnych ma tyle, co ja brody i wąsów, a jeśli to możliwe, nawet mniej. Wystarczy?

– Mnie w zasadzie tak... – zaczęłam i na tym musiałam poprzestać.

Alicja rzeczywiście miała świetny słuch. Już od dwóch sekund nadstawiała ucha i teraz szybko podniosła się z fotela.

– Już są – powiedziała, wchodząc pośpiesznie do salonu. Westchnęłam i poszłam za nią.

Na tarasie zostało ich troje, Elżbieta, Olaf i Stefan. Mieli wspólny język.

*

Marianek, wedle opinii co najmniej połowy państwa Buckich, okazał się młodzieńcem po prostu czarującym, z największą przyjemnością pan Wacław po drodze nad jeziorko podwiózł go do siostry, żeby mógł zostawić u niej swój okropnie ciężki plecak. A jak doskonale zna okolicę, Marianek, nie plecak, rzeczywiście można tam i dojść, i dojechać, dla Julii wprost idealnie, króciutki spacer i odpoczynek, urocza gospoda turystyczna, łabędzie, co za widok, królewskie ptaki! Jeszcze raz się tam wybiorą...

Wtrąciła się Marzena. Słowiczym głosem.

– Przepraszam za brak hipokryzji, ale ja tak z natury i to chyba nie jest obraźliwe? Pani Julia wraca do zdrowia, tu jest czyste powietrze, kilka spacerów, codziennie trochę więcej i tylko patrzeć, jak będzie pani mogła obejrzeć najpierw Hamleta...

– Szczególnie, że Kronborg jest atrakcyjny właściwie tylko z zewnątrz – poparłam ją, ze słowiczego głosu rezygnując z góry. – W środku prawie puste komnaty, więcej ruchu niż widoków, więc nie warto nawet wchodzić.

– No właśnie. A po Hamlecie Hillerød, a tam do oglądania dużo. Odpoczywać też można, kanapki, ławeczki...

– Hillerød do dziś dnia jest niekiedy używany przez rodzinę królewską...

– No i Syrenka. Tam już niestety kawałek trzeba przejść, ale szkoda byłoby jej nie widzieć. Jest urocza!

Tak wyraźnie było to kierowane do Julii, że ciekawa byłam, jak też pan Wacław się włączy. Julia siedziała przy stole na krześle obok miejsca Alicji, które jakoś od początku jej przypadło, zresztą przeze mnie podsunięte, coś przecież chyba powinna była powiedzieć! Z góry postanowiłam, jeśli pan Wacław nie strzyma, przerwać mu od razu i zacząć piać nad urodą skandynawskich głów koronowanych płci żeńskiej na licznych portretach w Hillerød, a uroda to była taka, że mogła na długo obrzydzić człowiekowi wszystkie kobiety świata. Od dawna już się zastanawiałam, malarzy mieli beznadziejnych, czy też te baby rzeczywiście tak wyglądały? Trudno rozstrzygnąć, samych pacykarzy przez tyle wieków...? To już prędzej mazepy w zwyrodniałych rodach królewskich...

Jednakże Julia się odezwała.

– Będę się starała odzyskać siły, bo już ten widok dzisiaj napełnił mnie żalem, że przeze mnie nie możemy zobaczyć wszystkiego. Wacław i tak to cierpliwie znosi. Informacje, gdzie można odpocząć, te ławeczki, ten widok z zewnątrz, są dla nas bardzo cenne. Dziękuję.

Powiedziała to tak, że właściwie zamknęła nam gęby. Bezlitosna okazała się Alicja.

– Gdybyście zapomnieli, co się gdzie znajduje, chętnie wam podpowiemy, bo rzeczywiście szkoda mieć okazję i nie widzieć. Jesteście może głodni? Pasztet, sałatki, serek... Obiad będzie na kolację, bo – tu łypnęła na mnie złym okiem – ta wieprzowina jakoś mi dziwnie w piecu urosła i potrzebuje więcej czasu.

– Jeśli dobrze zgadłam z liofilizacją, obiad będzie jutro – przyznałam się wdzięcznie.

– Żebyś pękła – powiedziała Alicja pod nosem w stronę piecyka.

Dla pana Wacława to już było za długo. Ruszył malarstwo średniowieczne.

I rzecz oczywista, z lubością wszedł na związki małżeńskie infantek, delfinów i w ogóle głów koronowanych, zbyt blisko ze sobą spokrewnionych, z jeszcze większą lubością zaś na skoki w bok niechętnych sobie małżonków. Jego zdaniem Skandynawia trwała w wyjątkowej cnocie, stąd wodogłowie Eryka IV oraz inne mankamenty. Także bezpłodność i może nawet zboczenia królowej Krystyny, a po historii ogólnie skakał ruchem konika szachowego.

Oblizał łyżeczkę po sałatce z makreli. Oblizał łyżeczkę po majonezie. Co najmniej tak, jakby to była kandydatka na któryś z królewskich skoków w bok. Marzena oka od niego nie odrywała, bez porozumienia z Alicją znalazła w lodówce i podała na stół dżem pomarańczowy, owszem, łyżeczkę po dżemie też oblizał. Zdaje się, że niczego więcej do oblizywania już nie znalazła, bo resztki kaweoti uległy definitywnemu zakończeniu.

Konwersacja nie. Wręcz przeciwnie.

– Niewielką dysertację na ten temat zamierzałem napisać, omówiłem nawet ten temat ze szwedzkim tłumaczem, niestety, zbyt długo trwały różne uzgodnienia i operatywny dziennikarz mnie ubiegł, miał tę przewagę, że pisał po szwedzku, posłużył się moim pomysłem, niejaki pan Henriksson, przetłumaczony zresztą na polski prawie od razu, kiedy ja już miałem gotowy tekst...

Pan Henriksson imieniem Stefan stał właśnie w progu drzwi tarasowych i przysłuchiwał się przemówieniu z wielkim zaciekawieniem. Nie zdążył zareagować nijak, nawet jeśli miał taki zamiar, bo równocześnie brzęknęło, szczęknęło i do salonu wkroczył Marianek.

– O Jezu... – wyrwało mi się szeptem.

– Tak wcześnie u twojej siostry był obiad? – zdziwiła się Marzena, brutalnie przerywając historyczno-dziennikarskie zwierzenia.

– E tam – odparł z goryczą Marianek. – Wcale nie było obiadu. Oni idą na obiad do jednych takich z rodziny Arnego, co to mają wyliczone każdą osobę i każdego kartofla. Prędzej się pójdą utopić niż gościa przyprowadzą, co za ludzie, jak Boga kocham. Może ja tu co zrobię, Alicja, coś mówiłaś, że trzeba ci urżnąć...?

Stefan cofnął się szybko na taras i znikł z naszych oczu, czemu trudno było się dziwić. Pokora Marianka wyraźnie wskazywała, że kaffe og te u siostry wypadło skromnie i jak był głodny, tak pozostał nadal, a teraz usiłuje użebrać cokolwiek. Nie widziałam jeszcze dotychczas Marianka najedzonego, musiał być bezdenny. Trudno było dziwić się także rodzicom, którzy z całej siły starali się wypchnąć go z domu.

– Ile ty masz rodzeństwa? – spytałam z zaciekawieniem.

– No, siostrę tutaj i brata i siostrę w Sopocie.

– A kto najstarszy?

– No, Ewa, ta moja tutejsza siostra. A co?

– Nie, nic. Ewa ma dzieci?

– O, jedną sztukę, wielkie rzeczy. Rok akurat skończyło, co to zje... Bo co?

– Bo nic.

Z wysiłkiem powstrzymałam pytanie, czy całe rodzeństwo takie żerte jak on i jeśli tak, jakim cudem rodzice ich karmią. Miałam w końcu doświadczenia własne, moje dzieci niejadkami nigdy w życiu nie były, a jednak jakoś dawałam im radę, mimo raczej intensywnej pracy zawodowej. Wiadomo, że tanie potrawy są pracochłonne.

Byłam absolutnie pewna, że gdyby nie nadmiar gości, Alicja by nie wytrzymała, dałaby mu coś do zjedzenia, skomplikowana sytuacja przerosła ją trochę. Złamała się odrobinę.

– Ja kartofli nie liczę, ale obiad będzie późno – rzekła drewnianym głosem. – Jak co znajdziesz, to zjedz, ale wątpię, czy znajdziesz dużo. Jakoś przetrzymasz. Do urzynania na razie nic nie ma.

Marianek westchnął ciężko, pogodził się z losem, rzucił na państwa Buckich spojrzenie pełne urazy i drobnymi kroczkami przesunął się w głąb kuchni, usilnie starając się nie widzieć Marzeny. Marzena kuchnię zostawiła na pastwę losu, wsparła się plecami o drzwiczki lodówki i tak już znieruchomiała, coraz bardziej zainteresowana rozkwitającymi możliwościami konwersacji salonowych.

Pan Wacław miał pole do popisu.

Podsunięty przeze mnie temat nadzwyczajnie przypadł mu do gustu, co mnie zniesmaczyło, bo w najmniejszym stopniu nie zamierzałam sprawiać mu uciechy. Przeciwnie, planowałam złośliwość, niech jedzie do Hillerød i niech się napatrzy na cudownej urody oblicza, może mu się któraś z tych piękności przyśni. Miał jednakże dość rozumu, a może wiódł go instynkt, bo królewskie skoki w bok wielkim szwungiem wyszły na prowadzenie i lube wynaturzenia erotyczne przebiły wszystko.

Stefan i Elżbieta wrócili do tarasowych drzwi i słuchali, wsparci o futryny z dwóch stron, za nimi majaczył Olaf. Pan Wacław w ekstazie wysunął żartobliwą supozycję, że ów konkurent dziennikarski, wydarł mu z rąk dysertację dla przyjemności osobistej, nie chce być niedyskretny, ale podobno seks stanowi coś, czemu Henriksson nie potrafi się oprzeć...

Julia siedziała twarzą do ogrodu. Dostrzegła wreszcie dwie osoby w drzwiach.

– Wacławku, przepraszam, ale chciałam zapytać...

Równie dobrze mogła kropnąć z katiuszy. Nie dość, że odezwała się z własnej inicjatywy, to jeszcze przerwała małżonkowi, z którego już płomień zaczynał buchać. Urwał w pół słowa, zaniemiał, Julia wdzięcznie zwróciła się do Alicji.

– Słyszałam, że podobno w Amalienborgu można niekiedy widzieć królową Małgorzatę wychodzącą na balkon. Ludzie całymi godzinami czekają. Czy to prawda?

Pierwszy raz przy zwykłej, prostej odpowiedzi dostrzegłam w Alicji jakby cień wahania. Mgnienie zaledwie. Przełamała opór.

– Prawda. Zdarza się. W końcu królowa to też człowiek i może czasem wyjrzeć na świeże powietrze.

W tym momencie pierwszy raz uświadomiłam sobie wyraźnie, że przez cały czas w obecności państwa Buckich rozmawiamy jak drętwe pnie. Nienormalnie. Tajemnicze przyczyny każą nam uważać na każde słowo, zdajemy egzamin z wersalskiej grzeczności, ukrywamy szpiegowskie sekrety, udajemy kogoś innego i pilnujemy wściekle, żeby nasza prawdziwa tożsamość nie wyszła na jaw...? Ki diabeł...? Pan Wacław co prawda monopolizuje konwersację... może to raczej monolog, występ solo...? ...ale nie on pierwszy w naszym życiu taki numer wywija, w końcu i Alicja, i ja, i zapewne Marzena dawałyśmy sobie z czymś podobnym radę bez wielkiego problemu, a tu człowiekowi rdzeń pacierzowy sztywnieje i odwłok się marszczy oraz dwunastnica. Co za cholera jakaś...? Co tu się dzieje...?

O, mam dość!

– Księcia małżonka Henryka też można spotkać bez wielkiego trudu – poinformowałam uprzejmie Julię, zanim pan Wacław z otwieranej już gęby wypuścił pierwsze słowo. – Sama się na niego natykałam prawie codziennie, wracając z pracy, z tym, że szliśmy w odwrotnym kierunku i po dwóch różnych stronach ulicy. Zaznaczam, że książę Henryk nie rzucał się na tę drugą stronę na mój widok, ani też ja na jego, tylko akurat tak nam się mieszkało. Przy okazji mogę zaświadczyć, że nie towarzyszyła mu żadna ochrona, żaden orszak, żywego ducha nie było w okolicy, wyłącznie on i ja.

– Niemożli… – zaczął zaskoczony pan Wacław.

A gówno, nie popuszczę.

– A za to, między nami mówiąc, ani razu nie spotkałam go wracającego, kiedy wychodziłam do pracy, z czego należałoby wnioskować, że nie prowadził intensywnego nocnego życia i nie zaliczał się do tych erotycznie rozbestwionych władców. Nie wiem jak teraz, bo już tam nie mieszkam, ale Małgorzata nie zbrzydła, więc chyba mu zostało. Chociaż, co to można wiedzieć, pan Henriksson na erotomana wcale nie wygląda, a okazuje się, że jest – odwróciłam się w stronę tarasu. – Stefan, ty się naprawdę tak świetnie maskujesz? Alicja, nie mówiłaś, że mamy na składzie zboczeńca…

W monodramie okazałam się wcale nie gorsza od pana Buckiego, ciszę spowodowałam nieskazitelną, ale teraz już ktoś musiał zareagować.

Rzecz jasna, Stefan. Porzucił futrynę drzwiową i wszedł do salonu.

– No właśnie, człowiek sam siebie nie zna – rzekł ze smętnym westchnieniem. – Witam państwa. To pewnie te wizerunki tak działają, wielbiciel płci pięknej koniecznie musi obejrzeć portrety w Hillerød. Zachęcam gorąco!

Odblokował towarzystwo. Zaraz za nim weszła Elżbieta, za nią Olaf, Alicja nagle znormalniała, nawet Marzena oderwała plecy od lodówki.

– Hej, co wolicie? Kawa, piwko, herbatka? Lubię przyrządzać napoje…

Olaf był niezawodny. Polskiego języka uczył się w tempie godnym podziwu.

– Mymacie bezmleko! Pywo, pywo, pywo! Jadze, pyje, piiiije, niejadze!

– W takim razie do salonu proszę, tu się nie zmieścimy…

– Marzena, ze dwie butelki w lodówce jeszcze chyba są. Też chcę piwa, skoczę do składziku…

Już się zerwałam z krzesła, szampański humor zaczynał mi wracać, coś mnie jednakże nagle zastopowało. Z głębi kuchni, z kąta, odezwał się niewyraźny głos:

– On by się raz wreszcie zdecydował z tym mlekiem… Średnie te byczki, myślałem, że tu mają lepsze…

Spojrzałam i skamieniałam. Skamienieli wszyscy w różnych fazach podnoszenia się od stołu, Elżbieta chyba w fazie siadania. Własnym oczom nie wierząc, błyskawicznie zrozumiałam Alicję, można było niekiedy żywić słabość do Marianka.

Wciśnięty w najdalszy kąt dwóch blatów kuchennych, siedząc na wysokim stołku, rąbał byczki państwa Buckich, aż miło było popatrzeć. Wzbogacał pożywienie kawałkiem suchej skórki od chleba, starannie wygarniając zawartość to łyżeczką, to widelcem, to chlebkiem, przy czym napotykał trudności, bo puszka była otwarta zaledwie w połowie. Mechaniczny przyrząd do otwierania wisiał na przeciwległej ścianie i Marianek nie mógł się do niego dostać, nie włażąc w pole widzenia Marzeny, naruszył zatem ową stal kuloodporną czymś tajemniczym, co znalazł w szufladzie obok siebie. Nie było najdoskonalsze.

Pierwszy dźwięk wydała z siebie Marzena. Był to jęk absolutnej rozpaczy.

– Tak porządnie schowałam! Pod solą! W rogu! Na samym dnie! Po nic się tam nie sięga, a nie sposób zapomnieć…!

No tak, kryjówka prosta, a Marianek nie znajdzie. Głupie złudzenia, tak jakby Marianek mógł nie znaleźć czegoś jadalnego, szczególnie gnany czczością. Jak taka naprawdę wstrętna świnia doznałam błysku pociechy, że nie znajdujemy się w moim domu, ale natychmiast potem znacznie jaśniejszym światłem rozbłysło współczucie dla Alicji. Na litość boską, co ona teraz zrobi…?

Alicja, jak zwykle, stanęła na wysokości zadania.

– Bardzo państwa przepraszam – rzekła do państwa Buckich. – Marianek, czy zdajesz sobie sprawę, komu tę konserwę zeżerasz?

Powiedziała to takim tonem, że Marianek zamarł z wypchaną gębą i przestał poruszać szczękami, zjawisko rzadkie, za to rzuciło panem Wacławem, który sczerwieniał nieco na obliczu.

– Ależ nie… My nie… Skąd…? Dlaczego…? To nie nasze!

Marianek długo nie wytrwał, przełknął.

– A co…? Powiedziałaś, że co znajdę…

– Na wierzchu stało?

– Nie, w kącie. Ale znalazłem…

– Doprawdy… Drobiazg… Skąd posądzenie…

No i jak mogłam się nie włączyć? Byłam wszak jedynym świadkiem.

– Owszem, to państwa własność – zapewniłam, tyle ciężkiego i równie obłudnego zmartwienia prezentując, na ile tylko zdołałam się zdobyć, co najmniej tak, jakby Marianek zeżerał Buckim diamenty po przodkach albo jedyną książeczkę czekową. – Państwo to zgubili wchodząc do domu, akurat wracałam ze sklepu i widziałam na własne oczy, poturlało się w ten kłujący żywopłocik. Popatrzyłam, znalazłam i przyniosłam, i ciągle zapominałyśmy państwu to oddać. Naprawdę najmocniej przepraszam, nie pamiętałam w pierwszej chwili, a potem ustawicznie nam gdzieś ginęło...

– Dlatego tak schowałam, żeby już było wiadomo gdzie i żeby nikt nie przestawił – uzupełniła Marzena, dla odmiany z wysiłkiem wydłubując z siebie pokłady skruchy. – To nie, musiał przyleźć ten nienażarty wołoduch!

– Marianek, odkupisz te byczki państwu Buckim – zarządziła zimno Alicja.

Marianek przemógł się strasznie, przebił przez opór wewnętrzny i wyciągnął rękę z puszką.

– Tu jeszcze trochę zostało... To może...

Stefan kaszlnął jakoś okropnie i szybko wybiegł na taras. Znikł nam z oczu, ale, wnioskując z dźwięków, chyba potknął się o fotel i kopnął doniczkę z fuksją. Do reszty przestałam wierzyć własnym oczom i uszom, szczęście, że jestem tylko widzem, a nie aktywnym uczestnikiem sceny, pozwoliło mi wytrwać na stanowisku, dawać ujście doznaniom postanowiłam później. Elżbieta przyjęła pozycję pionową.

– A właściwie po co państwu były byczki w pomidorach? – spytała z niewinnym zainteresowaniem. – Do zjedzenia czy jako eksponat?

– Może jak topiony serek? – podsunęło żywo dobre wychowanie Alicji, element nie do zdarcia.

Pan Wacław poniechał jąkania, złagodził czerwień oblicza i zaczynał łapać wiatr w żagle, ale w tym momencie wkroczyła Julia. Też już stała prosto z dłońmi na oparciu krzesła.

– Ktoś nam to wepchnął i nawet nie mogę sobie przypomnieć kto – powiedziała z westchnieniem. – Cały czas myślę, ale nie wiem, jako przykład... i też nie jestem pewna, wytrzymałości społeczeństwa czy obrzydliwości komunistycznych. Wacław protestował, ten ktoś nam to chyba podrzucił podstępnie, a ja... i znów bardzo przepraszam, ale byłam zbytnio zajęta sobą...

– Dlatego w pierwszej chwili nie mogłem zrozumieć, skąd posądzenie, że jest to nasza własność... – zaczął pan Wacław, już prawie w siodle, ale niewiele mu z tego przyszło, bo nie popuściłam, zaparta w sobie.

– O, wrócił pan i szukał pan tego dość wytrwale.

– Miałem wrażenie, że coś upadło...

– Czas się cofnął, topiony serek mi kwiczy, a w dodatku mam tu świadka – powiedziała cholerna kindersztuba Alicji, wskazując mnie eleganckim gestem. – Proszę na salony, bez kawy nie mam życia...

Topiony serek uratował sytuację, łagodząc pozornie atmosferę. Został oczywiście wyeksponowany, a rzecz polegała na tym, że przed iluś tam laty, przy moim pierwszym pobycie w Danii, Alicja dostała paczkę z ukochanego kraju i w paczce znajdował się topiony serek, taki w sreberku i w trójkącikach. Wydłubała jeden i dała mi.

– Spróbuj.

– Zwariowałaś? – skrzywiłam się. – Po co?

Od kilku miesięcy już pracowałam w normalnym europejskim kraju, gdzie w sklepie spoczywało na półkach dwieście czterdzieści sześć gatunków sera i na jaką cholerę był mi doskonale znany serek z Polski? Alicja się uparła.

– Spróbuj, co ci szkodzi. Niedużo tego.

– Przecież wiem co to jest.

– Mimo to spróbuj.

Wzruszyłam ramionami, ugięłam się i ugryzłam połowę trójkącika. Po czym wstrzymałam proces żywienia.

– Na litość boskę, a co to za gówno...?!!!

– Otóż to! – rzekła z triumfem Alicja. – W żadne moje gadanie nikt nie uwierzy, trzeba spróbować osobiście, żeby zrozumieć! Teraz już wiesz.

Byczki w pomidorach do topionego serka znakomicie pasowały i pan Wacław uczepił się zestawu niczym tonący brzytwy. Starannie omijał wzrokiem zarówno Marianka, jak i Stefana, trzymając się artykułów spożywczych z serami bułgarskimi na czele, nie precyzując tylko które ma na myśli, kozie czy owcze, i dość łatwo pozwalając sobie przerywać.

Marianek, oficjalnie otoczony czarną chmurą potępienia, traktowany był jednak nader humanitarnie, dostał bowiem kawy i nikt mu z rąk nie wyrywał ani cukru, ani śmietanki. Zasłużył się ogromnie, fakt, chociaż niekoniecznie musiał o tym wiedzieć i odkupienie byczków w pomidorach wisiało nad nim niczym miecz Damoklesa. Przygnębienia nie ukrywał i ciekawiło mnie, jak też planuje tę sprawę załatwić, bo że w Danii radzieckich byczków w żaden żywy sposób nigdzie nie dostanie, było pewne. Zatem co, po powrocie do Polski...? Bez sensu, to był wszak wikt podróżniczy państwa Buckich!

Gdyby nie był kretynem, w miejsce byczków odkupiłby im sardynki, nawet dwie puszki, sardynki stanowiły w tym kraju absolutnie najtańszy produkt i w minionych już na szczęście czasach sama żywiłam się nimi z nędzy. Taniej kosztowały niż bułka. Byłam pewna, że na taki pomysł prędzej wpadnie stół ogrodowy niż Marianek, ale doceniając kolejną zasługę, postanowiłam podpuścić Alicję, niech mu napomknie jakoś na stronie. Jeśli nie za byczki, to za robaczki…

I oczywiście przekazanie sardynek musi się odbyć z dużym hukiem!

Wieprzowina od szynki, aczkolwiek okazałych rozmiarów, kiedyś się jednakże dopiekła. Trwało to dostatecznie długo, żeby Stefan doznał całej serii uciech, wywlekany na taras kolejno przez Marzenę, przeze mnie, przez Elżbietę i przez Alicję… chociaż nie, przez Alicję doznał raczej nieprzyjemności, szlag ją trafił tak straszny po krótkim telefonie z Warszawy, że musiała mu się zwierzyć bodaj w skrócie. Pocieszyli się wzajemnie, bo zdołali dostrzec, że jakiś szczęśliwy epilog rysuje się na horyzoncie. Miałam nadzieję sedna rzeczy dowiedzieć się później.

Ponadto dokładnie opisany mu przez Marzenę pangolin wystarczyłby właściwie na cały wieczór, a na wielki finał pozostawało jeszcze wino wraz z możliwością, że odtajały już nieco pan Wacław zacznie je fachowo oceniać.

Stół trzeba było odczepić od ściany i rozłożyć w salonie, bo inaczej dziewięć osób się przy nim nie mieściło. Alicja ukradkiem przyniosła z zamrażalnika w atelier trzy paczki lodów, z przystawkami kłopotu nie było, kartofli obierać nikt nie musiał, wystąpiły w postaci sałatki na zimno, tradycyjne jarzynki, zielony groszek i kukurydza same się podgrzały w mikrofalówce, dla osiągnięcia sałatki owocowej wystarczyło otworzyć dwa duże słoiki, a zieloną sałatę, pomidory, ogórki i pieczarki Marzena poszarpała i podziabała nie wiadomo kiedy, żeby rozładować swoje stresy.

No tak, przy takim zaopatrzeniu sama bez trudu mogłam przygotować przyjęcie dla dwunastu osób. Niechby nawet dla dwunastu rozbójników.

Pan Wacław nie zawiódł.

Oprócz trzech butelek przyniesionych przez Elżbietę i Olafa na stole pojawiła się i czwarta. Mimo braku doświadczenia doceniłam jakość Côte du Rhône z któregoś dobrego roku, pan Wacław długo się nad nim roztkliwiać nie mógł, bo pod ręką miał jamochłona w postaci Marianka... na marginesie, należało przyznać Mariankowi jedną cechę wysoce pożądaną, niczego nie umiał robić szybko, zatem i jadł powoli... za to systematycznie i bez przerwy, więc jednak pewne niebezpieczeństwo stanowił... w miarę dematerializacji potraw jednakże niebezpieczeństwo się zmniejszało i przy trzecim kieliszku, pochodzącym już z czwartej butelki, pan Wacław przystąpił do wnikliwszej oceny.

– A to niewątpliwie z południowych regionów... Delikatniejsze... Woń krótsza... Dwa takty, chyba nawet pojawia się i trzeci...

Mnie też ktoś nalał z tej samej butelki. Na szczęście niedużo. Spróbowałam i popatrzyłam na Alicję. Naprawdę nie chciałam być niegrzeczna!

– Alicja, skąd masz to wino? – spytałam podejrzliwie.

– Czy nie prowansalskie...? Wyjątkowo osłonecznione zbocza... Lekkie, pojawia się cień owocowego...

– Edith przyniosła. Ktoś jej przytargał całą skrzynkę, nie wiedziała, co z nim zrobić, więc rozdawała na prawo i lewo. Mnie zostawiła dwie, ale jedną od razu wzięła Kirsten.

– Nie mogłaś jej oddać obu?

– Nie mogłam, bo akurat trafiła na Edith i byłoby nietaktownie. Zapomniałam o nim i wyjęłam teraz przez pomyłkę. Tam stoi normalne, sięgnij do szafki... Nie pijcie tego!

– Dlaczego? – zdziwił się Marianek. – To bardzo dobre.

I kropnął sobie od razu cały kieliszek. Stefan czym prędzej nalał mu następny, a pan Wacław jakby przystopował z brzegiem pucharu przy ustach.

Marzena wydarła Stefanowi butelkę z rąk i przeczytała etykietę.

– Wino albańskie owocowe Krasa, coś tam, coś tam, Peze e Madhe, nie dam głowy, bo małymi literkami, półwytrawne...

– Kwestia gustu – rzekłam zimno. – Jak dla mnie, półsłodkie...

– To z tego osłonecznienia – odgadł Stefan w zadumie.

– ...Alicja, mogę to wylać do zlewu, czy muszę iść na ulicę, usunąć szlachetne arcydzieło prosto do kratki ściekowej?

– Możesz do zlewu. Potem wyjmij butelkę z szafki.

Kiedy szłam do kuchni, Marianek odprowadzał mnie żałosnym wzrokiem, mimo iż Stefan bezlitośnie uszczęśliwiał napojem zarówno jego, jak i pana Wacława. Julia odmówiła, w kieliszku jeszcze miała francuskie. W butelce niewiele zostało i pojawiła się szansa, że Marianek zawrze z tą resztą pełne przymierze.

Pan Wacław uwag na temat wina zaniechał całkowicie.

*

Poplotkować od serca udało nam się dopiero, kiedy państwo Buccy, zachęceni wczorajszym sukcesem, znów odjechali nad jeziorko w trosce o rehabilitację Julii. Alicja wetknęła im torbę z suchymi kawałeczkami białego pieczywa, uprzejmie prosząc o podkarmienie łabędzi w jej imieniu.

Komary latały. W środku słonecznego dnia nie było ich wiele, o własnym posiłku myślały raczej pod wieczór, ale wszystkie, jak zwykle, ze zdumiewającym upodobaniem gromadziły się przy Alicji. Nie po raz pierwszy byłam świadkiem tego zjawiska i pojąć nie mogłam, czym ona je tak wabi, koło mnie jeden, wokół niej chmara. Myła się, mogłam na to przysiąc, kiedyś na próbę myłam się jakiś czas jej mydłem, chociaż zazwyczaj używałam własnego, nie jadła żadnych śmierdzących produktów, nie mazała się żadnymi kosmetykami, pod tym względem miałyśmy te same obyczaje, no i co? Dęta chała. Mnie miały w nosie, a do niej leciały.

Charakter taki? Miałam nadzieję, że dużo gorsza od niej nie jestem, najwyżej trochę. Ja miałam dzieci, a ona nie, czy komarom robi to jakąś różnicę? Może kolor...? Miała bielszą skórę, nie opalała się nigdy, bo nie cierpiała upału, ja nie zbielałam od dzieciństwa, samo to jakoś przychodziło, bo do opalania się nigdy nie miałam cierpliwości, zatem takie te skurczybyki wrażliwe na barwy...? Niemożliwe, w żadnej absolutnie książce historycznej, traktującej o czasach, kiedy płeć piękności powinna była przerastać bielą lilie, śnieg, łabędzie pióra i co tam jeszcze Morsztyn wymyślił, ani w powieści, ani w dziele naukowym, ani w biografiach nie napotkałam jednego słowa na temat związku insektów z ową bielą nieskalaną. Wszy owszem, występowały, ale o komarach zero.

Doszłam w końcu do wniosku, że ja po prostu jestem gruboskórna, a Alicja nie i w mgnieniu oka pogodziłam się z tym poglądem. Alicja zaprezentowała raczej rozgoryczenie, pretensję i nieco zazdrości.

– Możecie sobie teraz tu zostać, jeśli chcecie, możecie się opalać, tarzać w trawie, siedzieć, turlać, ile wam się spodoba, ja wracam do domu – powiedziała z irytacją, kiedy po bardzo późnym śniadaniu i pozbyciu się gości uciążliwych wszyscy wyszli na taras. – Będę się wam przyglądała przez szybę. Mnie te świnie gryzą, a was nie i nic na to nie mogę poradzić.

Wróciła, a za nią reszta. Po drodze zdążyłam jej zadać nurtujące mnie od wczoraj pytanie.

– Słuchaj, usiądź, nie lataj tak, dam ci kawy, w ekspresie zrobię…

– Nie mam czasu czekać na ekspres.

– Zrobię ci jedną od razu, a resztę w ekspresie, umiem to świństwo nastawić, masz filiżankę, wodę, łyżeczkę, siadaj, bo mnie gnębi i chcę cię zapytać…

Alicja usiadła odruchowo na swoim miejscu przy stole.

– No…?

– Wczoraj, jak cię ta Julia spytała o Małgorzatę w Amalienborgu, przez moment robiłaś takie wrażenie, jakbyś jej nie chciała odpowiedzieć. Takie drgnięcie protestu na bazie „a gówno, nie powiem”, albo ułamek chęci, żeby coś zełgać. W końcu królowa na swoim balkonie to żadne dziwo i żadna tajemnica, a ty do łgarstwa jak wół do baletu, więc dlaczego?

– Daj, ja zrobię – powiedziała miłosiernie Elżbieta, odbierając mi ekspres, który wprawdzie trzymałam w rękach, ale żadnych dalszych zabiegów nie rozpoczynałam, wpatrzona w Alicję.

Oddałam jej chętnie i tylko przytknęłam czajnikiem, bo chciałam herbaty. Oparłam się rękami o stoł po drugiej stronie.

Alicja, o dziwo, pamiętała ową chwilę.

– Może i było coś takiego. Owszem, chciałam, chyba z mściwości. Oni łżą. Od góry do dołu wypchani są łgarstwem, wychodzi z nich i siada mi na głowie. Mam tego dosyć, zaczynam dokładnie rozumieć, co to znaczy histeria, skoro oni łżą, to i ja też. Ale po pierwsze... od razu mi się to zdążyło pomyśleć, nie będzie mi byle gnój zmieniał charakteru, a po drugie, żadna stosowna brednia nie przyszła mi do głowy. Co miałam powiedzieć, że Małgorzata nie wychodzi, bo mają okna i drzwi zabite deskami na krzyż? Idiotyzm.

– W osłupienie wprawiłabyś nas wszystkich – zachichotał Stefan, który stanowczo wolał Alicję niż komary. – Gdzie siadamy? Tu czy tam?

– Tam. Ja tu usiadłam tylko chwilowo. One powiedziały, że zaniosą tam kawę.

Elżbieta o noszeniu wprawdzie nic nie mówiła, ale kawę robiła, poczułam się zatem w obowiązku spełnić bodaj kawałek obietnicy. Nie był to mozół nieznośny, każdy łapał co mu się wydawało potrzebne i przeprowadzka na stół salonowy przebiegła ulgowo. Olaf otworzył już piwo, a ekspres zaczął kapać, kiedy brzeknęło, szczęknęło i pojawiła się Marzena, zarazem radosna i niespokojna, z wielką torbą w rękach.

– O, na coś zdążyłam, cześć, widzę, że garbu nie ma, a zasłużony wołoduch jest...?

– Odpukaj, nie ma.

– To myśmy mieli zmartwienie, czy ci się wczoraj udało go pozbyć!

Poprzedniego wieczoru, po sukcesach kiperskich pana Wacława, Marianka wywlokła Marzena, proponując odwiezienie do siostry po drodze do Kopenhagi. Nie całkiem jej było po drodze, ale poświęciła się, wspomniawszy jego zasługi. Mieliśmy obawy, że uczepi się jej i nie odpuści dodatkowej kolacji.

– Bez trudu, powiedziałam mu, że Werner jest na diecie. Znaczy, mogę rozpakować...? Okazało się, że człowiek przyjechał, mój kuzyn, i moja mamusia przysłała ciasteczka, proszę bardzo! – łupnęła ciężką torbą w stół. – Bardzo was przepraszam...

– Masz źle w głowie? – oburzył się Stefan. – Za co?!

– Ciasteczka... – skrzywiła się Alicja.

– To są ciasteczka z niespodzianką, i za to. Moja matka robi takie kruche ciasteczka, jakich na świecie nie ma, ogólnie wytrawne, ale w środku miewają różne rzeczy. Konfitury, grzybki, czekoladowe mazidło, kapustkę, mięsne coś z majerankiem, co tam jej pod rękę wpadnie. Ogólnie wytrawne, a środek daje smak. Oczywiście pakuje każde oddzielnie, bo z wierzchu wszystkie wyglądają jednakowo, a te dwa jełopy, Werner i Kajtek, upuścili, rozszarpali i wszystko się wymieszało. Zabijcie mnie, nie wiem, co przyniosłam!

– Czy nie skrzywdziłaś Wernera? – zgorszyłam się niepewne.

– Ale coś ty! Prawie drugie tyle w domu zostało, a on i tak jutro jedzie na to swoje tournèe. A Kajtek już dziś rano pojechał dalej, w dwie pary do Hamburga jadą, nie wiem po co, ale wszystko mi jedno.

Alicję wytrawna część ciasteczek zainteresowała. Zaczęła je oglądać.

– Jak robimy? Ktoś będzie nadgryzał i oddawał reflektantowi?

– Przetłumaczcie prędko Olafowi, bo się na coś narwie i dozna szoku, jak Thure.

– Jak Thure doznał?

– Ugryzł kawałek kabanosa w przekonaniu, że to słodycze. Do dziś dnia polskiej kiełbasy do ust nie wziął!

Pośpieszne tłumaczenie Olafowi miało ten skutek, że eksperymentalnie skonsumował trzy ciasteczka po kolei i przy każdym wydawał okrzyk zaskoczenia. Zaciekawił nas nieziemsko. Propozycja, żeby nadcinać nożem albo dziabać widelcem i wąchać, zyskała błyskawiczną aprobatę, przy okazji wybierania noży i widelców została dostrzeżona i włączona kompletnie zapchana zmywarka, która na swoje przytyknięcie czekała już od śniadania. Punktualność w kwestii posiłków nagle przestała nas interesować.

– No dobrze, powiem – rzekła nagle Alicja, usatysfakcjonowana czterokrotnym trafieniem na grzybki, kapustę, mięso i mazidło cebulowo-pomidorowe. – Już mi trochę lepiej, to rzeczywiście jest rewelacyjne, złóż ode mnie niskie ukłony mamusi. Wczoraj Zbyszek zadzwonił, Hania nawet się nie ośmieliła wyciągnąć ręki po telefon. Chyba płakała.

Wszyscy z wyjątkiem Stefana zastygli z zębami w ciasteczkach. Alicja dziubnęła widelcem jeszcze jedno, obwąchała i spróbowała.

– Kapusta! Ze skwarkami! Nie zostałam ukarana, słusznie robię, że mówię.

– I bez kapusty mogłem cię o tym zapewnić – mruknął Stefan.

– Ale kapusta potwierdza. Ostatnio... bardzo ostatnio, wyszło na jaw, Zbyszek to wykrył, że ten pawian dyplomatycznie doniósł na Kazia... – łypnęła okiem na mnie. – Naszego dawnego kumpla... że Kazio nielegalnie posiada te, jak im tam, dewizy, po ludzku mówiąc dolary i zamierza je przemycić za granicę. Kaziowi odebrali paszport, a miał kontrakt w Maroku i termin. Dolary też miał, tyle że legalne, uzasadnione, opodatkowane, w ogóle na koncie w banku, a wywieźć zamierzał tyle, żeby mu starczyło na jakiś napój i zagrychę przy międzylądowaniu. Resztę zostawiał, Alinka też musi z czegoś żyć. W ostatniej chwili się odkręciło i Zbyszek dzwonił, kiedy Kazio jechał na lotnisko, a tam ktoś miał czekać z jego zawizowanym paszportem, mógł jeszcze zdążyć na samolot. Bardzo go przepraszali. Zbyszek miał zadzwonić, gdyby nie zdążył, ale nie dzwoni, więc chyba zdążył. Dlatego mnie taki straszny szlag trafił.

– Że szlag owszem, ale straszności nie było widać – uspokoiłam ją, bo popatrzyła na nas pytająco i z lekkim niepokojem. Chociaż owszem, mną również lekko wstrząsnęło. Nie dość, że wodolej, słowotok, megaloman i łgarz, to jeszcze donosiciel!

– Mówiłam, że Stefan wie więcej – przypomniała beznamiętnie Elżbieta. – Wy chyba w tym samym środowisku tkwicie? Mnie by to w ogóle nic nie obchodziło, gdyby nie Magda i jej ciotka, ciotka dopiero teraz z nerwicy wychodzi, bo nie lubi robić za rynsztokową szmatę, fanaberie ma takie, ale skoro Stefan jest, mogę się już wyłączyć.

Stefan wzruszył ramionami, wepchnął do ust całe ciasteczko bez próbowania i rozpromienił się zachwytem.

– Konfitura z czegoś! Nie wiem z czego, ale jaka...! W życiu takiej nie jadłem! No owszem, przyznaję, że wyjątkowe łajno Hania ci podesłała, ale nie będę sobie teraz zaświniał ambrozji gadaniem o paskudztwie. Później, co? Jak już się tym zapchamy tak, że do obiadu nam starczy.

– Pytanie czy starczy – zaniepokoiła się złowieszczo Marzena. – Czy ktoś się orientuje w trybie życia Marianka? Bo jednak go wczoraj spławiłam...

– Jego siostry – sprostowałam i spojrzałam na zegarek. – Akurat zaczynają kaffe og te, więc trochę powinien u niej poprzebywać, ale za niedługo należy wyostrzyć uwagę.

– Jak ją chcesz wyostrzyć?

– Mało ważne jak chcę, ważne jak zdołamy. Rozłożyłabym tu takie...

Więcej wyjaśnień udzieliłam gestami niż słowem i o dziwo, zgodzili się ze mną wszyscy, najwidoczniej ciasteczka miały w sobie magiczną moc, konsumenci rozjaśniali się coraz bardziej i nikt z nikim nie zamierzał się kłócić. Takie do rozłożenia znalazło się błyskawicznie i okazało się starym, z Polski pochodzącym maglownikiem, przeraźliwie czystym, bo przez pomyłkę upranym dwa razy z rzędu i do niczego niepotrzebnym. Ciasteczka w postaci rozwalonych stosów mogły sobie na tym leżeć, a w razie wtargnięcia Marianka wystarczało jednym ruchem... no, dwoma... zgarnąć cztery rogi razem i cały tobół usunąć z pola widzenia zachłannego wampira.

– Ciekawe, swoją drogą, czy sam by to wszystko zdołał zeżreć – zastanowiła się Marzena, pieczołowicie zostawiając na stole poza maglownikiem kawałek miejsca na szklanki, filiżanki i popielniczki.

– Możesz być pewna, że tak – odparła spokojnie Alicja, wtykając Stefanowi do ust coś nadcięte, z czekoladowym nadzieniem. – Ty takie lubisz, masz... Nie od razu, powoli, spokojnie, bez pośpiechu, ale do końca. Nie odszedłby od tego stołu, póki jedna okruszyna na nim by leżała.

– Do rana...?

– Coś ty? Góra do północy. Może zrobiłby przerwę na obiad...

Olaf nauczył się nowych polskich słów: kapusta, gryby, kofetura, sołkie i mejeso. Jasne, że oznaczało to grzyby, konfitura, słodkie i mięso, kapusta wychodziła mu prawidłowo. Zadzwonił Zbyszek i sprawił nam dodatkową przyjemność, komunikując, że Kazio odleciał w terminie, z paszportem i nawet go w ostatniej chwili jeszcze raz przeproszono za pomyłkę.

Dołożył informacje dodatkowe, które Alicja przekazywała nam na bieżąco, ze słuchawką przy uchu.

– Kazio nie żadna niedojda, piekło tam strzeliło tuż przed ich wyjazdem... Zażądał konfrontacji... Co...? No pewnie, sroce spod ogona nie wyleciał, też ma trochę znajomości... Tłumaczył się, że to były takie żarciki... Jasne, pangolin się tłumaczył, nie Kazio, nie martw się, tu wszyscy rozumieją... Nie przypuszczał, że ktoś potraktuje poważnie...

Wyskoczyło ze mnie samo.

– Coś takiego, szczyty skrzącego humoru, jaki figlaśny!

– Co...? – spytała Alicja, teraz w drugą stronę.

– Figlaśny – powtórzyła Marzena głośno i dobitnie.

– No przecież nie zaszczycisz go mianem figlarnego! – zgorszyłam się.

Alicja zarżała i przekazała wieści w dal.

– Zbyszkowi się podoba – oznajmiła. – Będzie rozpowszechniał... Co...? A, on się dowiedział dopiero wczoraj, dlatego w takich nerwach dzwonił, bardzo przeprasza, oszalałeś chyba, bardzo dobrze zrobiłeś...!

– Figlaśny pangolin – powiedziała Elżbieta w zadumie. – Genialne. Powiem Magdzie. – Obejrzała trzymane w ręku ciasteczko i dodała: – Słuchajcie, zaczynam mieć obawy, że następny posiłek zainteresuje mnie dopiero jutro...

Możliwe, że wszyscy doszlibyśmy do stanu wykluczającego wszelką myśl o jedzeniu co najmniej do jutra, gdyby nie to, że uczta urwała się jak nożem uciął. Już pierwsze szczęknięcie furtki spowodowało alarm, nie czekając na drzwi, cztery rogi maglownika skoczyły do góry, Marzena chwyciła tobół i znikła w pokoju państwa Buckich, skąd miała przejście zarówno do atelier, jak i do pokoju Elżbiety i Olafa. W tej samej chwili Marianek pojawił się w korytarzyku i od razu wkroczył do salonu.

– O, pijecie kawę? – powiedział żywiutko, acz nieco smętnie, co wskazywało, że siostra czegoś tam musiała mu poskąpić. Bystrym wzrokiem obrzucił stół i podłogę pod nim.

Ślady naszej rozpusty musiały istnieć, nie da rady spożywać czegoś tak kruchego jak owe niebiańskie ciasteczka bez produkowania bodaj najdrobniejszych okruszyn, a do jadalnych szczątków Marianek miał oko, nawet jeśli to były śmieci. Sięgnął po krzesło, przysunął sobie, ale nie siadał, tylko pochylił się, pilnie badając podłogę pod stołem, przez chwilę patrzył, po czym padł na kolana.

– O, co to...?

– Pewnie mrówka – podsunął życzliwie Stefan. – Alicja, pluskiew tu chyba u was nie ma? To może biedronka?

– Biedronki czasem gryzą – pouczyłam ostrzegawczo.

Marianek na przyrodnicze ostrzeżenia nie zwracał uwagi, wylazł spod stołu, z palców jednej ręki oblizując okruszyny. W drugiej trzymał ciasteczko, które najwidoczniej w chwili gwałtownego exodusu wyleciało z maglownika i, pozostając wciąż na czworakach, rozglądał się po obuwiu siedzących osób jeszcze pilniej. Widocznie mało nakruszyliśmy, bo westchnął ciężko i wreszcie usiadł. I zjadł ciasteczko.

– Rany, jakie dobre! Nie ma więcej?

Same prawdomówne osoby siedziały przy stole, więc na odpowiedź mógłby długo czekać, ale włączył się Olaf.

– Mejeso – rzekł triumfalnie. – Kapusta!

– Jaka znowu kapusta! – obruszył się Marianek. – To słodkie!

Olaf był zgodny.

– Sołkie – przyświadczył.

Marianek oblizywał palce i przyglądał się nam podejrzliwie. Od strony kuchni nadeszła Marzena już bez obiążenia.

– Co do lokalizacji, wydaliście mi się bardziej godni zaufania niż kochankowie z Werony – zwróciła się do Elżbiety. – Przetłumacz Olafowi, bo ja po szwedzku nie umiem. A nad Stefanem przestrzeń panuje, taka więcej stereo...

– ...metryczna – dokończyłam szybciutko.

– Foniczna jest mi bliższa. Ale może masz rację. Więc żebyście się nie zdziwili dodatkową pościelą na łóżku... O, kawa wychodzi, narobię nowej, chcecie?

– O tak! – odpowiedział za wszystkich Marianek z wielkim zapałem. – Alicja, to co ci zrobić? Tam tacy jedni do noszenia coś mieli, ale zwariowali chyba, to nie dla człowieka, dwieście kilo jedna sztuka waży i jeszcze biegiem, biegiem. Nie masz czegoś lżejszego?

– Do noszenia?

– No? Chociażby.

– Wieczorową suknię i etolę z norek, jedno i drugie trochę starawe, ale nieźle wyglądają, życzysz sobie?

Do Marianka treść nie docierała.

– Za ile?

– O, nie musisz mi dopłacać, pożyczę ci za darmo.

– Ja myślałem, że ile ty mi…

– Grrryby – powiedział Olaf.

– Zbierać? Na obiad…? Ja łowić nie tego…

Nie było siły, atak śmiechu nas złapał. Zdezorientowany kompletnie Marianek dostarczał dodatkowej uciechy, a już sam Kazio, który jednak poleciał z paszportem wbrew intrygom pangolina, upiększał atmosferę. Nareszcie zszedł z nas tajemniczy gniot i wyszło na jaw jego źródło, pożałowaliśmy tylko trochę beztroskiego antraktu, bo przy Marianku nie należało już snuć szczerych opowieści, ale ostatecznie Stefanowi odpoczynek się należał.

– Przykryłaś? – zwróciła się nagle Elżbieta do Marzeny, która postawiła na stole dzbanek nowej kawy i z litości dołożyła więcej śmietanki.

– No pewnie! Za kogo mnie masz?

– A co? – zainteresował się Marianek. – Robicie już obiad?

No nie, to było nie do zniesienia. Możliwe, że rozpaczliwe natręctwo Marianka dałoby wreszcie jakiś rezultat, zapchać mu gębę czymkolwiek i niech idzie do siostry albo do diabła, ale sami byliśmy tak wypełnieni ciasteczkami, które okazały się niezwykle sycące, że nikomu nie chciało się ruszyć. Sam jeden Marianek ma nas zmusić do wysiłków fizycznych, jeszcze czego, niedoczekanie. Nawet Marzena, obeznana z mocą pożywienia, też przesadziła i teraz wydała z siebie tylko niemrawe pufnięcie.

– Trzeba przerzucić kompost – powiedziała nagle Alicja.

– To ja mogę – zgłosił się ochoczo Marianek. – Gdzie?

– Wiesz, gdzie jest kompost?

– No wiem. Pewnie, że wiem.

– W ilu zasobnikach?

– No jak to, w... no, tego... w trzech.

– Bardzo dobrze. Wiesz, gdzie masz prawą rękę, a gdzie lewą?

Marianek obejrzał ręce i zapewnił, że wie. Z zainteresowaniem czekaliśmy na ciąg dalszy.

– Z tego środkowego trzeba przerzucić część do lewego, wymieszać i przerzucić z powrotem do środkowego. I znów wymieszać. Porządnie. Zrozumiałeś?

– No pewnie. Czym przerzucić?

– Łyżeczką do herbaty – mruknęła na stronie Marzena.

– Nic podobnego – zgorszył się Stefan. – Tylko nożem i widelcem...

Marianek gapił się na nich niepewnie.

– Łopatą i widłami – powiedziała wyraźnie Alicja.

– A gdzie jest łopata i widły?

– W składziku. Rozpoznasz je chyba?

– No... tak... No pewnie. To czy mogę zacząć po obiedzie?

– Obiadu dzisiaj nie będzie, tylko kolacja. Jak wrócą państwo Buccy. Bardzo późno.

Westchnienie Marianka poruszyło listki na kwiatkach. Posiedział jeszcze chwilę, wypił resztkę kawy, rozejrzał się bezradnie i wreszcie ruszył. W drzwiach jeszcze się obejrzał.

– W składziku...?

– W składziku.

– O rany, a co będzie, jak wideł i łopaty tam nie ma? – zaniepokoiła się Marzena po chwili milczenia, kiedy wszystkie oczy utkwione były w znikającym Marianku.

– Są – zapewniłam ją. – Widły zaniosłam osobiście, a łopata stała obok jak byk. Nie wierzę, że sama gdzieś poszła.

– No to będzie chwila spokoju – odetchnęła Alicja. – Coś takiego, wypił całą kawę?

– I śmietankę. Zasługi ma wielkie, ale więcej mu nie dam. Siedź, dorobię.

Podniosłam się z lekkim wysiłkiem.

– Czekaj, ja też. Chcę herbaty. Cholera, powinnam pobiegać dookoła domu, do końca życia nic nie zjem!

– Pywo? – poprosił Olaf. – Mymacie?

– Mamy, mamy, zaraz ci przyniosę...

Elżbieta westchnęła ciężko.

– Gdyby nie siedział w tym ukwieconym kącie, sam by się obsłużył – zapewniła nas, najwidoczniej czując się odpowiedzialna za wielbiciela.

– Prawdę mówiąc, tego kompostu wcale nie trzeba jeszcze przerzucać – wyznała równocześnie Alicja. – Ale jakoś musiałam go upłynnić, a nic innego nie przyszło mi do głowy. Wielkiej szkody mi tam chyba zrobić nie zdoła, a Stefan...? Ty jak...?

– Dobra, odpocząłem – odparł Stefan. – Powiem wam więcej, to od dziennikarzy. Niech ktoś patrzy, czy ten bystry głodomór nie wraca...

*

– Coś ich długo nie widać – zauważyła kąśliwie Alicja, kiedy już słoneczko zaczęło zniżać się ku zachodowi, a całe towarzystwo odzyskało przyrodzoną sprawność fizyczną, nadłamaną wcześniej przeżarciem. – Dziwi mnie to bardzo, ale mam wrażenie, że zaczynam być głodna. A myślałam, że jutra doczekam!

– O ile Marianek nie zarżnie cię i nie zeżre, raczej doczekasz – pocieszyłam ją. – Mnie bardziej dziwi Marianek, że jeszcze nie wraca...

– Znalazł w tym pierwszym zasobniku coś do jedzenia – orzekła stanowczo Marzena. – Co robimy?

– Ja wiem tylko o rybach i umiem je usmażyć...

– Jest bigos. Ostatni słoik...

– Kartofle w łupinach – zadecydowała w tym samym momencie Alicja. – Nikomu się nie chce obierać. O bigosie mowy nie ma, nie zmarnuję na Marianka ostatniego słoika. Olafowi nie żałuję, żeby nie było wątpliwości. Ocalały parówki w słoiku, tylko podgrzać, bo na frokost jedliśmy ciasteczka...

– Na kaweoti też ciasteczka...

– To właściwie nie ma nic do roboty. Kartofle do garnka, rybę na patelnię, sałatę zaraz poszarpię, a reszta w ostatniej chwili...

– Ale ja zaczynam być głodna!

– Przetrzymaj. Od głodu się chudnie.

Oczekując powrotu państwa Buckich, rozpoczęłyśmy już przygotowania kolacyjne bez pośpiechu i bez wielkiego entuzjazmu, do roboty rzeczywiście prawie nic nie było, wcale nie musiałyśmy siedzieć w kuchni. Elżbieta, Olaf i Stefan wyszli do ogrodu, Alicja kategorycznie odmówiła opuszczenia domu o tej porze dnia, kiedy we wszelkie insekty wstępował największy wigor, ze swoją prywatną kawą zatrzymała się w salonie. Zrobiłam sobie herbatę, Marzena jeszcze dziabała sałatę, bo to zajęcie już jej w nałóg weszło, na zewnątrz ujrzałam tamtych troje. Elżbieta porzuciła Olafa i Stefana i weszła do domu.

– Obudziliśmy Marianka – oznajmiła ze zwykłą obojętnością. – Stefan mówi, że on chyba zrobił coś dziwnego i boi się powiedzieć ci o tym. Znaczy, Stefan się boi.

Alicja czym prędzej odstawiła filiżankę na stół salonowy.

– A Marianek?

– Marianek, zdaje się, lękom niedostępny.

Z głębi ogrodu nadciągał Marianek, rzeczywiście jakby trochę zaspany, z pustymi rękami, bez narzędzi ogrodniczych. Marzena porzuciła kuchnię i dołączyła do nas.

– Czy któraś z was... – powiedziała Alicja niepewnie i z wahaniem. – Aż mi głupio... Czy któraś z was mogłaby spojrzeć, co ten kretyn zrobił? Ciebie mniej gryzą – zwróciła się do mnie, zakłopotana jak rzadko – i jakieś pojęcie o tych rzeczach masz...

Sama byłam ciekawa, jaką głupotę mógł wywinąć Marianek przy trzech zasobnikach z kompostem, odstawiłam herbatę i poleciałam do ogrodu, starannie omijając wracającego robotnika i nie wdając się z nim w żadne pogawędki. Stefan i Olaf na mój widok chyba zachichotali.

Marianek rąk nie pomylił. Lewa to lewa, prawa to prawa, zgadzało się, tyle że ze środkiem mu jakoś nie wyszło. Macerującą się ziemię ze środkowego zasobnika wrzucił do prawego, z ziemią gotową do przesiania, owszem, wymieszał trochę i część tego wymieszanego wrzucił z powrotem do środkowego, czyli jak trzeba, na lewo. Trudno było ocenić stopień wymieszania, ale operację, zdaje się, powtórzył. Na całe szczęście tempo jego pracy było tak wspaniałe, że naruszył nie więcej niż ze dwadzieścia centymetrów od wierzchu, ale i tak na miejscu Alicji szlag by mnie trafił. Inna rzecz, że normalny facet, oczywiście też umysłowo pokrzywdzony, zdążyłby przez ten czas gruntownie wymieszać ze sobą wszystkie trzy zasobniki, więc może i miał ten Marianek jakąś zaletę...

Mimo wszystko pomyślałam, że zasługi zasługami, ale jeśli ona da mu do zjedzenia bodaj kawałek suchego chleba, opuszczę jej dom i pojadę na kolację do Kopenhagi. Stolica kraju w końcu, jakieś lokale żywienia zbiorowego muszą tam jeszcze być czynne!

Następnie zaniepokoiłam się, czy Marianek nie zeżarł łopaty i wideł, ale niepokój trwał krótko, bo oba narzędzia ujrzałam przy pierwszym zasobniku, działalnością Marianka nietkniętym. Zastanowiłam się czy ich nie zabrać, ale nie. Wiem gdzie są, niech leżą, same lokalizacji nie zmienią. Przelotnie zauważyłam jeszcze dziwną dewastację roślinności za szopą, przy narożniku żywopłotu, gdzie ogród Alicji stykał się z ogrodem sąsiada, ale nie poświęciłam temu uwagi.

Wróciłam z zamiarem powiadomienia Alicji o sposobie realizacji jej polecenia, nie zdążyłam jednak nawet słowa powiedzieć. Równocześnie ze mną, tyle że przez inne drzwi, weszła Julia. Bardzo zmęczona i bardzo zdenerwowana, przy czym jedno i drugie starała się ukryć, co nie wychodziło jej najlepiej.

– Czy nie ma Wacława? – spytała bez wstępów.

Przez moment nikt nie umiał na to pytanie udzielić odpowiedzi. Stefan i Olaf weszli za mną z ogrodu. Wszyscy popatrzyli po sobie, jakby sprawdzali wzajemnie swoją tożsamość.

– ...one już prawie całkiem wszystkie dojrzałe... – powiedział Marianek, najwidoczniej kończąc jakąś opowieść i głos mu stopniowo zamarł.

– Nie ma – odezwały się wreszcie razem Marzena i Alicja. – Chyba nie ma? Czy ktoś widział pana Wacława?

Julia wsparła się dłońmi na oparciu krzesła.

– Jeszcze nie wrócił?

– Może spojrzeć? – zaproponował Stefan. – Mógł wrócić bez zwracania na siebie uwagi i gdzieś być...

– To spójrz – poleciła cierpko Alicja. – A co się stało? Państwo się pogubili? Jakim cudem?

– Gdzie państwo byli? – spytałam z nadzieją, że może jednak dali się skusić na Hillerød.

– Nad jeziorem...

– Pani wróciła samochodem? – spytała Elżbieta. – Niech pani usiądzie. Alicja, coś jej trzeba dać.

Alicja żadnych więcej pytań nie zadawała, postawiła na stole przed Julią czerwone wino i koniak, Olaf zaś, również bez słowa, przystąpił do otwierania wina, co mu poleciało nadzwyczaj sprawnie. Marzena zlekceważyła wytworność, wyjęła z szafki kuchennej dwa byle jakie kieliszki, tyle że właściwego kształtu i rozmiarów, do wyboru, proszę bardzo.

Julia, usiadłszy na krześle, łapała dech. Po chwili wybrała koniak i chlupnęła sobie z determinacją, akurat kiedy Stefan wrócił z obchodu domu.

– Jeśli nie ukrył się w jakimś kufrze, to nie ma.

– W kufrze brakuje miejsca – powiedziała odruchowo Alicja. – Może już pani wyjaśnić, co się w ogóle stało?

Julia jeszcze raz odetchnęła głęboko.

– Nie wiem. Nie rozumiem. Pojechaliśmy nad jezioro trochę okrężną drogą, żeby obejrzeć okolicę, a potem siedzieliśmy tam... Poszliśmy kawałeczek i karmiliśmy łabędzie. Jakaś wycieczka przyszła, zajęli miejsca, pili piwo... No więc poszłam jeszcze kawałek dalej, tak jak pani mówiła, codziennie trochę więcej... I usiadłam na takim leżącym pniu, nawet wygodnie, już musiałam odpocząć, a Wacław wrócił do tego... turystycznego obiektu, żeby kupić trochę bułki, bo łabędzie jeszcze były. I już go więcej nie widziałam.

Mówiła z przerwami, łapiąc oddech. Zamilkła i gestem poprosiła dla odmiany o wino, Olaf jej nalał. Wszyscy też milczeli, nieco oszołomieni.

Nad zmianami sytuacji jednak zdecydowanie panował Marianek. Bez niego milczelibyśmy znacznie dłużej.

– Uciekł? – spytał teraz z ogromnym zainteresowaniem.

– Boże, zmiłuj się nade mną! – jęknęła Marzena, co przełamało blokadę. Pytania runęły lawiną, wszystkie równocześnie.

– Czy on zniknął pani z oczu wśród ludzi, czy wcześniej?

– Jak daleko pani siedziała? I z której strony? Na prawo od tej szopy, czy na lewo?

– Wróciła pani tam? Pytała pani o niego? Oni mówią po angielsku...

– Co to byli za turyści? Młodzież, dorośli...?

– Siedziała pani tak i czekała, czy próbowała pani go szukać?

– Rozumiem, że samochód został na parkingu...

– A nie odjeżdżał na trochę? Nie słyszała pani silnika?

I znów Marianek, zmartwiony:

– Może kupił tę bułkę i zjadł, i łyso mu było się przyznać...

Julia odpowiadała na mniej więcej co czwarte pytanie. No, usiłowała odpowiadać, raczej skąpo i bez szczegółów, co i tak było dużym osiągnięciem, bo mówili wszyscy naraz.

Udało nam się w końcu złożyć do kupy całą sytuację.

Potrwało trochę, zanim się ustabilizowali przy łabędziach. Prawie drugie tyle potrwało, zanim Romeo ulokował swoją Julię na pniu. Karmili ptactwo, całe pieczywo Alicji zużyli, nie od razu oddalił się po zaopatrzenie, musiał zapewne coś w sobie przełamać, żeby sfinansować dziką zwierzynę. Wycieczka kotłowała się przy stołach i ławach, nie było jej widać, tylko słychać, odległość wynosiła nie więcej niż dwieście metrów, ale kręta alejka przy brzegu i bujna zieleń niweczyły widoki. Hałasu nie, głos po wodzie niesie.

Byli tam jeszcze, kiedy poszedł dokonać zakupu, później ucichło, zapewne udali się dalej, może wokół jeziora, a może pod górę w las. Julia zorientowała się nagle, że już ich nie ma, a Wacława także nie ma. Nie zabrali go przecież ze sobą przemocą…?

Siedziała i czekała, najpierw zdziwiona, a potem coraz bardziej zdenerwowana. Nawet zła, ale złość jej szybko przeszła, pozostał niepokój. Odpoczęła już, postanowiła się ruszyć.

Najpierw sprawdziła parking, bo był bliżej, samochód stał nietknięty na swoim miejscu. Zeszła znów nad jezioro, posiedziała na ławie przy stole, wypiła piwo, nie, głodna nie była, apetyt straciła całkowicie, jacyś państwo w średnim wieku też tam byli, ale zaraz sobie poszli, zwykłe osoby na spacerze, które na chwilę przysiadły dla odpoczynku. Poszła w drugą stronę, poprzednio tam byli, teraz poszła dalej, usiłowała coś zobaczyć, sama nie wie co, ale tyle się słyszy gadania o rozmaitych śladach… Może ktoś poczuł do Wacława niechęć i walnął go w głowę…? Ktoś z tej wycieczki, owszem, to była młodzież, ale dorosła młodzież, nie szkolna, raczej taka na studiach, po pierwszym roku…

Z pewnością należało pójść jeszcze dalej, ale nie dała rady, zaczęła się czuć… nieprzyjemnie. Trafiła na pieniek, niewygodny, ale na tym pieńku odzyskała siły, chociaż oblazły ją mrówki. Trochę, nie bardzo. Trwało to długo, jej zdaniem niestety zbyt długo, uznała, że popełnia idiotyzm, traci czas, może Wacław poszedł z powrotem piechotą, trudno powiedzieć, co sobie myślał, ale owszem, nie ma co ukrywać, że posprzeczali się odrobinę, w dodatku z jej winy, nie należało upierać się przy swoim, i tak jest mu przecież kulą u nogi…

Szczegółów scysji nie ujawniła.

– No to mówię, że uciekł! – ogłosił zwycięsko Marianek.

Stał już przy kuchennym bufecie i podżerał z miski sałatę. Gromką opinią zwrócił na siebie uwagę Marzeny, znajdowała się najbliżej, trzasnęła go po ręce i wypchnęła do salonu.

– Zabierzcie to ode mnie! – warknęła.

Przesłuchanie trwało nadal. Julia zdawała sobie sprawę, że piechotą nigdzie nie dojdzie, wróciła na parking, wsiadła do samochodu, jeszcze poczekała...

– Miała pani kluczyki, czy zostawiliście otwarty? – spytała Alicja.

– Zawsze mam przy sobie zapasowe kluczyki, na wszelki wypadek. W każdej sytuacji mogło się zdarzyć, że będę musiała zmienić pozycję... usiąść... No, teraz jest już lepiej, ale ciągle je mam.

– Prowadzić pani może? – zainteresowała się Elżbieta, jakby z lekkim roztargnieniem.

– Oczywiście, jeżdżę od lat. Teraz raczej krótko, żadne dłuższe trasy nie wchodzą w rachubę, ale na małym odcinku... Gdyby nie było samochodu... tam jest pewnie telefon, w tym turystycznym ośrodku, musiałabym dzwonić po pomoc... Naprawdę miałam nadzieję, że Wacław już tu jest! Co to wszystko znaczy? Co się mogło stać? Nie znam Danii...

– Na pewno nie jest to Korsyka, Sycylia ani zaułki Marsylii! Spokojny kraj.

– W takim razie co...?

Dośpiewaliśmy sobie trochę do tego zeznania. Odpoczynek odpoczynkiem, ale coś przecież zjedli, wzięli ze sobą jakieś piknikowe smakołyki, pożarte przez Marianka byczki nie mogły być osamotnione, zabrali z Polski więcej zapasów na czarną godzinę. Turystyczny barak serwował nie tylko piwo, także herbatę, kawę...

A wszystko naprawdę tanie. Posiłek też potrwał. O której właściwie ten pawian znikł Julii z oczu? Miała przecież zegarek, ale okazało się, że spojrzała na godzinę dopiero przy myśli o niepotrzebnej stracie czasu, a było już wtedy wpół do siódmej, prawie trzy kwadranse zajęło jej dotarcie do domu Alicji.

Musieli się zdrowo pokłócić, któraś z dziewczyn miała rację, ona go sobaczy i nic dziwnego, kompromituje się baran bezdennie, a jeszcze albańskie wino i Stefan razem... Mieszanina niestrawna. W łeb też mógł dostać, dlaczego nie, jeśli zaczął zawierać znajomość ze studentkami i obcałowywać wszystkie... Cholera wie, może i rzeczywiście leży gdzieś tam w okolicy jeziora z uszkodzonym czerepem, a może ruszył w niewłaściwą stronę i zabłądził? Powinno się go chyba poszukać?

Stefan i Olaf popatrzyli na siebie. Elżbieta zdobyła się na wysiłek i tłumaczyła Olafowi wszystko na bieżąco, był zorientowany nawet w naszych podejrzeniach, bo udawało nam się chwilami wymieniać na stronie ciche komentarzyki. Wiedźmy i megiery...

– Jedziemy, póki słońce nie zaszło i jeszcze coś widać – zarządził Stefan. – Marianek, jazda! Najlepiej znasz teren, tylko żadnych wizyt po drodze u siostry,

– A obiad...? – zajęczał żałośnie Marianek.

– Idiota – powiedziała Marzena w przestrzeń.

– Cały swój obiad zostawiłeś w kompoście – powiedziałam nie w żadną przestrzeń, tylko wyraźnie do Marianka, który jakby się nieco przestraszył. Musiałam mieć zapewne niezbyt łagodny wyraz twarzy.

– Ale one... tak wisiały...

– Zjeżdżaj, ale już! – zgrzytnęła Marzena. – Też z wami jadę, warto chyba, żeby ktoś mówił po duńsku!

– Stefan, masz aparat, zrób zdjęcia terenu – poprosiła Elżbieta i po chwili już ich nie było.

Zostałyśmy same z Julią.

*

– Co wisiało? – spytałam Alicję, kiedy już bardzo stanowczo znalazłyśmy dla Julii najwygodniejszą pozycję w salonowym fotelu i wmusiłyśmy w nią rzetelną kawę z ocalałą śmietanką i dalszy ciąg wina. Ciasteczek nie warto było jej proponować, nie doceniłaby arcydzieła, chwilowy jadłowstręt miała wypisany na twarzy.

– Jednak szkoda, że nie mam psa – westchnęła Alicja, zabierając swoją nową kawę ze stołu kuchennego. – Przydałby się teraz... Co wisiało?

– To ja ciebie właśnie pytam. Ten jamochłon bezdenny mówił, że coś mu wisiało. Co to było?

– A, właśnie! Dlaczego zostawiłaś jego obiad w kompoście? Jaki obiad?

– Czy koniecznie musimy rozmawiać jak gęś z prosięciem? Nie ja mu zostawiłam, tylko on sam. Zaraz ci wyjaśnię, tylko powiedz, co mu wisiało. Jakieś one, w liczbie mnogiej.

Alicja patrzyła na mnie przez chwilę, z wyraźnym trudem wysilając pamięć.

– A! Już wiem. Marzena spytała go, co tam robił tak długo, nie przyznał się do drzemki, ale okazało się, że żarł. Maliny. Te od sąsiada, które przechodzą na moją stronę i rzeczywiście zwisają na moim terenie, więc mam do nich prawo. Przypuszczam, że zeżarł wszystkie, dojrzałe i niedojrzałe...

– Niedojrzałe zwiększają apetyt – ostrzegłam.

– Mariankowi to raczej niepotrzebne. Mam tylko nadzieję, że nie ogołocił sąsiada, ale tam trudno sięgnąć przez żywopłot, więc może nie.

Przypomniałam sobie zlekceważoną roślinność.

– Zdaje się, że co najmniej próbował...

– Co?

– Nic. A potem przysnął z rozpaczy, że więcej nie ma...

– Możliwe. To co ten obiad w kompoście?

Przyjrzałam się napojom na stole i poszłam po piwo dla siebie. Elżbiety w kuchni nie było, znikła chyba w ich pokoju. Alicja wreszcie usiadła.

– Cieszmy się, że ten głupek nie jest pracowity – rzekłam, wróciwszy z piwem.

– Jest. Tylko pracuje mu się powoli.

– Cieszmy się, że powoli, dużo zrobić nie zdążył.

Opisałam jej porządnie kompostową pracowitość Marianka i Alicja omal nie rzuciła się natychmiast do ogrodu na pastwę komarom. Pocieszyłam ją czym prędzej, że naprawdę kwadrans wystarczy, żeby z gotowej ziemi zdjąć spaskudzoną warstwę, a tej środkowej dobra nie zaszkodzi. Gdyby koniecznie chciała, poświęcę się i sama jej to zgarnę jutro. Pod warunkiem jednakże, że Marianek w tym domu nic do pyska nie weźmie.

Uspokojona nieco w kwestii kompostu Alicja westchnęła.

– Młody chłopak musi się odżywiać. On chyba jeszcze rośnie...

– O mój Boże... – jęknęłam i poczułam w sobie wyraźną potrzebę potłuczenia trochę głową w ścianę albo w stół. Zrezygnowałam na pocieszającą myśl, że przynajmniej Marzenę mam po swojej stronie.

Julia siedziała w milczeniu, powoli popijając na zmianę kawę i wino, pozornie spokojna i tylko dłonie zaciskała aż kostki jej bielały. W kwestii nieobecności pangolina miałam podejrzenia takie, że lepiej było na ten temat się nie odzywać. Wplątał się w młode, ładne dziewuchy, nie była to wszak wycieczka inwalidów, zaiskrzyło mu gdzieś tam, stracił poczucie czasu, a młodzież dowcipy lubi, zaprosili go do towarzystwa, a potem zostawili byle gdzie i niech dalej sam trafia. Mogli go pociągnąć aż do domu wariatów, który gdzieś tam istniał i sama się niedawno na niego nadziałam. Żywego ducha wokół, nie ma kogo spytać o kierunek, czysta rozpacz! Lepiej z podobnymi przypuszczeniami nie wyskakiwać.

Alicji dom wariatów nie bruździł, spokój zachować potrafiła, całkiem sensownie zapytała, czy pan Wacław nie ma kłopotów z orientacją w terenie w sensie stron świata. W końcu jezioro leży po drugiej stronie torów, w innej części Birekrød, okolica wygląda mniej więcej jednakowo, bardzo łatwo się pomylić i dołożyć sobie parę kilometrów.

Julia odparła, że nie, nie ma, a przynajmniej nie miał nigdy dotychczas.

To co do cholery mogło się z nim stać...?

Pomysł Marianka, że uciekł, bo mu było głupio i nie umiał wybrnąć z mierzwy, którą sam sobie wyprodukował, też nie wydał mi się najwłaściwszy jako element pocieszający. Milczałam, rozpaczliwie usiłując wydłubać z siebie coś sensownego, bo mi było tej Julii zwyczajnie żal. Chociaż... pozbycia się kretyna należałoby może gratulować...?

– Przepraszam, że jestem zdenerwowana – powiedziała nagle. – Może niepotrzebnie, ale... ja... nie wyobrażam sobie życia bez niego. Wiem, że to głupio brzmi. Po prostu wyjaśniam.

– Każdy ma prawo do własnych poglądów – wyrwało mi się nie bardzo taktownie, ale chciałam ją jakoś pocieszyć.

– Wszystko w porządku, spokojnie czekamy, żadnej przesady u pani nie widzę – powiedziała łagodnie Alicja i błysnęła ku mnie okiem tak, że wystrzeliłam z fotela.

– Pewnie chcesz więcej kawy, pani Julio, dla pani też trochę...

– Najbardziej mnie dręczy myśl, że sama do niczego się nie przydam. Pojęcia nie mam, co mogłabym zrobić.

– Chwilowo nic. W końcu poszły tam co najmniej trzy rozsądne osoby...

Nie skomentowałam liczby. „Co najmniej" wydało mi się pozbawione sensu, wyłącznie trzy, czwarta raczej głupkowata, zajęłam się przyrządzaniem cholernej kawy. Słoneczko zaczęło zachodzić, pozostało już nie więcej niż piętnaście minut dnia. Na szosie widoczność trwałaby dłużej, w lesie wręcz przeciwnie, poszukiwacze lada chwila powinni wrócić. Przytyknęłam palnikiem pod kartoflami, marginesowo zastanowiłam się, co to za zjawisko biologiczne, że kobiety takie rzeczy mają gdzieś w sobie, nawet myśleć nie muszą, wiadomo, że parówki wymagają góra dziesięciu minut, a kartofle pół godziny. Z posoleniem miałam kłopoty, bo zerwana ze ściany solniczka gdzieś znikła, ale węch biologiczny działał, znalazłam torbę z solą, sypnęłam od serca, bo katrofle w mundurkach reagują na sól znacznie słabiej niż obrane. Zaniosłam im kawę, sama pozostając przy piwie.

– We wszystkim zawsze potrafisz znaleźć coś optymistycznego, a teraz cię nagle zastopowało – powiedziała Alicja z pretensję i musiała w tym coś mieć.

– A skąd! – odparłam natychmiast. – Sama pomyśl, bo od pani Julii wymagać nie będę, co by to było, gdyby nie umiała prowadzić samochodu! Ile kłopotów, zamieszania, cholera wie do kogo dzwonić, przecież nie do straży pożarnej! Albo jeszcze gorzej, gdyby dostała amoku i ruszyła w las na piechotę, ile wytrzyma? Niby głupstwo, prawo jazdy, a jakie kolosalne ułatwienie! Nawet przy trzęsieniu ziemi się przydaje.

– No owszem, jest w tym coś – przyznała Alicja z oporem, widocznie zatem mój optymizm nie zdał egzaminu. To co niby miałam powiedzieć, że pozbyć się takiego męża to sama radość i może go szlag trafił...?

Zadzwonił telefon i Alicja poszła odebrać. Normalnie, w salonie, a nie w swoim pokoju.

– Słucham, Hansen – powiedziała. – Tak. Tak, oczywiście... Nie, nie ma. Co...? To jakaś epidemia, czy kota macie...? Gdzie...? Tam chyba już zamykają...? No dobrze, pogadaj, ile możesz... Rozumiem... Zadzwońcie, gdyby coś... Nie wiem skąd, ze stacji kolejowej...!

Odłożyła słuchawkę, zirytowana.

– Teraz Stefan im zginął. Rozdzielili się, wrócili i tylko jego nie ma...

– Kartofle się rozgotują – zdążyłam mruknąć pod nosem i naplułam sobie gdzie popadło za idiotyczną uwagę mojej duszy. To ona się odezwała, nie ja.

– To przykręć...

– Już przykręciłam – odezwała się z kuchni Elżbieta. – Reszta może poczekać.

Wyjęła z szafki kieliszek do wina dla siebie i kieliszek do koniaku dla Alicji, ustawiła na stole, mojego piwa się nie czepiała. Alicja wróciła na kanapę.

– Umówili się przy knajpie, wrócili, knajpę już zamykają, Marzena próbuje się czegoś dowiedzieć. Marianka nie było i Stefan poszedł go szukać, ale Marianek się znalazł i teraz tylko Stefana nie ma. Nawet nie będą mieli skąd zadzwonić, jak się znajdzie, no trudno, najwyżej poczekają na ten obiad. Nikt nic nie wie, żadnych śladów awantury nie znaleźli, w lesie im widoczność zanika...

– Pies – powiedziała Julia cichym głosem. – Oni tu chyba mają psy?

Alicja powahała się trochę nad kieliszkami i nalała sobie koniaku.

– Mają. Podobno bardzo dobre. Tu w ogóle psy są traktowane jak ludzie.

Dla Julii gadania było już za dużo. Znów zamilkła, patrząc na nas pytająco. Wyjątkowo uciążliwa ofiara dramatu.

– Ciemno zaczyna się robić, mogą poczekać z psami do jutra. Pies widzi, człowiek nie, a na deszcz się nie zanosi. Może pan Wacław się pojawi, rzeczywiście trochę zabłądził i teraz szuka drogi, w końcu ja w tamtych okolicach zabłądziłam samochodem i też miałam niezłe kłopoty – powiedziałam pocieszająco.

– Język – mruknęła Alicja.

– O rzeczywiście, a ja akurat świetnie mówię po duńsku! Gdybym była piechotą, dotarłabym do ciebie rano. Możliwe, że po torze kolejowym.

Siedziałyśmy wszystkie cztery w milczeniu, małomówność Julii musiała być zaraźliwa. Straciłam nagle cierpliwość, zabrałam resztki swojego piwa, poszłam do kuchni i włączyłam palnik pod patelnią z rybami. Umiem smażyć ryby i krótko, i długo, tym razem nastawiłam się na długo, po namyśle zmieniłam na średnio, skoro teraz Stefan zaginął przez tego kretyna, a zadzwonić nie będą mieli skąd... Gdzie go diabli ponieśli, nie zacznie chyba ktoś następny szukać Stefana...? Ale właściwie ryby lubią wszyscy z wyjątkiem Alicji, czy ta jedna patelnia wystarczy?

Zmieniłam na krótko, przypomniałam sobie, że były mrożone, zmieniłam na średnio. Wyjęłam z zamrażalnika jeszcze jedno opakowanie, nieduże, zawahałam się nad mikrofalówką, wetknę je chyba, dziesięć minut wystarczy, a potem jakoś tam przyzwyczają się do siebie, wcześniejsze z późniejszymi...

Brzęki wejściowe rozległy się po sześciu minutach i do salonu wkroczyła ekipa ratunkowa w całości.

Poza tym drobiazgiem, że bez zaginionej ofiary.

*

Marianek nie został ani zabity, ani poparzony wrzątkiem, ani wygnany bardzo kostropatym tłuczkiem do mięsa, ani nawet otruty, czemu należy się dziwić doprawdy bez granic. Nasza powściągliwość sięgnęła szczytów i powinna była wstrząsnąć ziemią w posadach.

Wszyscy byli zdenerwowani, brudni, wściekli, usiłowali się umyć równocześnie, wszyscy domagali się wzmacniającego napoju, który trudności nie sprawiał, stojąc spokojnie na środku salonowego stołu, nikt natomiast nie miał ochoty snuć opowieści. Poszukiwania najwidoczniej nie obudziły w nich zachwytu, za to po mokrych wysiłkach odezwał się głód.

Należało szybko wykończyć obiad i moje ryby zostały wyrzucone z mikrofalówki.

I w tym wszystkim ta łajza beznadziejna plątała się pod rękami i pod nogami, skamląc, jojcząc, ziając chciwie, czepiając się, niecierpliwie poganiając i co drugie słowo domagając się gotowego posiłku. Dostał do obrania gorący kartofel, zeżarł go razem z łupiną i jeszcze pyskował, że był niedosolony.

Wygnany z kuchni, wciąż próbował do niej wrócić i zdaje się, że ponownie zadecydował o kolejności wydarzeń.

Olaf językiem tajemniczym zażądał od niego pomocy przy odrywaniu stołu od ściany i rozstawianiu go w salonie, bo znów wszyscy razem się przy nim nie mieścili. Jęcząc żałośliwie i prawie popłakując, Marianek z niezrozumiałych przyczyn grawitował w kierunku ulokowaniu mebla skosem, Olaf, rzetelny Skandynaw, był zwolennikiem symetrii. Rósł w nim przy tym temperament wręcz włoski.

– Ty, kotas, kurawa, macz! – wykrzykiwał coraz głośniej, nie kryjąc irytacji. – Niejedza! Bezjedza! Choja! Moja! Myma tam! Tu! Tu!

Pomiędzy słowami przy odrobinie dobrej woli zbliżonymi do polskich, padały wypowiedzi szwedzkie, które pozwalały Stefanowi utrzymywać poważny wyraz twarzy z najwyższym trudem. Marianka zdenerwowały zapewne wypowiedzi o jedzeniu lub nie, bo pękł.

– I czego znowu takie krzyki, czego, na głodno! Tam już niejeden wleciał w ten dół, bo ślisko, mnie siostra mówiła jeszcze w zeszłym roku! To niby co, na wędkę łowić, czy jak, a jeszcze po ciemku? Jak się już utopił, nic mu nie pomoże, do czego się tu śpieszyć?!

Na kanapie naprzeciwko Julii siedziała Alicja. Spojrzała na Marianka. Nie chciałabym, żeby kiedykolwiek w życiu Alicja tak na mnie spojrzała.

Julia skamieniała na swoim fotelu. Wszyscy zaczęli mówić równocześnie w rozmaitych językach. Nie wiem co mówili, rozstawiałam na stole talerze, które podawała mi ze zmywarki Marzena, nie gwarantuję, czy znalazły się przy nich właściwe sztućce, możliwe, że pewien melanż wśród widelców i noży zaistniał, równocześnie pilnowałam ryb na patelni, sztuka to była duża, bo wepchnęłam wszystkie razem i uparcie nie mieściły się, zołzy, ale miejsca na drugą patelnię nie było. Mimo wszystko dałam im radę. O, rzeczywiście, idiotyczne przeszkody, ja z kraju, w którym trudno się żyje...

Gwałtownie padły wyjaśnienia, Marianek zginął, bo poszedł zobaczyć takie jedno miejsce, gdzie w jeziorze jest dół, a ścieżka wąska, Stefan zginął, bo Marzena powiedziała o dole, więc poszedł sprawdzić, czy Marianek się nie utopił, Marianek wrócił jakoś bokiem, Stefan skręcił popatrzeć na parking...

Szczęknęła furtka, ktoś zapukał do drzwi i od razu wszedł, nie czekając na zaproszenie.

– Wacław...? – wyrwało się Julii z dziką nadzieją, nim jeszcze zdążyła się odwrócić.

Nie była to jednak nasza zaginiona sierotka, tylko zupełnie kto inny. Wysoka dziewczyna o długich blond włosach, chuda tak, że nawet jako modelka powinna by się trochę utuczyć, ale poza tym prawie piękna. Żywa twarz, roziskrzone, błękitne oczy, żadnej bladości, lekko opalona cera z rumieńcami... Elżbieta miała rację, pszeniczna wieś!

– Magda – powiedziała Elżbieta, uważając to za wystarczającą prezentację.

– Rany boskie, co się tu dzieje? – zdumiała się Magda z progu salonu. – Miting, imieniny? Alicji imieniny już były! Przepraszam, chciałam powiedzieć dobry wieczór. Alicja…? To jest Alicja!

Trafiła bezbłędnie, Alicja podniosła się z kanapy. Uśmiech na twarzy miała prawdziwy.

– Mogę wejść?

– Ależ tak, proszę, proszę, wchodź! Odkop ich z drogi, Marianek, pchnij ten stół!

– Ja mam takie! Mogę…? Czy to jakieś przyjęcie?

Uniosła w górę dwie butelki wina, rozejrzała się błyskawicznie i postawiła je na jedynym wolnym miejscu, na skraju bufetu kuchennego, obok wiaderka z kompostem, za plecami Marianka. Przytomna dziewczyna! Elżbieta łokciem odsunęła Marianka dalej i postawiła na stole salaterki z jarzynkami, Alicja opamiętała się, wróciła do Julii. Magda znów się rozejrzała, też zamierzałam nie zostawiać Julii odłogiem, ruszyłam w jej stronę, Magda zatrzymała mnie w połowie drogi.

– Joanna? Mogę tak mówić? Bo do Alicji to wiem…

– Możesz, możesz. Stefan…

Chciałam go spytać o zdjęcia, robił je przecież, zreflektowałam się, to nie była właściwa chwila. jednym uchem słuchałam Magdy, drugim usiłowałam słuchać Stefana, który coś Julii tłumaczył, przedstawiłam Marzenę jako Olafa, albo może odwrotnie, zginął mi duży widelec do ryb…

Ktoś ten stół wykończył i uratował ryby od przypalenia, chyba Marzena. Jakim cudem tak znakomita harfistka… czy harfiarka…? mogła być zarazem tak świetną gospodynią...? Na harfie grała prześlicznie! Nie wiem, co działo się w tym momencie z Mariankiem, miałam wrażenie, że Olaf przytłamsił go w garderobie w przedpokoju, wśród licznych płaszczy, kurtek i rozmaitych innych okryć, może go trochę dusił, ale nie miało to wielkiego znaczenia. Marzena straciła cierpliwość, wwaliła na stół półmich z kartoflami, w połowie obranymi, a w połowie nie, oraz wielką salaterkę z sałatą uratowaną przed chłonną jamą wołoducha. Butelki i kieliszki chyba stanęły same.

Teraz pozostało już tylko wmówić w Julię, że wszystko jest w porządku i doprowadzić ją do stołu...

Aczkolwiek, uczciwie mówiąc, nic nie było w porządku.

*

– Tu pani siedziała, na tym zwalonym pniu – wyjaśniał Stefan. – Za pierwszym razem. A dalej teren wygląda tak, proszę...

Zdjęcia robił polaroidem. Dla nas jeszcze w pewnym stopniu nowość, dla dziennikarzy i fotografików już dawno nie, dzięki czemu widoki mieliśmy od razu do dyspozycji. Pień rzeczywiście był szeroki i wygodny, alejka również, dalej jednakże zwężała się nieco, zbliżała ku wodzie, gałęzie krzewów trzeba było sprzed twarzy odsuwać. Jeden raz szłam tamtędy z Alicją, już dość dawno, i nie mogłam sobie nawet teraz przypomnieć, czy to tam, czy gdzieś indziej powiedziała do mnie: „Uważaj, żeby ci te zielska oka nie wydłubały".

W tamtej okolicy właśnie znajdował się zdradliwy dół, o którym tak sympatycznie napomykał Marianek.

Alejka była nieco nachylona i niezbyt szeroka, a wiodące ku wodzie pasmo trawy opadało gwałtownym skosem, stromym, chociaż dość wąskim. Po pijanemu albo w ciemnościach można było na nie trafić bez trudu i pięknym poślizgiem zjechać wprost do jeziora, które podstępnie czatowało ze swoją pułapką na nieostrożną ofiarę.

– Ależ... Wacław wcale w tę stronę nie poszedł – powiedziała Julia cichym, lekko zdławionym głosem.

Jasne, że nie poszedł, skoro udał się w stronę przeciwną, do baraku z młodzieżą turystyczną. Teraz właśnie przyszło mi na myśl, że przełamał się na tle dokarmiania ptactwa nie z miłości do łabędzi, a z nieprzepartego upodobania do żeńskiej części wycieczki, inny pretekst najwidoczniej do głowy mu nie przyszedł, gotów był od ust sobie odjąć całe dwie korony, żeby się wtłoczyć między piękne, młode, zdrowe dziewczyny.

Udało mi się nie wyjawić tego odkrycia na głos. Zdjęcia krążyły z rąk do rąk i na te zdjęcia właśnie zwabiliśmy Julię do stołu, Stefan bowiem, symulując przesadną gorliwość, wyciągnął cały plik i pozwolił zacząć rozdrapywanie. Julia musiałaby być z kamienia, żeby coś podobnego wytrzymać.

Zjadła trochę nawet. Z wyraźnym przymusem wbiła w siebie jedną parówkę i małego kartofelka i wówczas Stefan pohamował żywioł, odebrał nam zdjęcia, zresztą skutecznie działał także Marianek, wypuszczony z garderoby, likwidujący zawartość półmisków i salaterek powoli, ale systematycznie. Widać było, że dopóki w polu jego widzenia będzie istniało cokolwiek jadalnego, nie przestanie, osoby głodne zatem szybko odzyskały rozum.

Stefan zdołał poukładać swoje dzieło we właściwej kolejności, przytomnie nałożywszy sobie przedtem na własny talerz odpowiednią ilość pożywienia. Z cudzych talerzy Marianek jeszcze nie zjadał, a w każdym razie nie na ludzkich oczach.

O deserze nikt nie pomyślał, do diabła z deserem, Alicja jednak coś tam miała w sobie zakorzenione, z najdalszej głębi tajemniczej szuflady wyciągnęła kilka serów i łopatkę do krojenia. Do czerwonego wina sery szły świetnie, a krojenie łopatką znakomicie zajmowało czas i zmuszało do odrobiny wysiłków. Do tego zdjęcia, po kolei krążące wokół stołu z komentarzami, istne cudo...!

No, nie było pewne, czy dla Julii również, ale nie wymagajmy za wiele.

– Otóż zgadza się, tu nie poszedł – potwierdził teraz Stefan. – Od razu tam, o... A zresztą, siedziała pani dość długo, nie zasnęła pani przecież, to nie ma oparcia. Gdyby przechodził obok pani...

– Nie.

– A inna możliwość to lasem, no, zagajnikiem na zboczu, dookoła, małe zwierzę potrafi cichutko, człowiek nie bardzo. Poszedł tam, o! I tu jest ciąg dalszy.

Alejka, turystyczny barak, puste już stoły i ławy, malejąca widoczność...

– Robiłem zdjęcia według pani trasy. Przejście za barakiem na parking, ten jeden samochód to dostawczy, pracownika. Tu pani zeszła, odpoczęła, to alejka dalej, wygląda jakby wszyscy nią chodzili... Tu rozwidlenie, jedna droga nad jeziorem, druga do góry, przez las, pani poszła nad jeziorem... O, a to chyba ten pieniek z mrówkami? Że też udało się pani w ogóle na tym wytrzymać!

Nie wiadomo dlaczego pieniek z mrówkami wzbudził największe zainteresowanie, nie był przewidziany do wygodnego siadania, zadziory w nim sterczały, a o mrówki aż się prosił. Siła zdumienia była tak potężna, że Julia się złamała.

– Tak, wiem. Mówiłam, to nie było wygodne, ale musiałam usiąść. Nie mogłam iść dalej. Na ziemi jest mi za trudno…

– I stąd wróciła pani wprost na parking?

– Powoli. Ale wróciłam…

– Zrobiliśmy zdjęcia kawałek dalej, na wszelki wypadek. Mało, ale widać, że łatwa droga, alejka, dopiero później gdzieś tam przechodzi w tereny w pewnym stopniu zasiedlone. Gdyby pan Wacław tam dotarł, ktoś mógł go widzieć, ale zrobił się wieczór i prawdę mówiąc, nie było kogo pytać. Na zdjęcia zbyt ciemno, nie miałem flesza.

Przyjrzałam się drodze, którą Julia odpracowała. No, no… A po domu i ogródku ledwo się snuje. Trwało to trochę, odpoczywała, ale przecież też szłam tamtędy…

Spojrzałam na Elżbietę.

Obie z Magdą porozumiewały się właśnie wzrokiem, a potem zgodnie popatrzyły na mnie. Nagle uświadomiłam sobie, że od chwili przyjścia Magda nie odezwała się do Julii ani jednym słowem, żywa i pełna wigoru rozmawiała ze wszystkimi, chyba nawet z Mariankiem, a z nią nie. Nic. Wcale. Jakby jej nie było.

I wzajemnie. Julia nie dostrzegała Magdy, ale to akurat nie rzucało się w oczy, bo na dobrą sprawę nie przejawiała zainteresowania nikim. Odrobinę może Stefanem i Alicją, Stefan był tam, robił zdjęcia… Zaraz, ale Marzena też tam była i to ona rozmawiała z nielicznym personelem baraku, a nie Stefan, a dla Julii się nie liczyła, niby dlaczego...? Alicję można było zrozumieć, pani domu, w jakimś stopniu odpowiedzialna za gości, z prawie niedostrzegalnym, ale niewątpliwym wysiłkiem wydłubywała z siebie spokojne i pocieszające słowa, niech będzie, że napawała otuchą, ale Marzena...?

Marzena była bezlitosna. Podjęła opowieść Stefana.

– Pan Wacław tam był, wmieszał się w grono młodzieży, to wiemy. Z trzech obecnych jeszcze osób personelu zauważyła go facetka, bo jej się bardzo spodobał, cóż za piękny mężczyzna, tak go oceniła. Użyła określenia czarujący, dała mu całą bułkę, sucha już była, więc oczywiście gratis, ucałował ją z wdzięczności...

Nie Julia zainteresowała się informacją, tylko Marianek, i to bardzo żywo.

– Jak to, gratis? Znaczy, za darmo?

– Całkiem za darmo...

– Tu bardzo często się zdarza, że przed zamknięciem sklepów, kiedy zostaje pieczywo nie bardzo świeże, a ktoś się upiera kupić, oddają mu za darmo – powiadomiłam go złośliwie. – Oczywiście jeden bochenek albo jedną bułkę, a nie całą resztę towaru.

– A o której tam zamykają?

– O piątej, albo o szóstej, albo o siódmej...

– O północy – rzekła zimno Marzena. – Ale wtedy już nic nie ma, bo łabędziom też oddają za darmo. Niech ktoś mu zatka gębę.

Elżbieta coś bąknęła, niewątpliwie po szwedzku, bo Olaf nagle chwycił Marianka za kark i przytknął mu do ust całą szklankę piwa.

– Pija, jedza, pija! – rozkazał. – Pywo! Szyka!

– Cicho! – wtrąciłam się pośpiesznie. – Nie wiemy, co chciał powiedzieć, bo oni tu wszyscy mają dziwną skłonność zamiany si na sz, mówią Kasza zamiast Kasia i Warsiawa zamiast Warszawa. Nie zwracajcie uwagi.

Marzena zastosowała się do polecenia natychmiast.

– Ona mówi, że rozmawiali ze sobą bardzo śmiesznie, różnymi językami, ale chyba każdy innym. Świetnie się bawili i pan Wacław posiedział trochę z nimi, a potem poszedł kawałek nad jeziorem. Nie wie dokąd. Jej się wydaje, że oni ruszyli do góry przez las, w kierunku takiego małego parkingu, który jest tam gdzieś w środku, a dalej można wyjechać różnie. Wnioskuje z hałasu. Nie ma pojęcia, czy pan Wacław też poszedł, czy został nad jeziorem. Więcej nie wie.

– Robiłem zdjęcia, o, to te – przyświadczył Stefan. – Marzena lepiej zna duński niż ja. Wszędzie alejki, więc nic nie wydeptane, trudno cokolwiek rozstrzygnąć.

Prawie wzruszyłam się sobą. No i proszę, jak doskonale zgadłam, dziewuchy go zwabiły! Nadal nie zamierzałam swoich poglądów rozgłaszać, zdaje się, że słusznie.

– Pies – powiedziała Alicja, usiłując tchnąć w tego psa możliwie dużo nadziei.

– Pies, tak – poparł ją Stefan. – Słońce wcześnie wschodzi, o wpół do piątej już jest widno, jeśli pan Wacław zabłądził, za dnia powinien znaleźć drogę. O ile się nie pojawi, obawiam się, że trzeba będzie...

– Zawiadomić policję – wyręczyła go Julia i jakaś twardość drgnęła w jej głosie. – Nie chciałabym być natrętna, ale czy nie... Czy nie byłoby słuszne...

Przysięgłabym, że wszyscy, z wyjątkiem może Marianka i bez wątpienia Olafa, doskonale wiedzieli, co chce dalej powiedzieć. Że może słuszne byłoby zawiadomić policję od razu, żeby przygotować ich na ewentualność poszukiwań od rana, uprzedzić, wyjaśnić sytuację zawczasu, żeby nie zaskakiwać ludzi niepotrzebnie, żeby już mieli na podorędziu bodaj tego psa, bez nerwowych krzyków, bez histerii, zwyczajna informacja o możliwej potrzebie energicznych działań. Później, jeśli zguba powróci sama, można ich przepraszać w dowolnej formie, padać przed nimi na kolana, kwiaty im wręczać, rzucać się im na szyję, są wśród nas dwie piękne dziewczyny, płeć policji nieznana, ale w razie potrzeby dwóch przystojnych chłopców też się znajdzie... Sama byłabym za!

I nikt jej nie pomógł. Co za cholera jakaś? Ja też nie.

Musiał ten pangolin coś mieć w sobie. Od momentu kiedy znikł, mimo obecności Julii, atmosfera zmieniła się wyraźnie, świeższym powietrzem powiało. Jasne, że jej napięcie, hamowane, ale wyczuwalne, przeszkadzało pełnej swobodzie, gdzie jej było jednakże do uwielbianego małżonka! Przynajmniej niepokoiła się prawdziwie, bez oszustwa i łgarstwa, nie udawała... zaraz, co do licha mogłaby udawać...? No, nie udawała niczego.

No dobrze, prawie niczego...

– Zawiadomić policję, tak – potwierdził Stefan grzecznie. – We właściwej chwili.

– Tu jest inna mentalność – pomogła mu Alicja wyjaśniająco. – Nie ma dla nich miejsca na przypuszczenia czy podejrzenia, jeśli nic się jeszcze nie zdarzyło. Oni inaczej rozumują.

– Konkret – mruknęła Marzena.

– No właśnie. Ma być konkret. Ale są doskonale zorganizowani i w razie potrzeby zaczynają od razu bez żadnego bałaganu.

– Poza tym pan Wacław mógłby być niezadowolony, gdyśmy niepotrzebnie zrobili wielkie larum – wtrąciła się znienacka, po raz pierwszy, Magda, ociekając wprost jadowitą słodyczą i zwracając się gdzieś w dal, z tym, że po drodze miała wał kwiatów na oknie, więc nie wiadomo, gdzie jej ta dal wypadała. – Nikt nie ma ochoty rozgłaszać, że się wygłupił, zabłądził albo stracił poczucie czasu, ciemność go zaskoczyła...

– Alicja, masz światło? – zaniepokoił się nagle Stefan. – Zdawało mi się, że masz? Mnie też ciemność zaskoczyła, a podobno mam latać dokoła domu?

Siedziałam niejako po zewnętrznej, podniosłam się, zapaliłam światło nad tarasem. Marzena jakby się przecknęła, spojrzała na Marianka, na stół, też się podniosła.

– Nikt już nic nie je...?

Zgarnęła energicznie resztki sera, wyniosła do kuchni, Marianek został z łopatką do krojenia w ręku, odprowadził ją wzrokiem mało że żałosnym, wręcz zrozpaczonym. Jakoś należało się go pozbyć, skoro Magdzie przypadała kanapa, o której nie powinien wiedzieć. Marzena miała przed sobą jeszcze dwa pociągi, przeszło czterdzieści minut, ale gwałtownie zaczęła się śpieszyć. Z energią zwróciła się do Marianka.

– Ja wychodzę, ty też. Masz zamiar tu wiekować? Twoja siostra już dzwoni na policję, że coś ci się stało! Jazda, do domu!

Nie wiem, czy wszyscy zrozumieli, mnie w każdym razie leciutki szlag trafił. Rzeczywiście, jeszcze nam w tej sytuacji Marianka brakowało, pętał się ustawicznie niczym kamień u szyi albo kłoda pod nogami, gotów był spać na dywaniku w przedpokoju Alicji, żeby przypadkiem nie przeoczyć śniadania. A jeszcze mam po nim ziemię kompostową przerzucać, o nie, tego już za wiele!

Chyba coś mną szarpnęło.

– Wychodzisz, ale już! – powiedziałam cichym, chociaż niewątpliwie okropnym głosem, opierając się o stół naprzeciwko niego. – Spieprzaj! Nie przychodzi ci do głowy, że czasem ludzie chcieliby pogadać ze sobą bez ciebie? Ja akurat, na przykład, mam osobiste tajemnice! Won, albo przysięgam Bogu, więcej w tym domu nawet gówna do żarcia nie dostaniesz!!!

Groźba musiała zabrzmieć straszliwie, bo Marianka podniosło. Zaczął coś jąkać. Marzena otworzyła przed nim drzwi wyjściowe na oścież.

– No…?!

– Ale… Ty… Ona…

– Ja jestem żoną Wernera czy ty?

Nie wiadomo dlaczego ten Werner, idealnie spokojny i miły człowiek, który w dodatku nie miał nic do rzeczy, wywarł największy wpływ. Marianek przeraził się go tak, jakby to był jakiś potwór, mafiozo, dziki zwierz. Wymiotło go w mgnieniu oka.

Marzena z wielką ulgą zamknęła drzwi.

– No to mogę zostać jeszcze przez chwilę…

– Chyba trochę przesadzacie – powiedziała z niezadowoleniem Alicja.

– Głodny nie poszedł.

Wtrącił się Stefan, człowiek nieskłonny do wtrącania.

– Alicja, ty go zamierzasz adoptować…?

Nie było siły, musiałam usprawiedliwić swoje wystąpienie.

– Alicja, bardzo cię przepraszam, ale ten nienażarty gówniarz doprowadza mnie niekiedy do absolutnego szału. Ciebie może roztkliwiać, proszę cię bardzo, ale mnie nie, a w dodatku przypomniałam sobie właśnie, że mam za gnoja kretyńskiego ogrodnicze roboty odwalać. Obiecałam ci. Lubię roboty ogrodnicze i nie jest to nic wielkiego, ale w zestawieniu z Mariankiem urasta do rozmiarów piramidy. Jeśli wlezie mi pod rękę, dziabnę go łopatą. Albo ten gówniarz się nieco opanuje i przestanie uważać twój dom za knajpę, ciepłe gniazdko, dom rodzinny, gdzie we drzwiach mamusia z talerzem czeka, nie wiem co tam jeszcze, albo wyjeżdżam, bo go nie zniosę. Mam dwóch swoich, też żertych, czy ty przypuszczasz, że ja zakupy na trzecie piętro wnoszę? Że w kuchni nad garnkami stoję? Jazda do samochodu, przynieść wszystko, co tam chcecie to zeżryjcie i nie zawracać mi głowy! A to tutaj skamle, jojczy, pod ręką się snuje, bez przerwy czegoś chce, na głowie siedzi... Mogę wyjechać, ale przedtem ci powiem, że chyba zgłupiałaś.

W obliczu Marianka pan Wacław chwilowo poszedł w zapomnienie. Nawet Julia robiła wrażenie, jakby zainteresowała się moją łagodną awanturą.

Alicja westchęła ciężko bez śladu pretensji do mnie.

– Świetne wino. Co, już nie ma...? Otwórzcie jeszcze jedną butelkę...

Chyba były to polskie słowa, których Olaf nauczył się najlepiej. Natychmiast przystąpił do działania.

– ...teoretycznie masz rację, mnie on też denerwuje, ale trochę mi go szkoda. Chyba nikt go nie wychował, a ta jego siostra tutaj, może i masz trochę racji... zdaje się, że jest skąpa. I to z roku na rok bardziej. A co on może poradzić na to, że ma apetyt i ssie go w żołądku?

Chwyciłam kieliszek i podetknęłam Olafowi, postanowiłam raczej się upić, niż powiedzieć coś więcej, niech mnie wątroba rąbie, ile chce! Akurat nie ma dla mnie na świecie lepszego osiągnięcia niż pokłócić się z Alicją o kretyńskiego Marianka.

– Ona ma rację – powiedziała spokojnie Marzena. – Rozbestwiłaś go.

– Popieram – mruknął Stefan. – Był z nami nad jeziorem. To jest debil totalny, który składa się tylko z przewodu pokarmowego i z niczego więcej. Usiłował wymóc na nas jakiś posiłek, o istnieniu pana Wacława w ogóle zapomniał. Bardzo panią przepraszam...

– Nie szkodzi – wyszemrała Julia.

Odzyskała już swoje normalne opanowanie, stłamsiła nawet napięcie. W Elżbiecie ocknęły się nagle naleciałości medyczne.

– Proponuję, żeby pani się położyła. Ma pani jakiś własny środek na uspokojenie albo na sen?

– Mam przeciwbólowy...

– Powinna go pani zażyć. Mówię obiektywnie, jako pielęgniarka. Jutro czeka panią albo ulga, albo trudny dzień, w każdym wypadku powinna pani mieć siły.

Julia siedziała jeszcze przez chwilę, wahając się i zastanawiając. Do czegoś doszła, wstała od stołu.

– Ma pani rację. Przepraszam państwa...

– Pomóc pani?

– Nie, dziękuję. Dam sobie radę. Może tylko szklankę wody...

Wyszła z lekkim wysiłkiem, a Elżbieta zaniosła jej wodę. Chyba z jakimiś dodatkami.

Zostaliśmy, można powiedzieć, we własnym gronie.

*

– O mój Boże! – powiedziała Magda jakoś tak, jakby wypuszczała parę z lokomotywy. – Jesteście cudowni. Wszyscy. O nieobecnych się nie mówi.

Postanowiłam wprawdzie słowem się nie odzywać, ale wróciłam ze swojego pokoju, dokąd poszłam po papierosy, i widokiem na łóżku poczułam się zbyt zaskoczona, żeby milczeć.

– Hej, na tym tobole mam spać, zeżreć go, czy może jednak przynieść?

– O, przepraszam cię! – rzekła żywo Elżbieta. – Nie zdążyłam ci powiedzieć, bałam się, że Olaf się tam kropnie nie patrząc, więc przeniosłam do ciebie.

– Ciasteczka...?

– No właśnie!

– Przynieś, przynieś! – zachęcił Stefan. – Chyba jeszcze nie wszystkich spróbowałem, a Magda wcale nie jadła!

– Ja tu nie na żarcie przyjechałam!

– Nie szkodzi. Sama zobaczysz...

– Alicja, nie masz nic przeciwko temu, że Werner po mnie przyjedzie? – spytała Marzena z lekkim niepokojem. – Do diabła z pociągiem, kończą koncert o wpół do dwunastej, będzie tu zaraz po północy, może nie wchodzić...

Alicja nie fatygowała się odpowiedzią, raz puknęła się palcem w czoło i wzruszyła ramionami. Z troską wpatrywała się w stół.

– Nie myślicie, żeby go złożyć...?

Zaczęliśmy liczyć się wzajemnie. Zostało nas siedmioro, akurat na stół przystawiony do ściany. Jutro rano zamiast Marzeny będzie Julia, wypada tyle samo, Marianek, jeśli się pojawi, niech żre na wycieraczce. O ile znajdzie się pan Wacław, trzeba będzie go uczcić, zatem nowe rozstawianie stołu przejdzie w pewnym stopniu ulgowo, może nawet w radosnych podskokach, a wszyscy wiedzieli, że Alicja nie cierpi bałaganu w meblach i stołu na środku. Składamy!

Potrwało to dziesięć minut i można było usiąść jak ludzie. Przy winie, piwie i upiornych ciasteczkach, samodzielnie włażących do ust.

– W porządku, jedziemy – zarządził Stefan. – Nie podoba mi się to wszystko cholernie.

– Mnie też – powiedziała zimno Magda. – Bo co?

– Kto pierwszy, ja czy ty?

– Ty. Ja chyba mam więcej.

– Nie będziemy się licytować. Dziwkarz to jest beznadziejny, poleci na wszystko…

– Ale nie wszystko poleci na niego…

Stefan zjadł ciasteczko, popił winem i popatrzył na Magdę.

– Może po prostu będziemy się uzupełniać, nie stosując kolejności?

Magda też zjadła ciasteczko i na chwilę ją zastopowało.

– Rany, jakie to dobre! Skąd to macie?

– Moja matka – mruknęła Marzena. – Nie zawracaj głowy, w Warszawie dostaniesz, ile strzymasz. Sytne, ostrzegam cię.

– Może z kilo utyję…? W porządku, uzupełniać, wolę.

– Mógł się uczepić wycieczki – podjął Stefan. – Rano pieprzyć o zabłądzeniu. Marzena, zapomniałem cię zapytać, czy ta facetka orientowała się, czego było więcej? Dziewczyn czy chłopaków?

– Jej zdaniem po równo, ale jeśli już, to ze dwie dziewuchy nadprogramowe.

– Lesbijki – skrzywiła się zimno Alicja.

– Nie szkodzi. Założenie pierwsze: upodobał sobie zajętą, ona na niego poleciała, chłopak mu przyłożył, gdzieś tam leży. Pies rozstrzygnie. Założenie drugie: wśród wycieczki był ktoś, kto za dużo o nim wiedział, może go z gęby rozpoznał...

– Syn, bratanek, siostrzeniec – uzupełniła Magda.

– Coś wiesz o tym?

– A pewnie. Sama znam odpowiedniego.

– Mógł tam być?

Magda westchnęła i znów zjadła ciasteczko.

– Cholera, co wyście tu namieszali? Znakomite, ale całkiem inny smak! Mógł, poderwał dziewczynę ze Szwecji, jeździ do niej, nie wiem, czy akurat teraz, a temu zbukowi dużo obiecał, bo mu ulubionego wuja o mało na lepszy świat nie wyprawił. To Stankowicz, do tej pory po sanatoriach się plącze, Zygmuś całe śledztwo przeprowadził, prawo studiuje, wiem, bo o moją ciotkę też zahaczył. No, jeśli tu jest...

– No to kropnąć go było komu...

– Nie potrzeba, ja sama bym wystarczyła, chociaż trochę się brzydzę. Ledwo przyjechałam, ale pokażecie mi te jeziorka, doły, baraki i resztę? Joanna...?

– Z przyjemnością! Znam się trochę na szkodliwych roślinkach, Alicja ma atlasy, jakby tak coś...

– Możesz mi tylko pokazać, w razie przyjemnej konieczności sama załatwię resztę. Ale i tak... No nic, to później...

Jakąś informację z dużym wysiłkiem zatrzymała w sobie. Nikt się nie czepiał.

Alicja chwilowo ogłuchła, zażądała kawy, Elżbieta miała głębokie zamyślenie na twarzy. Stefan wdarł się brutalnie w nasze dość radykalne zamierzenia.

– Czekajcie, wracamy do tematu. Założenie trzecie: polazł za nimi, nic mu nie wyszło, zaczął wracać, w lesie ciemno, opsnął się i złamał nogę, też gdzieś leży...

– Nogę złamał, nie gębę – skrytykowała Marzena. – Nie wrzeszczy? Nad wodą słychać.

– Może w lesie, do wody nie dotarł... To też robota dla psa.

– No i w ten sposób pies bezwzględnie wychodzi na prowadzenie!

Zdążyliśmy jeszcze w dużym streszczeniu dowiedzieć się o kilku innych osiągnięciach pana Wacława, który musiał chyba odznaczać się dużą lekkomyślnością, skoro uparcie nie starał się separować od siebie osób powiadomionych przez niego każda o czym innym i zdążyliśmy się tym po raz już drugi zdziwić, kiedy zadzwonił telefon. Zajęła się nim Alicja.

Mało mówiła i w dodatku po duńsku, ale stopniowo powitania i rozmowy zamilkły. Jak zwykle spokojna, bez żadnych okrzyków, tylko wyraz twarzy zmieniał się jej na odrobinę stropiony. Poprosiła o numer, to zrozumieli wszyscy, nawet Magda i ja, zapisała go, podziękowała, odłożyła słuchawkę, odwróciła się do nas. Popatrzyła na mnie.

– Mówiłaś, że kiedyś...

Odgadłam, co powie i podpowiedziałam od razu:

– Dwa lata temu.

– Możliwe. Zabłądziłaś do domu wariatów i spotkałaś psychopatkę?

– Zgadza się.

– I ona co?

– Nic.

– Jak nic? Powiedz dokładnie.

– To ja coś, nie ona. Szła bokiem drogi w głąb pustego pola. Zmierzchało się, za cholerę nie wiedziałam, gdzie jestem, nie wzięłam żadnej mapy, przyhamowałam, powolutku jechałam obok niej, ale nawet na mnie nie spojrzała, grzecznie spytałam, przysięgam, że po duńsku, gdzie jest centrum Birkerød...

– Powtórz, co powiedziałaś.

Powtórzyłam. Tyle umiałam, zresztą nie tylko po duńsku, także po francusku, po angielsku, po niemiecku i po rosyjsku, chociaż za to ostatnie głowy bym nie dała, bo znacznie lepiej mi wychodziło „paszoł won, sobaka!". Ale rosyjskiego nikt ode mnie w tej chwili nie wymagał.

– A ona co?

– Przecież mówię, że nic. Równie dobrze mógł iść chochoł albo krowa, albo pień... Spytałam drugi raz, trochę głośniej, bo mogła być głucha, z tym samym rezultatem. Nie zwolniła, nie przyśpieszyła, nie spojrzała, jakby mnie wcale nie było. Prawie nabrałam obaw, że mnie rzeczywiście nie ma. Chwilę jechałam obok niej, jeszcze raz powtórzyłam pytanie, błagalnie wrzeszcząc, bez skutku, straciłam nadzieję i pojechałam jakoś tam z ciepłą myślą, że Dania to nie Nevada ani Arizona. One chyba większe.

– Powiedziałaś o niej temu facetowi, co ci dał ksero?

– Nie pamiętam. Ale byłam tak wstrząśnięta, że chyba jej nie przepuściłam.

– A on co na to?

– Nic.

– Nie nic, przecież coś tam…

– O babie nic kompletnie. Tylko o tym planiku, dużo nie musiał, bo połapałam się sama.

Alicja westchnęła, usiadła na swoim miejscu, pomilczała chwilę i zajrzała do filiżanki z kawą. Kawa tam była, napiła się.

– Wygląda na to, że pan Wacław też trafił na pacjentkę z domu wariatów. Różni się od twojej tym, że coś mówi.

– Co mówi?!

Pytanie zadały co najmniej cztery osoby naraz. Alicja rozejrzała się po stole.

– Pangolin ma jeszcze jedną zasługę, wpadnę przez niego w alkoholizm. Dajcie coś… Tak dziwnie mówi, że facet, nie wiem czy lekarz, może stażysta, nie wypadało mi pytać albo zwyczajnie zgłupiałam, mnie też wolno czasami…

– Jeśli nie zgłupiałaś przy brzuszkach, nie masz szans – rzekłam zimno.

– Kto ci tak powiedział? Przecież nie poszłabym cię pytać o ćlamkane brzuszki, gdybym nie zgłupiała!

– Boże! – powiedziała ze zgrozą Marzena. – One znów zaczynają o rozpękanych brzuszkach na zboczu!

– Nie, to wtręt – uspokoiłam ją szybko. – Alicja ma rację, wolno jej zgłupieć, szczególnie z grzeczności. W porządku, co on powiedział, że ona powiedziała, nawet jeśli nic nie zrozumiał?

– Dała mu swój łup. Z jej różnych dziwnych słów, których mi nie powtarzał, od razu informując, że nie przystają do sytuacji, dwa miały sens. Leżało i znalazła. Ona mówi o sobie w trzeciej osobie, ona znalazła, znaczy ona znalazła... Moment. Zdaje się, że to zaraźliwe, niech ja się opanuję...

– Nie masz po co – zapewniłam ją pobłażliwie. – Tu siedzą same inteligentne osoby, które to świetnie pojmują, nie bój się tak strasznie tych zaimków, wariatce ona sama tak bardzo się nie podoba, że mówi o sobie jak o kimś innym...

– Skąd wiesz? – zaciekawiła się Elżbieta.

– Nie wiem skąd, ale wiem, może z lektur. A może z doświadczenia. Zaraz. Ma ona jakieś imię? Prawdziwe albo wymyślone przez siebie?

Alicja odzyskała już równowagę, spojrzała na mnie życzliwiej.

– Okazuje się, że osobiste kontakty z wariatką są wysoce użyteczne. Nie wiem, o imieniu nie było mowy. Znalezisko było sztywną karteczką, którą ONA znalazła, ponieważ leżało. Na karteczce znajdowało się moje nazwisko, adres i telefon, więc do mnie zadzwonił.

– Tylko spokojnie – powiedziałam i na twarzy Elżbiety ujrzałam zdumienie i prawie uznanie. – Wiemy, że krótko z tobą rozmawiał. Czy powiedziała, gdzie znalazła?

– Zrozumiał, że gdzieś w lesie, blisko wody. Wnioskuje, że jeziora.

– Tylko to leżało? Nic więcej?

– Z wypowiedzi wariatki trudno się zorientować. Zadzwonił z wahaniem, przepraszając, ale zna wariatkę i uważa, że musiało tam być coś, co ją... zaraz, jak on to określił... Zemocjonowało...? Wprawiło w euforię...?

– Podnieciło – mruknęła Elżbieta.

– O właśnie, podnieciło! Jego zdaniem jedna karteczka to za mało, musiało być coś więcej. Od wariatki już się nie dowie, bo dostała środek uspokajający, a w ogóle opuściła ośrodek nielegalnie i tą karteczką po powrocie chciała się zasłużyć. To tak z grubsza mówiąc, oni tam używają naukowych sformułowań. Więcej nie wiem. Co teraz?

– Teraz na ulicy już słyszę Wernera – powiedziała Marzena ponuro. – Trudno, muszę jechać do domu, bo inaczej on się ze mną rozwiedzie. Ale nic, jutro wyjeżdża...

– No dobrze, wyjeżdża, ale co mamy zrobić teraz?

– Jedno małe pytanko. Alicja, masz numer tego faceta od wariatów, czy z tego, co ona mówiła, zorientował się, w jakim miejscu lasu i jeziora mogła znaleźć to gówno? Bliżej, dalej, cokolwiek! Mokre to, czy suche...?

Alicja spojrzała na mnie, zajrzała do filiżanki, wypiła resztkę kawy i podeszła do telefonu.

*

Werner z Marzeną odjechali i natychmiast wyszło na jaw, że jakąś korzyść Marzena z tego odniosła. Ominęła ją straszliwa rozterka, jaka ogarnęła dom Alicji.

Nikt z nas nie miał pojęcia, co zrobić.

Kartka okazała się w zasadzie sucha, o ile wśród świeżej zieleni mogła swoją suchość zachować. Rozmówca Alicji był chyba jeszcze stażystą, bo pozwolił sobie na delikatne wyjawienie własnych wniosków, nader niepewnych, czego doświadczony psychiatra w życiu by nie uczynił. Na ile wie cokolwiek i ma jakieś pojęcie o zawodzie, wariatka oprócz karteczki musiała widzieć coś więcej, ale z jakichś przyczyn nie ruszała tego. Wyłącznie patrzyła i zapewne myślała, bo nie jest powiedziane, że osoby odbiegające od normy nie myślą. Myślą, owszem, tylko inaczej, i z przyjemnością zachowują swoje myśli przy sobie.

Miejsce odgadli wspólnymi siłami, Alicja i hipotetyczny stażysta, z biernym już w tej chwili udziałem Stefana. Posługując się po tamtej stronie zapewne znajomością terenu, po tej zaś zdjęciami, wydedukowali, iż karteczkę wariatka znalazła niewielki kawałek za pieńkiem z zadziorami, tyle że ciut wyżej, za alejką, od strony lasu, nieco w głębi. Dokładnej chwili znalezienia nie udało się ustalić, ale wyszło nam, że gdyby Julia posiedziała wśród mrówek z pół godziny dłużej, na własne oczy ujrzałaby małżonka gubiącego cenne notatki. Możliwe, że poznałaby także przyczyny gubienia...

No i teraz nie było wiadomo, powiedzieć jej o tym, czy nie?

Dzwonić do policji od razu, czy poczekać do rana?

Lecieć osobiście i patrzeć...?

Na bezchmurnym niebie świeciło prawie pół księżyca, idącego ku pełni, ale ruszało już ku zachodowi, złapałam kalendarzyk, sprawdziłam, za czterdzieści minut łajdak powinien zajść, niewiele nam z niego przyjdzie. Czekać słońca...?

Słońce owszem, miało cień przyzwoitości, wschodziło ledwo kwadrans po czwartej, o czwartej już się rozwidnia... Poczekać te trzy godziny...?

Czysta rozpacz, nikt nie był pewien własnego zdania. Jedno, co zostało uzgodnione dość szybko, to nie ruszać Julii, potrzebna nam jak dziura w moście, z miejsca spaskudzi atmosferę, nie żeby bardzo, ale zawsze. Co do policji... Głupio trochę, też w ciemnościach niewiele zrobią, a możemy zatruć życie stażyście, który wyświadczył nam przysługę, nie wiadomo czy legalnie, jasne przecież, że w pierwszej kolejności zadzwonią do niego! Może to młody chłopak i na resztę życia zrazimy go do ludzkich uczuć... Bardzo głupio.

Ludzkie uczucia do pana Buckiego, a także, wbrew wszelkiej przyzwoitości, do jego małżonki, miały tu, niestety, nader nikły wpływ.

Rozterka, podbudowana winem, piwem i koniakiem, trwała dostatecznie długo, żeby zaczęło się rozwidniać. Uzgodniliśmy między sobą, kto najtrzeźwiejszy. Bezszmerowo, na paluszkach, opuściliśmy dom we czworo, na straży pozostawiając Elżbietę i Olafa. Pozostawilibyśmy Alicję, ale ktoś z nas w końcu musiał znać duński język, Stefan niby znał, ale gorzej od niej. Na mnie spoczywał obowiązek odnalezienia domu wariatów, już widziałam przed sobą wielkie sukcesy, jakie z pewnością przy tej okazji odniosę.

Volvo Stefana pracowało cichutko, można było odjechać, nie pchając samochodu na piechotę, zresztą, państwo Buccy mieli okno od strony ogrodu.

Słońce zachowywało się jak należy, rozświetlało świat z chwili na chwilę porządniej, a nad wodą było widniej niż w lesie. Zdjęcia służyły pomocą, bez trudu udało nam się odnaleźć zadziorowaty pieniek, mrówki rozpoczynały swój dzień pracy jeszcze trochę niemrawo. Kawałek dalej i wyżej... No, karteczka, niechby nawet i sztywna, śladu nie zostawia, pożałowaliśmy, że zaginiony słowotok nie zgubił na przykład cegły.

Staliśmy chwilę na ścieżce, naradzając się i zastanawiając, czy nasz nadmierny zapał nie utrudni później zadania psu, trafi na świeższe tropy i może mieć problemy. Kto z nas najsłabiej śmierdzi...? Zaczęliśmy się wzajemnie obwąchiwać, co z łatwością mogło nasunąć myśl, że wszyscy uciekli z tego domu wariatów, padło w końcu na mnie nie ze względu na woń, tylko z przyczyn racjonalnych. Tyle się w życiu naszukałam po lasach rozmaitych jagódek i grzybów ze skutkiem bardzo pozytywnym, że miałam wręcz obowiązek niczego nie przeoczyć. Poza tym Alicja gówno widzi, Stefan jest od zdjęć, a Magda za wysoka, musiałaby snuć się po terenie zgięta w pałąk, jak długo można wytrzymać?

Wlazłam kawałek na łagodne zbocze, oni tam powoli posuwali się po nadwodnej alejce, Stefan robił zdjęcia, mamrocząc coś o bankructwie, bo te klisze polaroidowe były wściekle drogie. Nie bacząc na koszty miałam nadzieję, że i tak mu źle wyjdę z braku jaskrawego słońca, innych atrakcji nie było. Przez jakieś dwadzieścia – trzydzieści metrów. No, może trzydzieści pięć…

Okrzyk wydaliśmy prawie równocześnie, z mojej strony padło „hej!", z ich „czekaj, stój!". Byłam zdania, że wykazałam więcej rozsądku, żadne moje poczynania w głębi lasu o dwa metry wyżej, choćby nawet żywe podskoki, nie mogły zaszkodzić znalezisku w nadwodnym zielsku, to niby po co miałam stać i na co czekać?

Wcale nie stałam, zeszłam ku nim. Nikt jeszcze niczego nie tknął, Stefan robił zdjęcia. W trawie, prawie w wodzie, spod roślinnego bałaganu wystawał kawałek czegoś, co miało prawo być portfelem. Czarnym, otwartym, grzbietem do góry, zawartością w dół i w ogóle widocznym nieco mniej niż w połowie. Czymkolwiek by się to okazało po bliższym obejrzeniu, w tym momencie wyglądało jak portfel.

Zdjęcia z polaroidu wymagają chwili dla siebie. Zdążyłam się odezwać.

– Po cholerę miałam tam stać? Tam chyba ktoś zjechał na butach, ale nie muszę się w to wpatrywać, i tak trafię. Będziecie chcieli zobaczyć, czy poczekamy na psa?

– Co?

– Nic. Zjechał na butach.

– Na jakich butach? – spytała z roztargnieniem Alicja.

– Nie wiem. Nie na papuciach, to pewne.

– Może na takich, co? – mruknął zgryźliwie Stefan i machnął aparatem gdzieś przed siebie.

Dopiero teraz wszystkie trzy spojrzałyśmy o metr dalej. Blisko alejki wystawały z trawy kawałki butów, właściwie tylko obcasy, resztę zasłaniały rośliny, ale majaczyło wśród nich coś w rodzaju nóg, spodni i w ogóle jakby człowieka. Więcej można się było domyślać niż zobaczyć, bo brzeg jeziora porośnięty był wąskim, ale gęstym pasem dość wysokich trzcin. Tak wąskim, że jeśli istotnie leżał tam człowiek, jego część górna mogła się już cieszyć czystą wodą.

No dobrze, cieszyć jak cieszyć, nie czepiajmy się tej uciechy.

Ani jedna osoba nie wydała z siebie jęku zgrozy, przestrachu, nawet westchnienia. Z zimną krwią oceniłam obuwie.

– Owszem, pasuje. Na obcasach powinny być ślady mchu, tam głównie mech rośnie, on jest śliski, ale ja tego osobiście badać nie będę. Robota dla fachowców. Chcecie zobaczyć leśny poślizg?

Chcieli. Cofnęliśmy się po własnych śladach, doprowadziłam ekipę badawczą do tego miejsca, na którym sama zakończyłam penetrację.

– Nie włazić dalej – ostrzegłam. – Mnie już tam nie było, was też nie, nie stwarzajmy mętliku, ten pies w końcu musi mieć jakieś ludzkie warunki pracy. Stefan, od tej strony chyba już wszystko widać?

– Średnio widać...

– No dobrze – powiedziała Magda. – Co teraz?

I znów okazało się, że nikt z nas nie wie. Bardzo zgodnie popatrzyliśmy na Alicję, która pozwoliła sobie na lekką irytację.

– Czy te zwłoki nie mogłyby się czasem poniewierać gdzie indziej i u kogoś innego, a nie koniecznie u mnie...?

– Przecież nie poniewierają się u ciebie, tylko nad jeziorkiem!

– Ale moje!

– Nie, nie twoje. Wodoleja, pangolina, pawiana...

– Co, znów wycieczka...?

– Uspokójcie się – poprosił kojąco Stefan. – Przecież nawet nie wiemy, czy to rzeczywiście on...

– A kto?! – warknęła Magda. – Amerykański prezydent? Ruski patriarcha...?!

– Nie wiem, jakie buty nosi ruski patriarcha...

– Postoły – mruknęłam. – Przetykane złotem. Gliny nam wiszą nad karkiem, zastanówmy się, mówimy prawdę, czy uzgadniamy zeznania?

– Jakie zeznania?

– Wszystkie. Dlaczego nas diabli przynieśli nad jeziorko o wpół do piątej rano, dlaczego dopiero teraz, skoro Julia już wczoraj przyleciała z alarmem, o tych dziewuchach z wycieczki, o karteczce wariatki, wrabiamy stażystę czy nie? Dlaczego sami, a nie najpierw gliny, dlaczego osobiście nie sprawdzamy czy to on...

– Bo nie jesteśmy bandą kretynów – przerwał mi Stefan. – Alternatywą jest łgarstwo, co niby mielibyśmy nałgać?

– O, jeśli o to chodzi, w pięć minut wymyślę ci całą epopeję, sama zeznam, że mi szepnął na ucho, że ma coś na oku, więc żeby go nie szukać, nie zaprzeczy już przecież, nieprawdaż? Przylecieliśmy o świcie bez kostiumów, żeby się kąpać, bo jesteśmy utajeni nudyści, stażystę nakłonimy, żeby się wyparł karteczki...

– Puknij się! – zaprotestowała energicznie Alicja. – To jest Duńczyk, trupem padnie, a powie prawdę! Poza tym zapomniałaś o Marzenie, jak jej przekażemy ten twój kryminał? A Julia? A Marianek?

Westchnęłam ciężko, od razu przekonana.

– Masz rację, Marianek zełga wszystko, ale też wszystko popieprzy, okaże się, że jest to morderstwo zbiorowe, popełnione przez nas po pijanemu, rzeczywiście lepiej nie ryzykować. Alicja, skąd do nich dzwonisz?

Alicja z wielką niechęcią, ale jednak myślała.

– Ktoś musi tu zostać i pilnować, dzień się robi, łażą tu czasami wędkarze, podobno przeważnie z drugiej strony, ale mogą przyleźć i z tej. Magda, mówisz po angielsku?

– Mówię. Nawet parę słów po szwedzku. Dziękuję, nie, przepraszam i zajęte potrafię powiedzieć. Zajęte, to przez jeden wychodek, gdzie się zamek zepsuł.

– Zajęte, bardzo dobrze, krzycz, że zajęte. Najbliższy telefon jest w domu wariatów, Stefan, jedziemy, ona go znajdzie...

Akurat, już widzę jak go znajdę, chyba że znów zabłądzę...

– To ty się puknij! – poleciłam w przypływie energii. – Najbliższy telefon jest o, tu, prawie stąd go widać! W turystycznym baraku!

– Tam nikogo nie ma, zamknięte...

– Mnie nie szkodzi, włamię się osobiście, oknem, drzwiami, czym chcecie. Możecie się odwrócić tyłem i nic nie widzieć, i nawet się nie wyprę, dożywocia mi nie dadzą, a karę zapłacę!

– Będzie miała okoliczności łagodzące – poparł mnie Stefan. – W razie czego pomogę ci, Alicja niech nie patrzy.

– A stażysta...?

– Zadzwonisz od razu i do niego. Masz jego numer?

– W domu.

– Zadzwonisz do domu, Elżbieta ci poda...

Nawet nie trzeba było się włamywać, jedno okno było uchylone, wlazłyśmy przez nie obie, Alicja i ja, ja wyłącznie dla towarzystwa i żeby w razie czego mogło być na mnie. Stefan został na zewnątrz, usiłując pilnować równocześnie Magdy i nas.

Gliniarze z Birkerød przyjechali po dwunastu minutach. Dwie sztuki.

W dwadzieścia cztery minuty później było ich znacznie więcej. Przy okazji sprawili mi prywatną satysfakcję, bo zawsze twierdziłam, że od Alicji do środka Kopenhagi można dojechać w osiemnaście minut, odrobinkę tylko mijając się z przepisami, no i proszę, potwierdzili mój pogląd. Może zresztą przyjechali z Hillerød, wszystko jedno, w każdym razie psa ze sobą mieli.

Pies obwąchał nas skrupulatnie, po czym udzielił informacji uczciwych i rzetelnych. Tu doszliśmy i ani kroku dalej, doniósł wprawdzie także, że do baraku wlazłyśmy przez okno, ale to jakoś nikim nie wstrząsnęło. Co do Julii, nie miał zdania, powiedział, że osobiście jej nie zna i nawet pieniek z mrówkami nie pomógł.

Pochwalili nas za powściągliwość. Zamiast latać wszędzie i wszystko zadeptać, odczekaliśmy cierpliwie w rozsądnym miejscu. Alicja nam to przetłumaczyła, bo wyraźnie na jej tłumaczenie czekali, i też zdobyła się na maksymalną cierpliwość, raz tylko lekko zgrzytnąwszy zębami. Wydobyli z trawy portfel, zajrzeli do niego bardzo ostrożnie i odczytali nazwisko z paszportu.

Nie poczuliśmy się zaskoczeni.

Zabezpieczywszy portfel, zajęli się dalszym ciągiem, z którego na pierwszy plan wybijały się obcasy. Dopiero w tym momencie zauważyłam, że są zdarte i zrozumiałam poślizg. Na leśnym podłożu, na mchu, na zdartych człowiek zjeżdża bez mała jak na nartach, na nowych mu trudniej. Może się potknął, źle stąpnął... a może go ktoś popchnął...?

Chyba nie musiał popychać. Stopniowo ukazał się cały ten dalszy ciąg wywleczony z trzcin i w pierwszej kolejności rzuciła się nam w oczy potylica, silnie zdewastowana. Kamieniem dostał, jak Boga kocham, dużym, porządnym, prawie kulistym kamieniem, obcasy na mchu pomogły, no i poleciał. Jeśli nawet jeszcze był żywy, jezioro załatwiło resztę...

Staliśmy dosyć blisko, kiedy obrócili go na drugą stronę.

Nie był w naszym typie, ani Magdy, ani moim, żadna z nas nie reflektowałaby na niego, ale ostatecznie, obiektywnie biorąc, obrzydzenia aparycją nie budził, facet jak facet, można było zrozumieć osoby, które się nim zachwycały. Każdy ma swój gust. Teraz jednak Magda jęknęła i odwróciła się tyłem, czyniąc nawet dwa szybkie kroki przed siebie, ja zaś czym prędzej zamknęłam oczy. Niestety, widok w nich został.

Pijawki. Znałam te ślady. Musiał wpaść do wody żywy, bo zdążyły na ucztę. Całymi rodzinami chyba i przepychały się między sobą, żeby zdążyć możliwie dużo skorzystać, po czym, rozczarowane, chociaż zapewne już nie bardzo głodne, odpadły. Co do małych rybek, również, zdaje się, zainteresowanych, nie miałam zdania, wiedziałam bowiem na pewno, że piranii w tym jeziorze nie ma, a rekinów tym bardziej. Poza tym działalność rekina delikatnością się nie odznacza...

– Są tu węgorze? – zainteresował się Stefan półgłosem.

– Nie wiem – odparła niechętnie Alicja. – Nie lubię ryb...

Ktoś zapytał po duńsku, czy rozpoznajemy osobę. Alicja przetłumaczyła niepotrzebnie, zrozumieli wszyscy i zgodnie odpowiedzieli, że tak, nawet stojąca tyłem Magda. Wobec tego nasze obowiązki zostały zakończone, mogliśmy sobie iść.

Okazało się, że nawet powinniśmy. Iść sobie do diabła i nie przeszkadzać w dalszej akcji. Po takim wizerunku pana Wacława nikt nie zgłaszał sprzeciwów.

*

Kwadrans po siódmej rano udało nam się dotrzeć do domu.

Elżbieta, Olaf i Julia jeszcze spali. Alicja rzuciła się na kawę i razem z tą kawą do telefonu. Numer hipotetycznego stażysty znajdował się na wierzchu, zadzwoniła czym prędzej.

Okazało się, że po pierwsze, nie jest to żaden stażysta, tylko doświadczony lekarz, który wie, co może mówić, a czego nie, a po drugie, jeszcze do niego nie dotarli. W Danii załatwia się wszystko spokojnie, powoli, ale systematycznie i lekarza razem z wariatką i karteczką z całą pewnością mieli w planach.

– A ty w ogóle im o tej karteczce mówiłaś? – spytałam podejrzliwie.

– Kto jest w łazience? – spytała wzajemnie, siadając na swoim miejscu przy stole.

Zrobiłam sobie porządną herbatę, taką na byka, dolałam odrobinkę mleka i też usiadłam przy stole.

– No, nie wodolej, to pewne. Magda. Powiedziała, że musi zmyć z siebie upiorne widoki.

– Myślałam, że patrzyła oczami. Owszem, chyba mówiłam, bo rzeczywiście spytali, co od wpół do piątej rano robimy nad jeziorem. Powiedziałam prawdę.

– Znaczy, że co?

– Że to tak ze zdenerwowania. Gość mi zginął, zamierzaliśmy doczekać białego dnia, ale nad jeziorem ktoś znalazł karteczkę i tak dalej. Owszem, wiedzą, że telefon był z domu wariatów, ale dom wariatów nie zając, nie ucieknie. Co robimy?

– Nie mam pojęcia. Wcale mi się nie chce spać. Ona może dostać szoku albo co.

Alicja doskonale wiedziała, że mam na myśli Julię.

– Może zadzwonić do Bertelsena? Mieszka najbliżej. Masz przy sobie jakieś pieniądze? Zwrócę ci...

Przypomniałam sobie, że Bertelsen jest lekarzem, słyszałam kiedyś jego nazwisko, wezwany prywatnie w trybie awaryjnym do Julii, cudzoziemki, będzie musiał otrzymać honorarium, Alicja w domu pieniędzy nie ma, w sklepach płaci kartami, ja przeciwnie. Jasne, że mam korony przy sobie, nie chce mi się ustawicznie latać do banku z czekiem, a wszystkie moje rozrywki wymagają gotówki, szczególnie wyścigi, jasne również, że uiszczę to całe honorarium ze śpiewem na ustach, wielkie mecyje, sto koron, najwyżej przy najbliższej okazji wyścigowej postaram się przegrać trochę mniej. Wzruszyłam ramionami.

– Zadzwoń na wszelki wypadek...

Stefan wszedł z ogrodu. Wszystkie drzwi, rzecz oczywista, były pootwierane.

– Dacie kawy? Alicja, zwracam ci uwagę, że ja trochę rozumiem po duńsku. Miałaś im dostarczyć jakąś rzecz Julii dla psa, zdaje się, że coś takiego obiecywałaś. Jeśli dostanę kawy, mogę do nich podjechać.

– Nie, że im dostarczę, tylko że mam, ile sobie życzą. Sami przyjadą i wezmą. Deszcz nie pada, pożaru nie ma, pies mało nerwowy. Dam ci kawy, jasne.

Zaczęła się podnosić, ale w tym momencie z łazienki wyszła Magda w szlafroku Elżbiety.

– Siedź, ja zrobię, sobie też, na drzemkę zdaje się nie ma szans. Chociaż, szczerze mówiąc, znacznie chętniej napiłabym się szampana, szkoda przesypiać takie piękne chwile!

– No to przecież nie teraz! – oburzyłam się ze zgorszeniem. – Lubię szampana, też bym się napiła, ale nie w tej chwili! Nie będziemy takie świnie, żeby pić same, Elżbieta z Olafem, wyrwani ze snu, szampana mogą nie docenić, a Marzena to co? Pies?

– Myślisz, że pies lubi...?

– Ja bym nie ryzykował – ostrzegł Stefan. – Przyjadą po tę garderobę wdowy i nadzieją się na szampańską orgię od rana, możemy im się wydać podejrzani.

– A w ogóle nie mam w domu szampana – powiedziała Alicja i podniosła się energicznie. – Dzwonię do

Bertelsena, bo on później może wyjść, i naradzę się z nim. Powiem o co chodzi i niech sam zadecyduje. Ona śpi?

– Śpi. Podsłuchiwałem pod drzwiami od strony atelier.

– Pewnie powie, że niech śpi jak najdłużej...

Skorzystałam z wolnej chwili i też skoczyłam do łazienki ożywić się prysznicem. Wyszłam przez korytarzyk okręcona ręcznikiem, ponieważ całą odzież miałam w pokoju, po czym, po krótkim namyśle, ubrałam się całkowicie na wszelki wypadek, bo co mi szkodziło. Alicja gawędziła z doktorem, nie kryjąc zakłopotania i zmartwienia, Stefan z Magdą naradzali się nad zakupem szampana, byle czego z takiej okazji pić nie będziemy!

Wtrąciłam się czym prędzej.

– Żaden problem, jak nie będzie w Birkerød, można skoczyć do Lyngby albo do Hillerød. Albo powiedzieć Marzenie, żeby przywiozła z Kopenhagi.

– Tak późno...? Ona dopiero po południu przyjedzie!

Stefan zadecydował, że też się umyje i nawet ogoli, żeby robić lepsze wrażenie, również na wszelki wypadek. Alicja odłożyła słuchawkę.

– On dokładnie tyle samo wie co i my. Niech śpi na razie, im dłużej, tym lepiej. Podał mi numery pacjentów, u których będzie, jeśli się obudzi, mam do niego zadzwonić i nic jej nie mówić, dopóki on nie przyjedzie. Nie wiecie przypadkiem, jak mamy do niej niczego nie mówić? Przecież będzie pytała! Udawać, że wszyscy ogłuchli? Gdzie ta kawa? Czy ja ją już wypiłam?

– Proszę, jak szybko człowiek uczy się w tym domu – mruknęła Magda i nalała jej kawy z dzbanka.

– Człowiek inteligentny – skorygowała z naciskiem Alicja. – To co zrobić? Schować się gdzieś?

– Uciec – zaproponowałam. – Zostawić tylko Elżbietę z Olafem, oni gówno wiedzą, może ich pytać do upojenia. Ale mnie się nie chce.

– Mnie też nie...

Natchnienie zaczynało we mnie rozkwitać, wsparłam je jeszcze jedną herbatką, teraz już bez mleka.

– No to kręcić. Ty będziesz dzwonić ze swojego pokoju do Bertelsena, a my będziemy kręcić. Opisywać całą drogę, jaką wszyscy przeszli... Zaraz! Ona przecież nie wie o karteczce i wariatce, poszła spać wcześniej!

– Trzeba uprzedzić tych śpiących, żeby im się przypadkiem nie wyrwało...

– Ona w ogóle nie wie, że nas diabli nad to jezioro zanieśli! Możemy jej powiedzieć, że gliny szukają, nie dzwonili jeszcze do nas i tyle...

– Że nie dzwonili, święta prawda...

O, jak zwykle, zła godzina tylko na to czekała. Zadzwonił telefon.

Stefan wyszedł z łazienki ogolony i świeżutki, Magda pozbyła się szlafroka Elżbiety i oblekła własne odzienie, zajrzałam do lodówki, rozważając szybką wizytę u kupca, wyjęłam nową sałatkę z makreli i mleko, a Alicja wciąż trzymała słuchawkę przy uchu, więcej słuchając niż mówiąc i czyniąc ku nam jakieś dość rozpaczliwe, jakby zaokrąglone gesty. Zaczęliśmy się w nią w końcu wszyscy wpatrywać bez słowa.

Zakończyła wreszcie tę niepokojącą rozmowę.

– Zaraz tu będą – powiedziała gniewnie. – Ruszcie się, mówię do was przecież, chcą kawałek Julii dla psa! Pokazuję, żebyście szukali, a wy jak pnie! Co tu zrobić, żeby jej nie obudzić? Skąd ja mam wziąć jej skarpetki, majtki, bluzkę?!

Ruszyło nas. Wejść do pokoju śpiącej osoby na paluszkach i podwędzić jej kawałek garderoby nie taka znowu wielka sztuka, dowcip polegał na tym, że drzwi od strony salonu okropnie zgrzytały przy przesuwaniu i ciężko chodziły, a sami postaraliśmy się zamknąć je porządnie, drzwi zaś od strony atelier szczękały klamką i skrzypiała przy nich któraś klepka w podłodze. Stefan poleciał do atelier i zrezygnował, wystraszony czynionym hałasem. Z drzwiami od korytarzyka było jeszcze gorzej, znajdowało się pod nimi coś, co okropnie szurgotało i Alicja dawno już zamierzała to wymieść, ale ciągle zapominała. Małe było. Samochód glin na ulicy już się zatrzymywał i wtedy pojawiła się nagle ziewająca Elżbieta.

– Słyszę, co się tu dzieje. Kota macie? Jej sweter tu leży jak byk.

Fakt, na poręczy fotela przy stole salonowym leżał żółty sweterek. Mały, letni... Żadnej z nas.

– Jesteś pewna, że to jej?

– Przecież nie Marianka. Na własne oczy widziałam, jak go z pleców zdjęła, zanim usiadła.

– I nikt inny na nim nie siedział?

– Ona sama siedziała. Potem poszła do stołu i zostawiła go. Chyba jakiś amok was opętał.

Ziewnęła jeszcze raz rozdzierająco i zniknęła w łazience.

Równocześnie wszedł pan gliniarz, zapukawszy grzecznie. Alicja cudem chyba zdołała opanować rozterkę na twarzy, bo z jednej strony miała obowiązek być zrozpaczona, przerażona i przygnębiona sytuacją, a z drugiej ulga z racji sweterka strzelała z niej fajerwerkiem. Zamierzała poświęcić na opakowanie swoją prawie najpiękniejszą foliową torbę, ale pan gliniarz jej torbą wzgardził, użył własnej, zabrał prezent dla psa i wyszedł.

Magda już stała z kawą nad filiżanką Alicji, trochę niespokojna.

– Słuchajcie, czy ona na pewno śpi? Tyle hałasu narobiliśmy, a ona śpi? Może umarła...? Może popełniła samobójstwo...?

– Samobójstwo nie wchodzi w rachubę – zaopiniowała Alicja stanowczo, siadając na swoim miejscu. – Nie miała powodu go popełniać. Nawet gdyby po naszym powrocie podsłuchiwała, nikt nie powiedział ani słowa o żadnym konkretnym wydarzeniu i aż się temu dziwię. Ale nie i koniec. A chora, jeśli jest, to na osteoporozę, a nie na serce.

– Może jednak sprawdzić?

– Śpi – powiedział Stefan. – Mówię wyraźnie, że podsłuchałem przez drzwi, jak próbowałem je otworzyć. Oddycha normalnie.

Usiadłam naprzeciwko Alicji z resztkami swojej herbaty.

– To i chwała Bogu, niech oddycha. Wobec tego teraz powiedz, co oni ci mówili tyle czasu, bo przecież nie o kawałku szmaty dla psa. Co to było? Jak ktoś chce coś zjeść, niech sobie znajdzie. No...?

Alicja westchnęła.

– No właśnie, pies. Strasznie dużo nagadał o wodoleju... czy słowotok jest może zaraźliwy? Wigoru miał w sobie tyle, że na trzy młodzieżowe imprezy by wystarczyło.

– Pies...?!

– Nie żaden pies, tylko ten pantalej... no, jak mu tam, pangolin. Latał jak z pieprzem, rzeczywiście wplątał się w wycieczkę, razem z nimi poszedł do góry...

– A pewnie – mruknęłam jadowicie. – Taki był spragniony gór, taka mu ta Dania była płaska...

– No i znalazł sobie himalajskie szczyty – prychnęła Alicja, zgodna ze mną wyjątkowo, bo niejednokrotnie, pchając wózki sklepowe, skarżyłyśmy się sobie wzajemnie, że Dania jest okropnie górzysta. – To całe wzniesienie tam, przez las, wynosi sześć metrów z drobnymi groszami, obliczyli, wiem na pewno.

– Ale zawsze góra, nie?

– Toteż czym prędzej skorzystał. Dolazł z nimi do parkingu, tyle tego parkingu co kot napłakał, na trzy samochody, potem się rozdzielili, to znaczy wycieczka się rozdzieliła, pies nie powiedział dlaczego, poszli dalej dwiema drogami, a on tak latał między nimi jak niezdecydowany jamnik. Odczepił się od nich wreszcie i zaczął wracać, ale strasznie dziwnie i chyba okrężną trasą. I chyba nie sam. Mam jeszcze kawę? A, mam... Nie, już nie mam. Miałam.

Magda z dzbankiem czuwała. Elżbieta wyszła z łazienki, wyjęła dla siebie filiżankę i podetknęła jej. Stefan okazał się operatywny, znalazł pieczywo, wetknął do tostera, znalazł ser i otworzył sałatkę z makreli. Wszyscy słuchali komunikatu od uprzejmej policji i jeszcze uprzejmiejszego psa.

Alicja westchnęła.

– Prawdomówni to oni są, ale brutalne podejrzenia z trudem im z ust wychodzą, zresztą powiedział, że pewności nie ma, w zasadzie najwięcej rozumie przewodnik psa. Podobno, wedle psa, pangolin... on mówił „Buki", to ck jakoś mu źle wychodziło... odbił tak z dziewuchą, a może z dwiema, i po drodze jakieś małe pitigrili sobie zafundowali...

– Co za pies...! – westchnęła Magda z nabożnym podziwem.

– Doświadczony – wyjaśnił autorytatywnie Stefan.

Alicja nie zwracała na nich uwagi. Najwidoczniej starała się wiernie przekazać informacje, bądź co bądź napawające troską ze względu na osobę pozostałą przy życiu.

– Dalej poszedł sam, z czego wynika, że dziewuchy się zmyły. I albo spragniony był spaceru, albo rzeczywiście zabłądził jak idiota, bo wystarczyło po prostu iść w dół...

– Nie mógł. Do gór go ssało.

– Wreszcie wrócił prawie do tego pieńka z mrówkami, kawałek od niego, zaczął złazić do jeziora i na tym się jego sukcesy wysokogórskie skończyły. Poślizgnął się, zahaczył o jakąś gałąź, myśmy żadnej gałęzi nie zauważyli...

– Nie patrzyliśmy tak porządnie jak pies!

– ...i przez to zahaczenie czy potknięcie poleciał do przodu.

– Rozumiem, że w potylicę dostał w trakcie lotu? – upewnił się Stefan.

– Tego pies nie mówił, potylicę miał gdzieś. Narzędzia jeszcze nie znaleźli, przypuszczają, że jest w wodzie, to nie górski potok, tylko spokojne jeziorko, więc powinno się znaleźć. Jeszcze dzisiaj zaczną szukać.

– I po drodze wyleciała mu karteczka. Ciekawe, gdzie ją trzymał...

– Czy mogłabym usłyszeć zakończenie? – spytała uprzejmie Elżbieta. – Poleciał razem z potylicą, a bez karteczki. I co?

– A rzeczywiście, przecież ciebie nie było...

– Głodna jestem – oznajmiła Alicja i odsunęła krzesło od stołu. – Powiedzcie jej całą resztę, bo ja muszę coś zjeść. Kto chce jajko?

– A mogą być dwa? – zainteresował się Stefan. – Albo nawet trzy? Najlepiej w postaci jajecznicy...

Kiedy wróciłam od kupca, bo do środka miasta nie chciało mi się jechać, z bardzo mieszanym asortymentem produktów spożywczych, przy stole siedział już i Olaf. Obydwoje z Elżbietą z wielkim zainteresowaniem oglądali zdjęcia Stefana, od niego uzyskując wyjaśnienia. Jajka, jak się okazało, wyszły całkowicie, właśnie były konsumowane, i słusznie kupiłam nowe.

– Julia co? – spytałam podejrzliwie. – Wpół do dziesiątej dochodzi, a ona ciągle śpi?

Elżbieta rzuciła okiem na zegarek.

– Za godzinę się obudzi. Dałam jej środek nasenny, bo ten jej proszek przeciwbólowy można sobie o kant tyłka potłuc.

– Nie dostała jakiej kolizji w sobie...?

– Za kogo mnie uważasz? Sprawdziłam, dokładnie ta sama grupa leków, tyle że jedno dla niemowlęcia, a drugie dla dorosłej, szczupłej osoby. Dziesięć godzin spokojnego snu. Ona niczego nie zażywa, bo gdyby zażywała, nie podziałałoby tak prawidłowo. Mówiłam, że te jej straszne bóle są zręcznie symulowane.

– Chcesz jajko? – spytała mnie pełna nowego życia Alicja.

– Jeszcze ci mało? Myślałam, że twój popyt na amatorów jajek został już w pełni zaspokojony.

– Mały zapas nie zaszkodzi. Skąd wiesz, kiedy się przytrafi następna okazja?

– No fakt, Hania ci już chyba nie przyśle…

– Po cholerę symuluje? – zastanowiła się Magda.

Elżbieta miała wiedzę rozszerzoną wcześniejszymi plotkami.

– Żeby się z nią cackać. Podobno szaleje za tym tutaj… – popukała w zdjęcie, wykonane przez Stefana ukradkiem – i trzyma go czym może. Teraz troskliwą opieką…

– Teraz to może nie. Przejdź na czas przeszły.

– Ja mogę, nie wiem jak ona. Coś między nimi jest… no dobrze, było… ale mnie to nie obchodzi, nie moja sprawa. Chciała go trzymać na krótkiej smyczy i tyle.

Zaczęliśmy rozważać sprawę. W zasadzie wszyscy podzielali pogląd Elżbiety, wtajemniczony językowo Olaf zapewne też, ponieważ kiwał głową, tyle że każdy miał własne dodatki i coś w rodzaju ozdobników. Najmniej odzywała się Magda, prawie cały czas milczała, wyglądając przy tym, jakby coś w niej bulgotało i lada chwila zamierzało wybuchnąć.

Żadnych wątpliwości nie budził tylko jeden element związku kochanków z Werony. Mianowicie fakt, że uwielbiany Romeo ciężki wstyd swojej Julii przynosił, skretynieniem bezdennym zionął i stanowił jedną monstrualną kompromitację.

Pogodziwszy się w punkcie podstawowym, natychmiast rozpoczęliśmy sprzeczkę o niuanse, odmiany i wszelkie inne rozmaitości, dotyczące wielkich uczuć. Miłość jest ślepa, małpi rozum swoje robi, kop po oczach byleś był, nieśmiertelna nadzieja, że uda się go przerobić, autosugestia czyni cuda, wiara góry przenosi i nie wiadomo, czy nie wyszedłby nam z tego cały podręcznik psychologii, ewentualnie encyklopedia idiotyzmów, gdyby nie to, że zadzwonił telefon. A równocześnie w pokoju z Julią dał się słyszeć ruch i w głębi korytarzyka coś szurgotnęło.

Zrywając się z krzesła, Alicja zdążyła przymknąć drzwi do kuchni i odciąć od niej korytarzyk. Stefan sięgnął ręką i podał jej słuchawkę.

W dramatycznych chwilach znajomość języków obcych zdecydowanie się wzmaga. Wszyscy świetnie zrozumieli, że dzwoni pan doktór, zmieniający miejsce pobytu i numery telefonów, i Alicja z szalonym zapałem zaprasza go natychmiast, czym prędzej, bo delikatna osoba właśnie się obudziła, a czekają na nią straszne wieści. Nie mamy pojęcia, co zrobić.

– Zaraz tu będzie – powiadomiła nas, masując sobie żołądek, odgnieciony na oparciu krzesła w pierwszej fazie rozmowy. – Po cholerę to tu stoi...? A, bo w ogóle jest więcej osób, rozumiem. Trzy minuty ma do mnie.

– Do łazienki weszła – doniosłam kojąco. – Przez chwilę tam chyba zostanie? O, woda leci! Trzy minuty mamy.

W życiu nie widziałam, żeby ktokolwiek w takim tempie zmył się z domu. Trzy sztuki błyskawicznie znikły nam z oczu, Magda, Olaf i Stefan. Olafa nad jeziorkiem nie było, Magda oświadczyła, że dość już obrzydliwości widziała i więcej nie chce, a Stefan stwierdził, że swoje zrobił, wystarczy. Zdjęcia zostawia, proszę bardzo. W bezpiecznym ukryciu.

Rzeczywiście, zdążyłam jeszcze spojrzeć, na półce pod oknem między kwiatami. Owszem, niegłupio.

Zdaje się, że odjechali dokładnie przed nosem doktora, który zaparkował na miejscu przed chwilą zwolnionym przez Stefana. Zostałyśmy we trzy, Alicja, Elżbieta i ja, i w chwilę potem doktór Bertelsen zapukał do drzwi.

Przypomniałam go sobie od razu, widziałam go już, sympatyczny blondyn w młodym średnim wieku, przez chwilę konferowali z Alicją w przedpokoju. Julia wyszła z łazienki przez kuchnię, zatrzymała się obok stołu. No, to teraz będzie fajnie, oni po duńsku, Elżbieta po szwedzku, my po polsku…

A skąd, pan doktór wysoko ukształcony, doskonane władał angielskim. Na myśl, że porozumie się bezpośrednio z osobą zagrożoną, doznałam ulgi nieziemskiej, bo trzeba przyznać, że nieźle mnie ta Julia gryzła. Dziwnie gryzła i jakby dwukierunkowo, ale jednak gryzła. Jakiekolwiek wady mógłby mieć najgłupszy bufon świata, kobieta może go kochać, nawet kobieta inteligentna. Uczynić sobie z niego grunt pod nogami, podstawę egzystencji i z chwilą utraty tej podstawy wszystko jej się sypie, bez swojego gruntu nie umie żyć i cześć.

W dodatku jednym kopem, niczym grom z jasnego nieba. Nie musi od razu dostać zawału, ale stresik niezły.

Z drugiej strony… Pangolin w roli kompromitacji bił wszelkie rekordy. Może uparła się go wychować? Może niezrealizowany jeszcze cel i sens życia wyskoczyły jej nagle z ręki? Może trzymała się kurczowo wysiłków rehabilitacyjnych tylko dla niego i teraz co…? Elżbieta wprawdzie obudziła solidne wątpliwości na owym zdrowotnym tle, ale symulacje i łgarstwa to jedno, a wielka miłość drugie…

Tyle udało mi się pomyśleć, kiedy Alicja bez słowa podsunęła Julii krzesło. A pewnie, jeśli w tej ciasnej kuchni zacznie mdleć, nie wiadomo jakiej szkody narobi, a doktór, oddzielony stołem, nie zdąży jej złapać. Julia spojrzała na Alicję, na mnie, na krzesło, na doktora i nie usiadła. Natomiast odezwała się.

– Czy już… coś wiadomo?

Z odpowiedzią nikt się nie wyrywał. Ponownie popatrzyła na wszystkich kolejno, z tym że pominęła krzesło i zatrzymała wzrok na Alicji.

– Owszem – powiedziała Alicja mężnie. – Ale przejdźmy tam, tu za ciasno.

Zabrzmiało to tak, jakby informacja była przedmiotem materialnym o potężnych rozmiarach, w żaden sposób nie mieszczącym się w kuchni. Julia uległa, nie wybuchła w niej nagle gadatliwość, w milczeniu i pod lekką fizyczną presją Alicji przeszła do salonu, usiadła na kanapie. Elżbieta skorzystała z tej króciutkiej chwili, zamieniła z doktorem trzy zdania, tak mi jakoś wyszło, że trzy, chociaż nie byłam pewna w jakim języku. W każdym razie cichym głosem, prawie pomrukiem.

Nie mając pojęcia, co zrobić, bo sterczeć i gapić się na gromem rażoną osobę wydało mi się zajęciem może i atrakcyjnym, ale nietaktownym i źle o mnie świadczącym, zastanowiłam się szybko na bazie: każdy sądzi według siebie. Skutek był dość okropny. W tempie przerastającym działania straży pożarnej zastawiłam średniej wielkości tacę kawą, herbatą, piwem, wodą mineralną, śmietanką, koniakiem, wrzątkiem w małym dzbanku, wrzątek uzyskałam z kuchenki mikrofalowej w ciągu dwóch i pół minuty, oraz naczyniami z gatunku kieliszków, szklanek, filiżanek, w co niewiadomym sposobem wskoczyły mi jeszcze popielniczka i widelec. Doktór powinien mieć natychmiastowe i trafne skojarzenie z domem wariatów.

Zaniosłam to na stół salonowy, udając, że mnie w ogóle nie ma, i wycofałam się na zaplecze, w okolicę miedzianego stołu, gdzie znajdowało się jeszcze jedno krzesło, a obfitość kwiecia osłaniała nieco siedzącą osobę. Moje gapienie się od razu stało się mniej nachalne, można go było nawet wcale nie zauważyć.

Julia przetrzymała wymianę fachowych informacji między Elżbietą i doktorem na temat środków przeciwbólowych, uspokajających i nasennych. Wypiła trochę wody mineralnej, przełknęła z wysiłkiem, odetchnęła i powiedziała:

– Wacław. Zaginął, ciężko ranny, czy… nie żyje…?

Milczenie panowało bardzo krótko. Przerwała je Elżbieta.

– Nie żyje – odparła drewnianym głosem. – Trudno, raz to wreszcie trzeba powiedzieć. Nie ma żadnych wątpliwości.

Julia ogólnie miała białą cerę, teraz szczególnie była blada, więc zblednąć bardziej nie dała rady. Ale jakby skamieniała. Doktór przyglądał się jej pilnie, bo wyglądało, jakby całkiem przestała oddychać. Z wolna silny rumieniec wypłynął jej na twarz, znikł stopniowo, złapała oddech, poruszyła się.

– Nie – powiedziała z jakąś straszliwą stanowczością.

Doktór, wchodząc, zamknął za sobą porządnie drzwi na klamkę, jak każdy normalny człowiek. Klamka Alicji nieco się zacinała. Za plecami usłyszałam rzęgoty, ale nie zwróciłam uwagi, odruchowo usiłując wykombinować jakieś antidotum na zaistniałą sytuację, ona nie uwierzy, nie zgodzi się, nie przyjmie do wiadomości... Nie podetknę jej przecież pod nos dzieła Stefana, wdzięcznych podobizn małżonka... Idiotyczna cecha charakteru, coś jest źle, trzeba natychmiast zaradzić, czy ja się kiedyś wreszcie od samej siebie odczepię...?!

– Nie! – powtórzyła Julia.

– Niestety, tak – poparła Elżbietę Alicja z mniejszą ilością współczucia niż można by się po niej spodziewać.

– Nie. Nie! Nie! Nie!!!

Nie wiadomo jak na taki protest reagować. Zapanowało milczenie. I znów:

– Niee!!! Niee!!! Niee!!!

– Ale co to nie, jakie nie, pół miasta widziało, nieboszczyk, że proszę siadać. Pierwszej klasy! A co, glin jeszcze nie ma? To jak to?

Istny grom z jasnego nieba. Przez tarasowe drzwi wchodził Marianek, bardzo zgorszony uporem Julii i rozczarowany nieobecnością władz śledczych. Na litość boską...! Jeszcze tylko jego nam brakowało! A ja tu, jak idiotka, z subtelnością i taktem...

W trzy sekundy później już naszego wołoducha nie było, nawet nie zdążył spojrzeć, co stoi na stole, wymiotłam go z salonu niczym trąba powietrzna. Dowlokłam aż do furtki i wypchnęłam na ulicę.

Bardzo grzecznie, używając dość licznych słów ściśle budowlanych, wyjaśniłam, że pani tego domu chwilowo gości nie przyjmuje i nie ma nadziei, żeby szybko zaczęła przyjmować. O żadnym pożywieniu mowy nie ma i nie będzie, doktór u pacjentów posiłków nie jada, a reszta osób pojechała żreć na mieście. Won stąd gnoju, do jasnej cholery, i było to najuprzejmiejsze zdanie, na jakie zdołałam się zdobyć.

Wystraszył się chyba głównie leksykonem, bo architektoniczno-budowlany jezyk odznacza się dużą barwnością i możliwe, że w pełni go nie znał, w każdym razie oddalił się dość dziarsko, obejrzawszy się w popłochu tylko raz. Odczekałam aż znikł mi z oczu i wróciłam do salonu.

No i proszę, znów Marianek wpłynął na rozwój wydarzeń. Nie wiadomo jak długo tkwiłby w Julii protest przeciwko rzeczywistości i jakimi środkami udałoby się go złagodzić, gdyby nie przerażająca prostota uroczej wypowiedzi, która padła z tarasu. Co to tam delikatnie opukiwać, walnąć młotem kamieniarskim i cześć. Można powiedzieć: samo życie!

O dziwo. Pomogło...

*

Kiedy tamci troje wrócili z miasta, starannie kryjąc za plecami torby ze szlachetnym napojem, doktora Bertelsena już nie było. Wnikliwie zbadawszy pacjentkę, pogodził się z jej odmową przyjęcia jakichkolwiek medykamentów, zostawił Elżbiecie instrukcje i fiolkę z czymś, nie odmówił honorarium i poszedł.

Wbrew wszelkim pozorom i oczekiwaniom Julia była twarda. Odzyskała swój normalny stan opanowania, wypiła kawę ze śmietanką, przeprosiła, że porzuca towarzystwo, ale chciałaby trochę pobyć sama, po czym udała się do swojego pokoju. Nikt jej nie stawiał przeszkód.

Odczekaliśmy, aż znikła ze zgrzytem zamykanych za sobą drzwi.

– Wszystko fajnie – powiedział z lekkim niepokojem powiadomiony już o medyczno-życiowych zabiegach Stefan, stawiając wreszcie torby z szampanem na stole – ale ten delikatny połgłówek miał rację. Gdzie właściwie policja?

– A co, tak ci zależy? – skrzywiła się Alicja. – Rany boskie, ile tego...? Kto to ma wypić? Przewidujecie także stypę?

– A niby dlaczego nie? – zdziwiła się Magda.

– Bo jak znam życie, to w zaplanowanym terminie do domu nie wrócę – wyjaśnił równocześnie Stefan. – Oni idą jak walec drogowy, podejrzani będziemy wszyscy. Wolałbym, żeby zaczęli wcześniej. Słuchaj, ty, zdaje się, masz tu jakieś chody, znajomości wśród glin. Może skorzystać...?

– Ja? – zdumiała się Alicja.

Obie z Elżbietą popatrzyłyśmy na nią z naganą.

– Pan Muldgaard – mruknęłam, niekoniecznie może z prawidłowym akcentem, ale za to wyraźnie.

Alicja zawahała się, zakłopotała, obmacała stół w poszukiwaniu papierosa, którego trzymała w ręku, zajrzała do filiżanki po kawie i znów się zawahała.

– No... Czy ja wiem... Nie wiem, czy to są chody. Oni są wściekle praworządni...

– Pan Muldgaard został przez nas cokolwiek zdemoralizowany – przypomniałam jej z naciskiem.

– Ale może już mu przeszło? Na jakimś wysokim stołku siedzi, awans dostał. Osobiście za trupami już chyba nie lata?

– Nikt mu nie każe latać, wystarczy, jeśli parę sekrecików wyjawi. Na razie tyle wiemy, co od psa, a i to nie wszystko, bo nowy materiał dostał i co dalej?

Alicja uporczywie zaglądała do pustej filiżanki, Magda połapała się w sytuacji, gorliwie zajęła się produkcją napoju niejako na dwie raty, oddzielnie dla niej od razu, gorąca woda do filiżanki... no, nie bardzo ona była gorąca, ta woda, ale Alicji na ukropie nie zależało... odzielnie w dzbanku dla ludzi, na co należało poczekać, bo czajnik paru chwil wymagał, Olaf dopchnął się do stołu z dwiema kolejnymi torbami, energicznym gestem z jednej z nich wyjął piwo.

– Pywo. Na piersi – oznajmił. – Siampan dwa!

Zrozumieliśmy bez trudu, że nie ma na myśli leku na różne drogi oddechowe, tylko liczbę. Proponowana kolejność wydała nam się rozsądna. Poparłam nadzieje Stefana.

– Co ci właściwie szkodzi zadzwonić do niego i pożalić się, że znów dramat, nic nie wiemy, bardzo jesteśmy przestraszeni, wdowa po zwłokach nam tu kamienieje, wszystko strasznie dziwne i może go zainteresuje? Cudzoziemca szlag trafił, zawsze to coś!

– Cudzoziemiec dla niego żaden rarytas – mruknęła Alicja, z kawą pod nosem od razu żywsza. – Przeważnie cudzoziemcy rżną się nożami na Nyhaven, Duńczycy mniej...

– Ale tu nie Nyhaven, tylko niewinne jeziorko. I znów twój gość!

– Do moich gości też raczej przywykł...

– Już odwykł. Miła odmiana. Dzwoń! Przecież cię przez telefon nie ugryzie!

– Bez telefonu, jak sądzę, też nie...

– A pies...?

Czas jakiś zajęło nam rozważanie, czy policyjne psy w ogóle gryzą, czy nie, a jeśli tak, to w jakich okolicznościach, zarazem pojawiła się kwestia chłodzenia szampana, cztery butelki w lodówce się nie mieściły w żaden sposób, chyba że wyrzucilibyśmy dwie trzecie zawartości, a koniecznie należało poczekać na Marzenę, ponadto wybór miejsca libacji...

– Cicho, nie drzyjcie się tak – upomniała nas Elżbieta. – Bo Julia tu przyjdzie!

– Zasłońmy szampana!

– E tam, zasłońmy, wielkie rzeczy! Powiemy, że Elżbieta z Olafem biorą ślub, mają termin i już nie można odwołać...

Wstrząs ogólny na te słowa szybko został opanowany, stanęło na zamrażalniku w atelier. Można było podnieść w nim temperaturę, z minus osiemnastu dochodząc aż do zera, dzięki czemu nie bruździły obawy, że napój zamarznie. Tyle że również panowała w nim ciasnota, Alicja została zatem przymuszona do zaplanowania obiadów co najmniej na trzy dni, usuwając kilka zamrożonych kamieni. Mamrocząc coś na temat pana Wacława, kiedy do cholery on przestanie wreszcie być kłopotliwy, bo nie dość, że za życia, to jeszcze i po śmierci, ze szczytową niechęcią podniosła się i wtedy oczywiście zadzwonił telefon.

Przeczekaliśmy grzecznie całą rozmowę po duńsku, zaciekawieni ogromnie, bo ton rozmowy był radosny. Acz zatroskany, osobliwa mieszanina. Dość długo to trwało, Alicja więcej słuchała niż mówiła, odłożyła wreszcie słuchawkę i popatrzyła na nas, tak zaskoczona, jakby nie wierzyła samej sobie.

– O wilku mowa. Wiecie, kto dzwonił? Pan Muldgaard.

– Telepatia! – ucieszyłam się.

– Sama jesteś telepatia. Nie żadna telepatia, tylko karteczka od wariatki. Tam było moje nazwisko i adres, więc na wszelki wypadek od razu go zawiadomili.

– Musiałaś im się nieźle zapisać w pamięci, skoro wiedzieli, że cię zna!

– Afera im się zapisała, a nie ja.

– I co powiedział? – zniecierpliwił się Stefan. – Bo nie wierzę, że same uprzejme wyrazy, tylu uprzejmych wyrazów w ogóle nie ma na świecie.

– Może bluzgał? – podsunęła życzliwie Magda. – Tego jest więcej.

– Coś ty, w Danii...?

Alicja już zdążyła wrócić do stołu i resztek swojej kawy.

– Powiedział, że na razie nic nie wie, ale jak będzie wiedział, to nam powie. Do tej pory zorientowali się już, że wariatka widziała buty i możliwe, że odgadła resztę człowieka, ale gówno ją to obeszło, nie dotykała, to jest wiedza od psa. Poza tym w gronie wycieczki była jakaś awantura, ale nie nad jeziorem, tylko na drugim końcu lasu, to w ogóle była wycieczka młodzieży głównie norweskiej. Pobili się chyba. Zdaje się, że właśnie do nich docierają, żeby ich przesłuchać, możliwe, że nocowali na dworcu głównym...

– Znaczy, dzieci milionerów – zaopiniowałam. – Dzieci milionerów uwielbiają taki sposób spędzania wakacji, pod mostami, na cudzych klatkach schodowych, na dworcach... Ale to przeważnie Amerykanie.

– Skąd wiesz? – zaciekawiła się Magda.

– Na własne oczy widziałam.

Stefan trwał przy swoim.

– A nas przesłuchać? Kiedy?

– Nie wiem, on sam osobiście nie uczestniczy, ale chyba zaczną już dziś. Czekają aż pies odpracuje swoje do końca.

– Dobra, na psa wpływu nie mamy, odwalamy obowiązki bieżące. Rozumiem, że do atelier przez ogród...? Alicja...

– Ale potem spokojnie napiję się kawy – zastrzegła się Alicja i porzuciła filiżankę.

W charakterze obiadu co najmniej na trzy dni musiały wystąpić dwie okropnie wielkie piersi indycze, gulasz wołowy na pułk wojska, trzy paczki lodów i przeszło trzy kilo mielonego mięsa mieszanego, z którego Alicja planowała zrobić kiedyś gołąbki. Zwróciłam jej uwagę, że znacznie mniej pracy wymaga zwykły klops, nadziewany jajkami na twardo i pieczony w piecyku, z lekkim żalem zatem z gołąbków zrezygnowała. Cały szampan się zmieścił.

– A spróbujcie tego nie zjeść! – powiedziała złowieszczo.

– W razie potrzeby zaprosimy Marianka. Nie wierzysz chyba, że go przepędziłam na zawsze i nigdy tu nie wróci?

– Taka optymistka to ja nie jestem...

– Lody na piersi? – zaproponował radośnie Olaf.

W ten sposób zasadnicze drugie śniadanko, czyli duński frokost, wystąpiło w postaci lodów, konsumowanych przez sześć osób, z których każda miała prawo do dowolnego wyboru dodatków. W grę weszły bita śmietana, piwo, dżem pomarańczowy, kawa, koniak, kawałki papryki, kawałki banana, sok pomarańczowy i czekolada w proszku. Nikogo nie zemdliło.

I przy tym osobliwym posiłku zastała nas Julia.

Przeszła przez korytarzyk i przez łazienkę, bo inaczej musiałaby się przeciskać za plecami Alicji. Przeprosiła.

– Strasznie ciężko się te drzwi przesuwają. Zawsze Wacław otwierał...

Dobrze, że wszyscy zdążyli już prawie cały przysmak wykończyć, bo inaczej lekkostrawne pożywienie stanęłoby nam kością w gardle. Nie wyszła we wdowich kirach i czarnym welonie, ubrana była normalnie, w dżinsy i szarą bluzeczkę z pomarańczowym szlaczkiem, ale to wspomnienie Wacława...

Do jedzenia na razie nakłonić się nie dała, przystała tylko na kawę ze śmietanką i wyjątkowo z cukrem, słusznie twierdząc, że kalorie to przecież w sobie zawiera. Pomilczała trochę, zgodziła się przejść do salonu, usiadła na kanapie i popatrzyła w dal. Twarz miała kamienną.

– Chciałabym usłyszeć całą prawdę. Wacław nie żyje, rozumiem. Jak to się stało? Czy to był... jakiś wypadek? Czy... ktoś to widział?

Całą prawdę, rzeczywiście. Szczególnie o tych figlach z dwiema dziopami, nie wspominając o pijawkach! Chociaż... cholera wie, może by jej to dobrze zrobiło...?

Magda została w kuchni, gorliwie symulując sprzątanie, Olaf wyszedł z piwem na taras, ale nie oddalał się zbytnio, trwał przy framudze, Stefan w zastępstwie nieboszczyka otworzył rozsuwane drzwi i na tym poprzestał, Elżbiety nad jeziorkiem nie było i nie miała nic do gadania. Odezwałabym się, gdybym pozostała ostatnią osobą na świecie, ale przy stole siedziała Alicja.

– Niewiele wiemy na razie – powiedziała bardzo spokojnie i łagodnie. – Policja jeszcze z nikim nie rozmawiała.

– Gdzie on jest? Czy ja go mogę... zobaczyć?

– W tej chwili chyba nie. Zajęła się nim medycyna.

– Czy to znaczy, że... robią sekcję...?

– Zawsze robią. We wszystkich nagłych wypadkach.

Przy każdym pytaniu Julia robiła wrażenie, że coś ją dławi i musi z tym walczyć, ale poza tym zachowywała spokój.

– Więc jednak to był wypadek...?

– Zdaje się, że nikt tego nie widział – rzekła Alicja trochę ni w pięć, ni w jedenaście i obejrzała się na Magdę. – Jest tam może jeszcze trochę kawy?

Szła im ta pogawędka jak z kamienia.

– Pywo? – zaproponował Olaf zachęcająco od drzwi tarasowych, wyciągając ku niej świeżo otwartą butelkę i Alicja się nagle złamała. Machnęła ręką.

– Dobrze, niech będzie piwo. To już daj i szklanki.

Julia trzymała się tematu, czemu raczej trudno się dziwić.

– Czy ktoś z was widział go... potem...?

Zlitowaliśmy się nad Alicją równocześnie, Stefan i ja.

– Tak. Owszem. Potem tak.

– Nie było miejsca na wątpliwości – dołożył Stefan sucho, powtarzając po Elżbiecie.

Julia patrzyła pytająco ze straszliwym naciskiem. Trafiła na mur oporowy. Czekaliśmy na jej konkretne pytania, bo prezentacja zdjęć pana Wacława POTEM nie wydawała nam się czynem właściwym i godnym pochwały.

Ratunek przyszedł z zewnątrz. Za drzwiami szczęknęło i ktoś zapukał, nie szarpiąc klamki. Magda w kuchni półgłosem powiedziała proszę, ale Alicję już poderwało z fotela, w połowie salonu wygłosiła zaproszenie po duńsku. W korytarzyku pojawił się facet, od którego wionęło policjantem, chociaż był po cywilnemu, wszedł dalej. Operował, rzecz jasna, językiem duńskim, ale takich prostych słów nikomu nie trzeba było tłumaczyć.

– Dzień dobry – powiedział. – Aspirant Gravesen. Czy pani Alicja Hansen?

– Tak, to ja – przyznała się Alicja.

Aspirant Gravesen trzymał w ręku dwie kartki.

– U pani mieszka pani Warbel?

Możliwe, że powiedział „u ciebie", a nie „u pani", ale takie subtelności językowe, jak dla mnie, stanowiły przesadę, w którą nie zamierzałam wnikać. Zaskoczenie Alicji przygasiło bez mała blask słońca.

– Kto?

– Pani Warbel.

W kuchni rozległ się głośny i długotrwały brzęk, a z nim razem jakby zachłyśnięcie. Magdzie wyleciały z rąk dwie popielniczki, na szczęście obie metalowe, podskakiwały przez chwilę na terrakocie. Alicja na uboczne dźwięki akurat była głucha, okiem nie mrugnęła.

– W ogóle nie znam pani Warbel…

– Ale to jest pani nazwisko i adres? – upewnił się aspirant i podał jej jedną z kartek.

Niech pierzem porosnę, kartka wariatki…! Alicja też to z miejsca odgadła.

– Owszem, moje, telefon też, ale naprawdę nie znam pani Warbel!

– To gdzie jest? Julia Warbel…

– To ja – powiedziała cicho Julia i zaczęła się z lekkim wysiłkiem podnosić.

Elżbieta siedziała obok. Nie pomogła jej, nawet nie drgnęła, przyglądała się tylko bardzo pilnie.

Julia wydostała się zza stołu. Teraz uwaga aspiranta przeniosła się na nią.

– Pani Julia Warbel?

– Tak.

– Czy mogę poprosić pani paszport?

Wciąż nikt z nas nie potrzebował tłumaczenia. Nie wiem, jak brzmią te słowa na przykład po chińsku, ale pytanie o paszport w dowolnym języku zrozumie chyba nawet burak pastewny. Julia nie zażądała powtórzenia po angielsku, w milczeniu skierowała się do sąsiedniego pokoju, korzystając z otwartych przez Stefana drzwi, nie zamykała ich za sobą, nie przejawiła najmniejszej chęci ucieczki, pojawiła się po chwili z torebką i wyjęła z niej paszport. Aspirant przyjął go z podziękowaniem i na chwilę oddał się lekturze, rzucając przy tym okiem na drugą kartkę.

– Pan Wacław Buki... Buceki... Buc...ki. To pani partner? Konkubent? Adres widzę ten sam.

Wszystko mówił po duńsku, ale zawsze byłam zdania, że wystarczy posługiwać się polskim słownikiem wyrazów obcych, najlepiej Kopalińskiego, i już człowiek wszędzie się dogada i wszystko zrozumie. Nikt nie tłumaczył jego słów. No i proszę, wychodziło na moje...

A równocześnie odezwała się pamięć. Króciutki błysk w oczach Julii, kiedy ten palant, ten pangolin, ten pawian, porąbany Romeo, chwalił się, że ach, on wolny ptak, żadnych więzów nie zniesie! Motylek, psiakrew, przestwór dla niego specjalnie stworzony!

Nie wzięli ślubu i to była jej podstawowa zgryzota...!

– Tak – powiedziała Julia.

– Przykro mi. Przepraszam. On nie żyje.

No i łaska boska, że powiedzieliśmy jej o tym wcześniej.

*

Kiedy przyjechała Marzena, trafiając akurat na spóźnioną nieco kaweoti, dysponowaliśmy już potężną wiedzą, ponadto wyjątkową swobodą. Po dość długiej rozmowie z aspirantem Gravesenem, który bez oporu przeszedł na język angielski, zastrzegając się tylko, że nie mówi po angielsku znakomicie, pani Warbel została, na własne zresztą żądanie, zabrana na rozpoznanie zwłok. Aspirant uprzedził, że to potrwa i zapewne trzeba będzie poczekać, bo nie jest pewne, czy patologia już swoje skończyła. Nie szkodzi, Julia się uparła. Na jej miejscu zapewne też wolałabym oglądać zwłoki, niż tkwić w gronie osób dotychczas, elegancko mówiąc, pozostawianych w błędzie. Może nawet w kilku błędach.

Wśród tych osób zaś Magda, znienacka odmieniona, jakby wstrząśnięta, gwałtownie spęczniała płonącą w środku dzikością, tajemniczym triumfem i wściekłym ogniem. Budziła niepokój, bo trudno było przypuścić, że taki wpływ wywarły na nią brzękliwe popielniczki, na pytające spojrzenia nie udzielała odpowiedzi, milczała i tylko jakieś iskry po niej latały.

Okropność.

Marzena, niepewna naszego stanu zaopatrzenia, przywiozła kiszoną kapustę, gotową do jedzenia, przyrządzoną trochę pod bigos. Pochodziła z tego samego źródła co pożarte już ciasteczka, dostarczył ją od mamusi kuzyn Kajtek i zapomniał o niej powiedzieć, odjechał, a kapusta została wśród chłamu urozmaiconego niczym sklep wielobranżowy.

– I wiecie, to jest cud! – mówiła Marzena prawie ze zgrozą. – Przecież mnie prawie wcale w domu nie było, albo tu, albo na próbach, albo na koncercie, to miało obowiązek się zaśmiardnąć! Łaska boska, że Werner musiał się przygotować do tego swojego wojażu, zaczął wcześnie, znalazł słój w różnym sprzęcie technicznym, nie wiedział, co to jest i co z tym zrobić, pomyślał, że może jadalne, więc wepchnął do lodówki. Dzisiaj znalazłam, nawet nie zdążyłam zagotować!

– Werner jest wielki! – ogłosiła Alicja z całego serca. – Na pierwszy ogień wypijemy jego zdrowie!

– Skoczę po napój – zaofiarował się Stefan. – Raz wreszcie mam prostą drogę.

– Wwalę od razu w ten średnio duży garnek, co…?

– Nie wiem, jak ten Werner, ale ona jest bóstwem – oznajmiła ogniście Magda, wciąż przyozdobiona dziwnymi iskrami, wskazując Marzenę palcem. – Miotam się po tej kuchni jak pijany karaluch, udaję, że coś robię, żeby się zasłużyć, żeby mnie Alicja nie wyrzuciła, a ona, popatrzcie, same jej ręce chodzą, wszystko wie, wszystko umie…

– Gówno wiem – skorygowała energicznie Marzena, podnosząc się od szafki z garnkiem w rękach. – Od wczoraj mnie nie ma, zbolałej wdowy nie ma, zamiast wdowy jest szampan…

– Cha, cha! Wdowy…

Stefan pojawił się właśnie w salonie z dwiema butelkami w rękach, pokonywał chyba schody w atelier jednym skokiem.

– Alicja, zrobiło ci się tam trochę miejsca…

– ...żądam natychmiast ścisłych komunikatów, co się tu działo, co tu było!

– Nie szybciej będzie w mikrofalówce...?

– Nie, trzeba zagotować mieszając. Można do mnie mówić w tym czasie.

Olaf musiał mieć świetny węch, przeniosło go nagle z końca stołu w kierunku Marzeny.

– Bigos? Bigos! Wodka? Siampan? Wsisko, polsk, fajn, myjedzia, pija!

– Będzie tak mieszał wódkę z szampanem? – zainteresowała się Magda, coraz żywsza i bardziej promienna z jakichś tajemniczych przyczyn.

– Niech miesza, co ci zależy – mruknęła pobłażliwie Elżbieta. – Piwem doprawi i nic mu nie będzie.

– Dziewczynki, dajcie trochę lodu, żeby to nie wystygło...

– Czy ktoś może wreszcie do mnie coś mówić?! – wrzasnęła rozdzierająco Marzena znad garnka.

– Coś ty powiedział? – przecknęła się nagle Alicja. – Że w zamrażalniku jest trochę miejsca...?

Byłam jedyną osobą, która okazała Stefanowi pełne zrozumienie, bo za ciepłym szampanem raczej nie przepadam. Udało mi się powypychać ich z kuchni kolejno i dotrzeć do lodówki, przy okazji Marzena zyskała nieco luzu dla łokcia mieszającej ręki. Mało ważne, co przy tym mówiłam, i tak dźwięki ginęły w tłoku. Wiedziałam, gdzie w kuchennej lodówce Alicji szukać lodu, znalazłam dwa odpowiednie naczynia, wrzuciłam do środka lód, utykając w nim butelki, przez pomyłkę wrzuciłam też zamrożone klisze, ale na szczęście Alicja ucieszyła się tak szaleńczo z odzyskanej w zamrażalniku przestrzeni, że nie zwracała najmniejszej uwagi na moje poczynania.

Czym prędzej podążyła do atelier i wepchęła tam z powrotem gulasz wołowy, do którego jakoś nie miała serca. Pozostałe produkty wydawały jej się sympatyczniejsze.

– Po wschodzie słońca – powiedziałam do Marzeny, która stanowczo zasługiwała na poważne potraktowanie. – Znaleźliśmy go po wschodzie słońca i sama obejrzysz to wszystko na własne oczy, bo Stefan cały czas robił zdjęcia, tam leżą, w kwiatkach, i pilnuję ich jak oka w głowie. O przebiegu wydarzenia w pierwszej kolejności opowiedział pies, a teraz już powiedział więcej, a jutro ma przyjść pan Muldgaard...

– Żartujesz...!

– A skąd! Sam dzwonił!

– No i...?

– Oni wcale nie mieli ślubu, Alicja zapierała się, że w ogóle nie zna takiej osoby, Julia dobrowolnie się przyznała, był gliniarz, chciał paszport...

W Marzenie wzrósł zapał do mieszania niedorobionego bigosu. Nabrałam obaw, że on się w życiu nie zdoła zagotować.

– To stąd te jej kadzidła w świętym ogniu pod stopami bóstwa...!

– I te słabości niedozrośnięte. A odwaliła taką trasę, jak ja w wieku lat siedemnastu, a może i lepiej.

Marzenie na chwilę sparaliżowało rękę, bigos zyskał szansę.

– Ty jaką?

– Po górach. Zwyczajnych, żadne turnie. Po ziemi to wychodziło przeszło czterdzieści kilometrów, ale tam się liczy na godziny...

– A ona ledwo się czołga?

– Toteż Elżbieta ma rację...

– Skąd wiadomo?
– Pies powiedział.
Bigos swoje szanse stracił.
– Kocham psy! – oświadczyła stanowczo Marzena, która niepojętym sposobem rozumiała wszystko, co do niej mówiłam. – Chcę to usłyszeć na spokojnie, po kolei i żebym się mogła upajać!
– Mieszaj może trochę wolniej...
Ktoś przygotował stół, siedem osób mieściło się doskonale, strzeliły dwa pierwsze korki od szampana. Dziwnie trochę szedł pod bigos, ale przy porannych pośpiesznych zakupach w rozpędzie zadbałam i o serki, a nikt tu nie zamierzał grymasić. Cześć i chwała dla Wernera zostały szybko odpracowane, po czym Alicja z niezwykłą u niej zaciętością wzniosła toast zasadniczy:
– No to zdrowie nieboszczyka!
Prawdopodobnie zostałoby to chętnie wypite nawet pod chińskie pędraki i korę z drzew iglastych. Marzena doczekała się wreszcie szczegółowej relacji od wszystkich razem, była to zatem relacja trochę mieszana, ale uporządkowały ją zdjęcia. Skoczyłam po pudło skryte w kwieciu, ilustracje miała przed oczami, ułożone we właściwej kolejności, każdy widok radośnie popijała szampanem. Stefan z osobliwą gorliwością starał się o opróżnienie butelki z termosu chłodzonego grzdylem z klisz fotograficznych, ustawicznie wszystkim dolewając i pozbawiając na razie Olafa polsk wodki. Później wyszło na jaw, że czym prędzej chciał się pozbyć owego grzdyla ze strachu przed Alicją, której tak skandalicznie zszargałam świętość. Udało mi się wtrynić ją na pierwotne miejsce prawie niezauważalnie. Prawie, bo Alicja, nie odwracając głowy, powiedziała.

– Skoro tam jesteś, wyjmij wódkę dla Olafa!

O grzdylu mowy nie było, wódkę wyjęłam i wróciłam na swoje miejsce tą samą okrężną drogą. Stefan pstrykał zdjęcia dla odwrócenia uwagi.

– Uspokójcie się już z tą sesją fotograficzną! – zdenerwowała się Marzena. – I mówcie co dalej! Pies dostał jej sweter i co?

– I okazało się, że zełgała – z dziką satysfakcją wstąpiła w szranki Magda. – O ho ho! Później więcej wam powiem, mnóstwo powiem, nareszcie coś zrozumiałam! Zdrowie psa! Nie dość, że przeleciała dwa razy więcej niż się przyznała, to jeszcze wlazła do lasu!

– Pod górę?!

– Pod górę. Tak jakby za swoim pawianem…

– Ale pies nie sprecyzował czasu! – przypomniała Alicja.

Mimo to zdrowie psa wypito chętnie.

– Toteż właśnie, nie wiadomo, zaraz za nim czy później. Ale tam, gdzie on wracał i zjechał na butach, też była, nawet wyżej była!

– A przy trupie?

– To jeszcze nie był trup – pouczyłam. – Trupa pijawki by nie tknęły. Żywy musiał być, w wodzie doszedł.

– Nic podobnego, krew tak od razu nie krzepnie, na przystawkę by zdążyły – zaprzeczyła Alicja.

Oburzyłam się.

– Pijawki to nie odrzutowce, a jasnowidzeń nie miewają! Nie czekają akurat tam, gdzie im coś pod nos wleci! A widać, że prawie do deseru dotarły, proszę, zobacz sobie na zdjęciu!

– Niezły temat pod szampana – pochwaliła filozoficznie Elżbieta.

– Deseru i tak nie mamy – powiadomiła ją Alicja z lekkim roztargnieniem, uważnie oglądając zdjęcie. – No może... Ale to już prawie trup.

– Na prawie się zgadzam. Trudno wyżyć z wklęsłym czerepem...

– Ciekawe, swoją drogą, ile czasu tak żarły – zastanowił się Stefan.

– Piły.

– Piły, wszystko jedno. O której dokładnie on zszedł z tego świata? Ktoś to wie? Powiedzieli? Alicja...?

Alicja skrzywiła się niechętnie.

– Jak zwykle mętnie. Prawdopodobnie między osiemnastą a dziewiętnastą trzydzieści. Teraz ją tam pewnie wypytują, co jadł i kiedy. Ciekawe, czy powie prawdę, jeśli to były byczki...

– Byczki zeżarł Marianek.

– Mogli mieć drugie. Mam tu medycynę patologiczną, poszłabym po nią, ale nie wiem gdzie leży. Wiem, że nie na wierzchu. Czy procesy trawienne ustają z chwilą rozwalenia łba, czy jeszcze lecą własnym rozpędem?

Nikt z nas nie wiedział. Marzena się zniecierpliwiła.

– No właśnie, łba! Mówicie, że to był podobno kulisty kamień. I co, znaleźli go?

– Donos z ostatniej chwili brzmi, że nurek szuka. Możliwe, że do tej pory już znalazł, ale nie chcą nas informować na bieżąco – westchnął z żalem Stefan i zajął się drugą butelką szampana. – Za to wiemy, że połapali uczestników wycieczki i już ich przesłuchują. Przeczucie mi mówi, że ze zdrowiem nieboszczyka nie należy zbytnio zwlekać, bo może wrócić małżonka, pardon, konkubina ofiary, a wtedy nie bardzo wiem, jaki toast powinniśmy wznosić.

Przekonał nas bez najmniejszego trudu. Olaf równie łatwo nauczył się nowych polskich słów, trup, pijawki i łeba, bo skoro łeb, wedle odmian gramatycznych musi być łeba. „Łba" to w ogóle nie słowo, brakuje mu drugiej samogłoski. Marzena wciąż miała niedosyt wiedzy, co nie przeszkodziło jej pomyśleć o wieczorze, kapusta podchodząca pod bigos została pożarta do imentu, serka tak znowu strasznie dużo nie było, przyjdzie chwila jeśli nie obiadu, to w każdym razie kolacji...

Nie miałyśmy głowy do klopsa, Alicja rozmroziła zatem piersi indycze, produkt niekłopotliwy, we właściwej chwili wepchnąć do pieca i spokój. Znacznie bardziej interesująca była kwestia czasu, co kto z nas robił w kluczowej chwili? Mamy alibi, czy też przeciwnie, będziemy podejrzani? Bo na upartego motywy mieli wszyscy. Nawet ja, chociaż faceta w życiu na oczy nie widziałam i nie słyszałam o nim, ale za Marię Rohacz mogła mi rączka skoczyć...

Zaczęliśmy obliczać i zapisywać, i wydarzenia zgrały się ze sobą prawie idealnie. Równocześnie szampan wyszedł do końca i w kilka minut później wróciła Julia, elegancko odwieziona przez pana aspiranta. „Prawie" dotyczyło alibi, które niestety zastopowało się w połowie drogi.

*

Ogólnie to całe popołudnie i wieczór otumaniły nas bardzo porządnie, bo aspirant Gravesen przybył w dwóch osobach, nie licząc Julii oczywiście. Julia charakteru i obyczajów nie zmieniła, kawę przyjęła, jeść nie chciała, przeprosiła i skryła się w pokoju telewizyjnym, wzmocniony aspirant natomiast wdał się z nami w pogawędkę, zapewniając, że nie jest to żadne oficjalne przesłuchanie, a zwyczajne zdobywanie odrobiny wiedzy, bo sami z siebie są jak tabaka w rogu. Nikogo nie znają, o nikim nie mają pojęcia, coś jednak muszą i któż im pomoże, jak nie grono najbliższych przyjaciół denata.

Tak w każdym razie brzmiało to w tłumaczeniu Alicji, która od siebie dorzuciła, że przez grono najbliższych przyjaciół zrobiło jej się trochę niedobrze i natychmiast żąda kawy. Julia dostała, a ona nie!

– Stoi na stole salonowym – zwróciła jej uwagę Magda, której pilnowanie kawy już chyba w nałóg weszło. – Chyba że wolisz, żeby siedzieli przy jadalnym stole i przy okazji zaglądali do kuchni?

– Nie, nie wolę.

Stefan, w miarę możności unikając zgrzytów, starannie domknął drzwi za Julią.

– Sama przecież mówiła, że nie ma do nich siły, nie…?

– Jak oni od nas usłyszą jedno słowo prawdy, to ja się tak zdziwię jak nigdy w życiu – powiedziała z miłym uśmiechem Marzena, dobijając do towarzystwa.

– Przestańcie wygadywać te głupoty, bo oni chcą, żebym wszystko dokładnie tłumaczyła! – zirytowała się Alicja. – Co mam im powiedzieć? Że gówno im powiemy?

Wtrąciłam się, chociaż wcale nie miałam takiego zamiaru. Idiotyczny charakter, znów to samo, jest problem, więc coś trzeba…

– Zdziwię cię teraz jeszcze bardziej niż Marzenę. Właśnie powiedz im prawdę, po pierwsze, o ile wiemy, Julia kochała go nad życie…

– Dlaczego mam od niej zaczynać?

– Bo z reguły pierwszym podejrzanym jest współmałżonek, obojętne której płci. Więc niech mają od początku. Po drugie, powinni nawiązać kontakt z polskimi glinami, bo my nie jesteśmy żadnym gronem przyjaciół, tylko przypadkową zbieraniną, a Buckich przysłali nam Hania i Zbyszek, którzy ich znają znacznie lepiej. Romeo i Julia pojawili się tu pierwszy raz. Hani i Zbyszkowi to nie zaszkodzi, bo ich tu nie było, a przedtem w ogóle ich nie było.

– Czekaj, czekaj! Rzeczywiście, dosyć rozumnie mówisz, zacznę im tłumaczyć...

Skorzystałam z chwili przerwy, żeby szybko spytać Stefana, czy go wrobić w bliższą znajomość, bo w końcu znał ich osobiście. Oni jego też. To co?

– Z twarzy, tak. Bywam w Polsce.

– Magda, a ty?

– Też z twarzy. I ze słyszenia. Przez ciotkę. Resztę zełgam osobiście, bo w całą prawdę nie uwierzą.

– No? Co dalej? – spytała niecierpliwie Alicja.

– Zapomniałam na czym stanęłam. A! Pięć osób nigdy wcześniej ich na oczy nie widziało, ty, ja, Marzena, Elżbieta i Olaf, pozostałe dwie sztuki, Stefan i Magda, natknęły się na nich w Polsce, ale tak ledwo co. Przypadkowa znajomość z twarzy i ze słyszenia, szczegółów nie znamy, bo nikomu wcześniej nie przyszło do głowy, że mogą okazać się ważne. A Julia połamana po katastrofie. Kropka. Więcej nie wymyślę.

– To i tak dużo – pochwalił mnie Stefan.

Alicja odpracowała tłumaczenie z wyraźną ulgą. Marzena do znajomości duńskiego nie przyznawała się wcale. Towarzysz pana aspiranta ujawnił nagle szalone zdolności językowe, swobodnie operując angielskim i szwedzkim, co natychmiast wzbudziło ogromne zainteresowanie Olafa, który raz wreszcie mógł się orientować w sytuacji na bieżąco. Stefana i Magdę wzięto w obroty równocześnie, każde z nich oddzielnie z racji komplikacji językowych, wciąż w atmosferze towarzyskiej konwersacji. Na Elżbietę spadło zatem tłumaczenie na stronie, ale wyłgała się z tego, maksymalnie streszczając.

Poszli w końcu, zaopatrzeni w nazwisko, adres i wszelkie inne dane Hani i Zbyszka i teraz nam przypadła rola tabaki w rogu.

Głównym elementem skomplikowanych uciążliwości, złagodzonych nieco przerwą na noc, rozkwitłych na nowo o poranku, był telefon. Alicja za wszelką cenę usiłowała dodzwonić się do rzuconych na pastwę śledztwa przyjaciół, co zdołała osiągnąć dopiero po północy. W przerwach między jej próbami przy telefonie miotała się Magda, gnębiona jakimś mętnym obowiązkiem wstrzymania druku czegoś, nie byłam w stanie połapać się czego, felietonu, artykułu, reportażu, wywiadu czy innej złośliwości, skierowanej przeciwko panu Buckiemu. Osobiście nie miała z tym nic wspólnego, z zawodu była dekoratorką wnętrz, ale kumpel w poważnej redakcji puszczał paszkwil pod jej wpływem, za jej namową i na jej odpowiedzialność, aczkolwiek jemu samemu sprawiał on także niezłą uciechę.

– Cholera, nam chodziło o żywego! – denerwowała się. – Po trupie jechać to nietakt, on jeszcze nic nie wie, to nie może iść teraz, rany boskie, przed jutrem zdąży… A w ogóle musi być wszystko inaczej!

Stefan wydzierał jej słuchawkę, bo też musiał, coś tam miało pierwszeństwo, dżentelmeńska umowa, nie ma prawa nawalić, musi natychmiast puścić informację, kumpel Magdy siedział w konkurencji, więc jedno przy drugim odpadało. W telefoniczne piekło co jakiś czas wdzierała się Julia, pojawiając się w korytarzyku z nieśmiałą prośbą o jakiś napój, zapraszana do towarzystwa odmawiała stanowczo i wracała do siebie, co nie zmieniało faktu, że przeszkadzała straszliwie. Trudno przy zbolałej żonie z pełną szczerością omawiać kwestię nagłego zejścia małżonka, cieszącego się powszechnie wyjątkową niechęcią. Alicja znielubiła go jeszcze bardziej, bo nie widząc innego wyjścia, musiała udostępnić im telefon w swoim pokoju i w rezultacie ugrzęźli tam wszyscy troje, wybiegając niekiedy dla zmniejszenia ciasnoty.

Alibi. Wciąż nie mogliśmy do końca omówić sprawy naszego alibi.

Na Marzenę spadła obiado-kolacja, którą zajęła się bardzo chętnie, twierdząc, że ciężkiej pracy myślowej nie wymaga, pozwala zatem uporządkować sobie poglądy na tematy życiowe i wiedzę na tematy śmiertelne. Może i dziwnie to brzmiało, ale miało swój sens.

Julia na kolację przyszła, uniemożliwiając nam kontynuację szampańskiej orgii, ale mało jadła i dość krótko siedziała przy stole. Usprawiedliwiła się.

– Jeśli zachowuję się głupio, przepraszam. Muszę uwierzyć w to, co się stało, a nie jest mi łatwo. Wolę czynić te wysiłki w samotności, co, jak sądzę, każdy zrozumie, dla wszystkich przy tym jestem krępująca, to widać... Proszę mi pozwolić... Dopóki sprawa się nie wyjaśni...

Nikt nie stawiał jej przeszkód, towarzystwo okazało pełne zrozumienie, napój w postaci herbaty i wody mineralnej zabrała ze sobą i natychmiast, o dziwo, spotkała nas nagroda, bo ledwo znikła w korytarzyku, pojawił się Marianek. Głowę każdy dałby sobie obciąć, że gdyby zdążył na wcześniejszą chwilę z całą pewnością do wyjaśnienia sprawy dorzuciłby komentarz własny w postaci wdzięcznej kropki nad i:

– Znaczy, póki nie złapią tego mordercy, co trupa z pijawkami utopił?

Który to komentarz wygłosił natychmiast po przyjściu.

Nie mogąc w obecności kretyna pogadać od serca, wróciliśmy wreszcie do kwestii alibi. Nasze „prawie", jak się okazało, było już bliskie końca, wszyscy znajdowali się w domu z wyjątkiem Marianka, który teoretycznie poszedł przerzucać kompost, znikł nam z oczu na resztę dnia i pojawił się z powrotem równocześnie z Julią. Nikt go przy tym kompoście nie szukał, mógł lecieć nad jeziorko, kropnąć pangolina i szybciutko wrócić, a sprawnością fizyczną z pewnością przewyższał małżonkę ofiary. Motyw też łatwo znaleźć, wręcz rzuca się w oczy.

– Żarł tak, że Mariankowi konkurencję robił, nie wytrzymał biedaczek i usunął rywala – powiedziała Marzena z życzliwym współczuciem.

Do Marianka w pierwszej chwili nie dotarło. Nawet na nią nie spojrzał.

– Coś robił tyle czasu przy tym kompoście? – spytałam tak brutalnie, jak tylko zdołałam, starając się zarazem dołączyć do głosu jad żmii zygzakowatej, więc właściwie nie było pewne, jak mi to wyszło. Chyba jednak lepiej niż Marzenie, bo na mnie Marianek spojrzał z lekkim przestrachem i zaczął się jąkać.

– No... Jak to... Tego... Przerzucałem...

– Pół dnia te parę łopatek?

– No tak... Nie... One, te... Tak wisiały...

– Te co wisiały i nawet te od sąsiada krowa by zeżarła w dwadzieścia minut. Co robiłeś? Poleciałeś nad jeziorko?

– Krowa żre mordą! – zdenerwował się Marianek.

– Co ty powiesz. A nie tyłkiem?

– Ona ma skórę! Taką na buty! A tam kolce okropne i drapie do kości...

– Znaczy, próbowałeś po resztę przeleźć przez żywopłot?

Alicja, która już zamierzała mnie skarcić, a gówniarzowi litość okazać, nagle zamknęła gębę. Jasne, że pchał się po dalszy ciąg uczty do sąsiada i możliwe, że coś połamał, skoro zieleń była nadwyrężona, i jasne, że ją od tego skręciło. Patriotycznie. Bo Polacy to wandale i złodzieje...

– Oświadczam ci, że zawiadomię policję o twojej nieobecności – rzekła tonem, któremu żadna z nas do pięt nie sięgała. – Im się będziesz tłumaczył. Wyjdź stąd.

– Ja... Ja się... Może... Odpoczywałem...

– Wyjdź stąd.

– Lepiej leć do siostry i spakuj sobie szczotkę do zębów, zapasowe gacie i piżamę – poradziła mu Marzena, wciąż życzliwie.

Marianek zgłupiał tak, że usłuchał. Tym sposobem udało nam się go pozbyć.

Zostali sami prawie niewinni i znów nam w paradę weszło to „prawie". Przy pierwszym poszukiwaniu zaginionego pangolina najpierw zniknął Marianek, potem Stefan, każdy z nich mógł się dobrze sprężyć i zdążyć, mieścili się w czasie przyjętym przez medycynę. Poza konkurencją pozostali tylko Marzena i Olaf, no i oczywiście osoby, które nie opuszczały domu, Elżbieta, Alicja i ja. No i Magda, przyjechała już po...

– Nic podobnego – powiedziała Magda z determinacją. – Lepiej wam się przyznam od razu. Przypłynęłam z Malmö w ogóle wcześniej, wcale się nie zatrzymywałam w Szwecji, jeszcze zdążyłam zrobić parę zakupów w Kopenhadze, w ostatniej chwili, bo już zamykali, tu też przyjechałam wcześniej i poszłam coś zjeść. W piwiarni w centrum Birkerød, głodna byłam jak hiena i wydawało mi się strasznie głupie lecieć do Alicji z takim rozwartym pyskiem na żarcie. Ale gdybym miała kogoś zabijać... no, może i chodziła po mnie taka myśl... to nie głupiego palanta, tylko tę jego sukę! Chociaż dopiero teraz wiem, że to ona!

Zanim udało nam się dokładnie pojąć jej osobliwe słowa, zadzwonił telefon i znów Stefan podał Alicji słuchawkę. Nie odgniatała już sobie żołądka oparciem krzesła, przedarła się dookoła stołu.

Pełną treść rozmowy poznaliśmy rzecz jasna już po jej zakończeniu.

– Aspirant Gravesen pytał, gdzie denat konsumował ostatni posiłek – powiadomiła nas. – Powiedziałam, że chyba nad jeziorem, razem z Julią, ale twierdzi, że było to dziwne i trochę tylko doszło czegoś normalnego. Naprawdę nie wiem co to było i nie będę zgadywać!

– Wielkie mi zgadywanie, młodzież norweska go czymś poczęstowała – rzekła wzgardliwie Marzena. – Ich niech pytają, a nie ciebie.

– Chciał się tylko upewnić, czy nie u mnie i czy rzeczywiście nie wiem. Nie podoba mi się ta młodzież norweska...

Została już przy telefonie, uparcie łapiąc Hanię i Zbyszka. Nie był to wieczór upojny.

Poranek też nie.

*

Śniadanie wyglądało tak, że Alicja nie miała nawet kogo zapytać, czy chce jajko, każdy pożywił się czymś na własną rękę i wszyscy się zmyli w rozmaite strony. Na ile zdołałam się zorientować, Alicja pojechała ze Stefanem osobiście uzupełnić zakupy, bo stan pożywienia w domu zaczynał wyglądać nietypowo i przestawał jej się podobać, Magdy i Marzeny w ogóle nie było, razem udały się późną nocą do Kopenhagi, Magda bowiem z wielką irytacją stwierdziła, że raz wreszcie chce do kogoś powiedzieć wszystko bez obaw, że zostanie podsłuchana, a Marzena miała wszak wolną chatę. Elżbieta z Olafem opuścili dom w ostatniej kolejności, ponieważ chcieli coś zobaczyć, możliwe, że Dragør, wyliczyłam ich na jakieś trzy do czterech godzin i zostałam sama z niemrawo budzącą się Julią.

Złe we mnie wstąpiło i ni z tego, ni z owego poszłam odpracować kompostowe błędy cholernego Marianka.

Łopata i widły leżały na właściwym miejscu. Roboty z przerzuceniem tej warstewki niepotrzebnej ziemi z jednego zasobnika do drugiego było tyle, że poważnie zaczęłabym podejrzewać Marianka o czyny zbrodnicze, gdyby nie to, że i morderstwa nie potrafiłby popełnić szybko. Musiałby ten Romeo podstawić mu łeb i długo czekać na efekt, ręce i nogi by mu w końcu zdrętwiały, ponadto ostry sprint w obie strony, nad jeziorko i z powrotem, to też nie było coś dla tego akurat złoczyńcy. Co nie przeszkadzało nieco go przestraszyć...

Z ciekawości spróbowałam dwie ostatnie łopaty przenieść z jednego miejsca w drugie w tempie, jakie zapewne stosował Marianek, ale nie dałam rady. Odrobina ziemi na lekkiej łopacie, transportowana centymetr po centymetrze, zaczynała nabierać jakiegoś tajemniczego ciężaru, po którym, słowo daję, co dziesięć minut musiałabym odpoczywać. Przerażające!

Tak mnie to zirytowało, że gwałtownie nabrałam chęci przesiania tej ziemi z ostatniego zasobnika i zrobiłabym to z pewnością co najmniej w połowie, gdybym znalazła ogrodnicze sito. Wiedziałam, że Alicja powinna je gdzieś mieć, tylko gdzie? W szopce obok? Nic z tych rzeczy, w szopce było drewno opałowe... na cholerę jej to drewno, skoro kominek nie działa...? ... dwa zdezelowane krzesła, przedwojenny kocioł do gotowania bielizny, mnóstwo ziemi w workach, mnóstwo różnych bulw, cebul i czegoś ususzonego, doniczki, korytka, zasobniki, poszarpany nieco słomkowy kapelusz z wielkim rondem, w ogóle wszystko z wyjątkiem sita.

Może gdzieś z tyłu...? Zajrzałam z tyłu, nie było. Może z drugiej strony, w zielsku, w krzakach, w pokrzywach...? Przeszłam na drugą stronę. Błąkałam się po tych krzakach delikatnie, unikając pokrzyw, aż mi w końcu cała złość przeszła i chęć przesiewania również. Otarłam pot z czoła i postanowiłam odpocząć. Wylazłam z zarośli.

Spojrzałam w kierunku domu.

Znajdowałam się w jedynym miejscu, z którego widać było wejście do atelier i prowadzącą ku niemu ścieżkę. Nie był to widok rzędu panoramy ze szczytu górskiego, zaledwie wąski pas pomiędzy krzewami, który kończył się razem z klombem, dalej już ścieżka zakręcała i prowadziła pod górkę, w stronę tarasu. Głębi ogrodu stamtąd widać nie było, mnie tym bardziej nie, a moją gębę zasłaniały patyki, gałązki i liście.

Spojrzałam i zastopowało mnie radykalnie.

Z atelier na ścieżkę wyszła Julia. Musiała stwierdzić przedtem, że dom jest wyludniony, bo najwyraźniej w świecie czuła się swobodnie. Przeciągnęła się, zrobiła kilka energicznych skłonów i skrętów, a potem wykonała coś, co zawsze nosiło nazwę gwiazdy i co również umiałam zrobić w wieku lat szesnastu, na nadmorskiej plaży. Do końca ścieżki trzy jej wyszły i tak samo trzema gwiazdami wróciła pod drzwi. Następnie mostek i przerzut na rękach, a tego już nie potrafiłam zrobić nigdy. Odpracowała kilka innych ćwiczeń gimnastycznych, trochę przysiadów, trochę rozmaitych wymachów, kilka ognistych piruetów niczym w dziarskim oberku, zakończyła rozrywkę energicznym truchcikiem po ścieżce tam i z powrotem, zawahała się i ruszyła w kierunku tarasu.

Stałam jak pień, osłupiała i przepełniona lekką zgrozą. To tak wygląda jej niedołęstwo, nieporadność, inwalidztwo i straszne bóle...? Na kiego grzyba jej ten kant...?!

Zastanawiałam się, co tu zrobić, żeby nie ujawnić przed nią swojej obecności, ponieważ nagle zaczęłam się jej zwyczajnie bać. Za wszelkę cenę ukryć fakt, że ją widziałam! Elżbieta miała rację, to jest zdrowa baba w doskonałym stanie i z niepojętych powodów robi z siebie zramolałą kalekę... Nie, coś nie tak, z powodów dotychczas owszem, pojmowanych i nawet zrozumiałych, a niepojętych dopiero teraz. Bo niby komu chce oczy mydlić, nam…? Do czego ma jej służyć ta niesprawność fizyczna? A po swoim pangolinie, bez którego podobno żyć nie może, coś mi się widzi, rozpacza dokładnie tak samo jak na przykład ja, nie wspominając już o Elżbiecie i Magdzie…

Julia zajrzała z tarasu do salonu i weszła do wnętrza. Ułatwiła mi zadanie, natychmiast przekradłam się pod leszczyny, aż do białego stolika z krzesłami, ruszyłam dalej, już byłam blisko dziedzińczyka i omal się na nią nie nadziałam. Wyszła przez oficjalne drzwi, wyjrzała za furtkę i poszła aż do ulicy, jakoś ostrożnie i rozglądając się, jakby chciała sprawdzić, czy na pewno nikogo nie ma. Wróciła do domu biegiem, prezentując olśniewającą sprawność fizyczną, po chwili wyszła z walizką i wypchaną torbą turystyczną i bez widocznego wysiłku zaniosła oba ciężary do samochodu. Trzasnął bagażnik.

Skorzystałam z tej chwili.

Zdążyłam na dziedzińczyk i dopadłam komórki. W komórce mogłam już siedzieć do uśmiechniętej śmierci, nie robiąc nawet żadnego hałasu i symulując intensywne poszukiwania. Widać z niej było jedno drzewo, kawałek żywopłotu i nic więcej.

Co do hałasu, nie ja o nim zadecydowałam. W pośpiechu potrąciłam jakiś drąg, drąg przechylił się i zepchnął z haka klucz francuski, klucz zaś wpadł do wiaderka, służącego jako skrzynka listowa. Po czym wszystko razem zleciało na betonową podłogę. Rzeczywiście, udało mi się nie narobić hałasu.

Zaczęłam zbierać ten brzękliwy śmietnik, wdzięczna losowi, że przynajmniej nie urwał się pałąk wiaderka, kiedy Julia pojawiła się przed wejściem.

– Coś się stało? – spytała niespokojnie.

Byłam tak zbulwersowana, że musiałam ukryć prawdziwe uczucia pod pozorem irytacji na hałaśliwe przyrządy.

– Nic się nie stało. Cholera, okropnie tu ciasno. Szlag niech to trafi, gdzie jest ta przeklęta siatka?!

– Nikogo nie ma...?

– Co...? Nikogo. Pojechali w różne miejsca, zostałam sama na gospodarstwie – i pewna, że ona następnego pytania nie zada, dodałam czym prędzej: – Do diabła z tym parszywym Mariankiem, chciałam przesiać ziemię, którą Alicji spaskudził, ale nie mogę znaleźć siatki do przesiewania. Nie wiem gdzie ona ją trzyma, powinna być tu. Już odwaliłam robotę za tego gówniarza i szlag mnie trafia!

Po tej ziemi, szopce i składziku brudna byłam beznadziejnie, intensywne poszukiwania nie miały prawa budzić wątpliwości. Zabrałam korespondencję z wiaderka, powiesiłam je z powrotem na haku, który się nieco obluzował, i ruszyłam do domu.

– Muszę się umyć. A...! Może pani coś zje, w kuchni stoi kawa w termosie...

– Dziękuję bardzo, dam sobie radę.

W to nie wątpiłam, chociaż znów zaczęła poruszać się jak pokraka. Gdybym miała ją obsługiwać, tknąłby mnie paraliż, to pewne. Na szczęście widać było, że umyć się muszę koniecznie i jeszcze chyba nigdy w życiu nie myłam się równie długo, dokładnie i starannie jak tym razem. W łazience udało mi się doczekać powrotu Alicji i Stefana.

Krótko po nich nadjechały Marzena z Magdą, Magda jadowicie zacięta, płonąca jakąś tajemniczą mściwością, Marzena wielce wzburzona. Julia, jak na złość, zrezygnowała z samotności i na żadną rozmowę nie było szans. I tak z wyjawieniem tajemnicy jej osobliwego stanu zdrowia zamierzałam poczekać na Elżbietę, ale byłam niebotycznie ciekawa, co wstrząsnęło dziewczynami. Z pewnością Magda zdradziła Marzenie źródło swojej wczorajszej odmiany nad popielniczkami i co mi z tego, ciekawość musiała zaczekać. Jedyne co mogłam osiągnąć, to odseparować na chwilę Alicję od reszty towarzystwa, ględząc mętnie o kluczu francuskim w komórce.

Poszła ze mną.

– Co my z nią zrobimy, jak pan Muldgaard przyjedzie? – spytałam bez wstępów. – Będzie obecna?

– Jaki klucz? – spytała na to Alicjia.

– Francuski. Hydrauliczny. O, ten.

– A co on tu robi?

– Leży. Śpiewa. Czyta książkę. Po cholerę wieszasz takie żelastwo pod stropem, przecież to może kogoś zabić albo chociaż nogę przytłuc!

Alicja spojrzała w górę,

– Za mała odległość, nie nabierze impetu, no, może do nogi. Nie wiem, ja go nigdzie nie wieszałam. Myślisz, że twardo zostanie aż do jego wizyty?

– Mam takie obawy. Co zrobimy?

Alicja opuściła komórkę, natychmiast zapominając o kluczu.

– Pojęcia nie mam. Nic chyba. Niech on się martwi. Albo ona, trudno, najwyżej usłyszy parę nieprzyjemnych słów, jej problem. Ja akurat nic na to nie poradzę.

– Trochę to nieludzkie, ale może masz rację...

– Ja zazwyczaj mam rację. Zjadłabym coś. Ty nie?

Elżbieta z Olafem wrócili zgodnie z naszymi przewidywaniami, parę minut po trzeciej, akurat na kaweoti. Julia zdecydowała się usiąść ze wszystkimi przy stole i pojawił się kłopot, zabrakło miejsc. Nikomu się nie chciało znów odczepiać stołu od ściany i rozciągać na środku salonu, Alicja zdecydowała się zatem przenieść posiłek do części całkowicie salonowej. Zważywszy, iż blat stołu salonowego tworzyły drzwi ogrodowe z drewna tekowego, solidnych rozmiarów, wystarczyło tylko wysunąć go nieco spod kwiecia, zastawiając całkowicie przejście do pokoju telewizyjnego, i już mieściło się prawie swobodnie dziesięć osób. Julia mogła latać do siebie dookoła, przez kuchnię i korytarzyk. Jakoś powolutku przestawały ją otaczać wyjątkowe względy i wyglądało na to, że egzystencja zaczyna wracać do normy. Sztywnej bo sztywnej, ale normy.

Doznałam wrażenia, że ona chce się od nas czegoś dowiedzieć, właściwie wszystkiego dowiedzieć, ale charakter nie pozwala jej zadawać pytań. Tkwi w niej obawa, że pytaniami może zbyt wiele powiedzieć o sobie, a tego za wszelką cenę stara się unikać. O co tu chodzi? Co za cecha jakaś dziwacznie uporczywa, skrytość...? Skrępowanie...? Nieśmiałość...? Niby ludzka rzecz, zdarza się, ale do tego stopnia...?

Ocknęły się we mnie wszystkie wady przodkiń, przekora, upór, protest przeciwko presji, zapewne także złośliwość i co tam jeszcze one mi przekazały w spadku, dobre serce po przodkach płci odmiennej starannie udeptałam pod stołem Alicji i postanowiłam, że nic nie powiem. Na konkretne pytania odpowiadać mogę, sama z siebie ani słowa!

Konsekwentnie zamilkłam. Wiara w rozpacz Julii po pangolinie uleciała w siną dal, może i był jej do czegoś potrzebny, ale kompromitował na każdym kroku i ją, i siebie, wnioskując z radosnych pląsów gimnastycznych może w ogóle czystej ulgi doznała, kiedy go szlag trafił? A za skarby świata się do tego nie przyzna, nie wypada, nieprzyzwoite zgoła, wymagałoby wyjaśnień, bo po cholerę tak się go kurczowo trzymała...?

Zamyśliłam się tak, że dopiero po długiej chwili zauważyłam, że prawie wszyscy poszli za moim przykładem. Zamilkli. Rozmawiały ze sobą tylko trzy osoby, Olaf, Elżbieta i Stefan, normalnie, jak ludzie, tyle że po szwedzku. Nie przeprosili, nie pisnęli nic na temat języka, rozmawiali spokojnie, jakby nas wszystkich wcale nie było.

W tę nad wyraz taktowną sytuację po długiej chwili wdarła się z równie taktownym pytaniem Marzena.

– Czy policja podała pani wczoraj szczegółowe wyniki sekcji?

Przy kawce, serku z orzeszkami i kruchych francuskich ciasteczkach zabrzmiało to szczególnie wdzięcznie, całkiem jak ten deser pijawek przy szampanie. Julia jednakże była twarda, nie drgnęła nawet, nie zmieniła wyrazu twarzy.

– Nie.

Nad wyraz wyczerpująca odpowiedź.

– A kiedy zamierzają podać? Powiedzieli?

Błąd. Ostatniego słowa nie należało dorzucać. Ułatwiła Julii.

– Nie.

– Szkoda. Byłoby wiadomo coś więcej. Może pan Wacław miał jakiegoś wroga?

Matko jedyna, co te dziewczyny sobie wzajemnie nazwierzały?! Marzena, czyste złoto, miód pszczeli, serce na dłoni, a teraz nagle podstępnym jadem tryska, w dodatku głosem słodszym chyba niż dźwięk jej harfy! Nie mam słuchu, ale, do licha, harfę i ukulele od orkiestry dętej odróżnię, musiało ją zdrowo dziabnąć, no nie, trzeba chyba będzie latać do kompostu parami, żeby sobie naplotkować w cztery oczy, bo innego wyjścia nie ma.

Ci troje, po szwedzku, też na chwile zamilkli.

O rany, a może ja świnia jestem, a ta dziewczyna naprawdę cierpi i tylko charakter ma jakiś wypaczony, może trudne dzieciństwo za sobą...

I trudne dzieciństwo za nią tak gwiazdę *sześć* razy robi...?

Alicji grzeczność zrobił telefon. Zadzwonił.

Na ile ją znałam, a ładnych parę lat miałyśmy za sobą między innymi we wspólnym miejscu pracy, w zaistniałej sytuacji trzymała się z wysiłkiem. Miły uśmiech uprzejmej gospodyni zastygł jej na twarzy, też milczała, ale doskonale wiedziałam, że jest to osobista akcja ratunkowa, zamyśliła się na jakiś inny temat i realia przestały do niej docierać, ale jak długo można...? Telefon dostarczył nowych sił.

Od pierwszych słów odgadłam, że z drugiej strony ma Hanię. Odebrała w salonie, nie w swoim pokoju, też błąd. No trudno, postanowiłam, że zachowam się jak świnia, Alicja zerwie ze mną wszelkie stosunki, wyjadę już dziś... Nie, dziś nie pozwoli mi policja, no dobrze, zamieszkam w hotelu w Birkerød, gdzie nigdy nie ma miejsc i trzeba latać po schodach, zamieszkam u Marzeny, na przyszłość coś sobie znajdę...

Zerwałam się z miejsca i udałam się do świętego pokoju pani domu spokojnie i bez pośpiechu, po drodze zwolniłam jeszcze bardziej, łypnęłam parę razy oczami, wskazując kierunek, pocieszył mnie jej wzrok, zrozumiała, dokąd idę i po co, i zaaprobowała to spojrzeniem, znalazłam tę ruchomą słuchawkę.

– ...ja nie wiedziałam, naprawdę – mówiła Hania płaczliwie, zgnębiona bezgranicznie. – Byli u nas dzisiaj, Zbyszek tam z nimi pojechał, nie, nie jest podejrzany, ale kazali mu sprawdzić, kto tam z nimi miał jakieś zadrażnienia... Nie miałam pojęcia o niczym, jej ciotka, to okropna osoba, mówiła takie rzeczy... Ona była gnębiona od dzieciństwa, a on taki wspaniały, wystrzałowy, może ja jestem głupia, ale wierzyłam we wszystko i tak chciałam, żeby ona mu też jakąś wspaniałość okazała... Nigdy mu się nie udało wyjechać na Zachód i w ogóle gdzieś dalej, jakaś Bułgaria, jakiś Krym... i nic więcej, więc niech ona... Bardzo, bardzo cię przepraszam...

– Nie szkodzi – powiedziała Alicja. – Drobiazg.

Znalazłam przztyk do rozmowy. Włączyłam się. Ryzyk-fizyk, wola boska, co będzie, to będzie.

– Haniu – powiedziałam. – Było w tym coś poważnego? Jakieś świństwo, jakaś krzywda, którą on komuś zrobił?

– Joasiu, ach, jak to dobrze, że tam jesteś, bo ja już sama nie wiem, jak Alicję przepraszać, to wszystko dlatego, że nas nie było, on jakieś upoważnienia wykorzystał i coś za kogoś podpisał, o twórczość chodzi, to stary człowiek, jego wnuk podobno powiedział, że go zabije, bo prawnie może się najwyżej wypchać i podobno właśnie pojechał do Danii...

Alicja była w salonie słyszalna. Ja nie.

– A jak on się nazywa, ten wnuk? Może wiesz?

– Zgadzam się – powiedziała Alicja, co zrozumiałam właściwie.

– Boże drogi, nie wiem, bo to po żeńskiej linii, ale na imię ma Arnold, no, tak go nazwali, bardzo energiczny chłopiec…

– Zaraz. Nie Zygmunt?

– Jaki Zygmunt?

– Siostrzeniec niejakiego Stankowicza?

Hania wydawała się nieco zdezorientowana.

– My znamy Stankowicza, to doskonały pisarz, zawał miał podobno, ale już wraca do zdrowia. Nic nie wiem o żadnym Zygmuncie, chociaż może i ma takiego siostrzeńca…

– Ale wiesz o Arnoldzie, który ma dziadka. W jakim jest wieku? Arnold, nie dziadek. Skandynawską młodzież zna?

– Ależ tak, oczywiście, oni się ciągle wymieniają w ramach czegoś tam młodzieżowego, studia, sport, turystyka… I języki zna!

– Zrób nam grzeczność i dowiedz się, jak on się nazywa, wnuk pisarza, znaczy dziadek to pisarz?

– O, tak, tłumaczony…

– To już drugi – zauważyła cierpko Alicja.

– Trzeci – skorygowałam. – Płeć nie ma znaczenia. Niech Zbyszek znajdzie nazwisko tego Arnolda. Alicji przyjemność zrobisz…

Przez ścianę, na szczęście, Alicja nie mogła zabić mnie wzrokiem, nawet gdyby jej się moje wypowiedzi bardzo nie podobały. Hania ucieszyła się nieziemsko, że może jakoś zrekompensować stworzone nieprzyjemności, wspólnymi siłami udało nam się zakończyć rozmowę. Wyszłam z pokoju, spotkałyśmy się w progu salonu.

– To miało swój sens – powiedziała Alicja łaskawie. – Mówiłam, że nie podoba mi się ta wycieczka młodzieżowa, narodowość obojętna…

Doznałam ulgi.

I natychmiast potem ulgi doznali wszyscy, bo przyjechał współpracownik aspiranta Gravesena i zabrał Julię, której zeznania okazały się niezbędne w sprawie ostatniego posiłku ofiary...

*

Pan Muldgaard, którego poznałyśmy kilka lat temu przy okazji zbrodniczych ekscesów w domu Alicji, pieczołowicie kultywował znajomość języka polskiego, korzystając z każdej nadarzającej się okazji, a raz nawet udało mu się spędzić długi weekend, czyli całe cztery dni, w Polsce. Niestety, w Świnoujściu, gdzie liczba napotkanych Szwedów, Norwegów, Duńczyków, Niemców oraz Szkotów zdecydowanie przerastała liczbę Polaków. Mniej więcej dwudziestokrotnie, bo ich również długi weekend dotyczył.

Na samym wstępie wizyty zaznaczył z naciskiem, że znajduje się u Alicji całkowicie prywatnie, odwiedzając starych przyjaciół i zawierając nowe znajomości. Na dowód tej prywatności zgodził się skonsumować coś w rodzaju skromnego podwieczorku, z czego wyraźnie wynikało, że pan Wacław nie od trucizny zginął.

Dodatkową przyjemność sprawiał fakt, iż w chwili, kiedy upragniony gość zapukał do drzwi, niepożądanych osób nie mieliśmy na horyzoncie.

Okazawszy mieszane uczucia, wielką radość ze spotkania dawnych znajomych, Alicji, Elżbiety i mnie, oraz wielkie zmartwienie z racji smutnej okazji spotkania, bez oporu oddał cześć indykowi, któremu wczoraj wieczorem, mimo wysiłków, nie daliśmy rady, miło witając także dodatek, po który Stefan szybko skoczył do atelier. Korek strzelił, Alicja rozpromieniła się, widząc nadzieję na powrót utraconego chwilowo miejsca w zamrażalniku, po czym temat sam wszedł do towarzystwa. We wszystkich znanych nam zbiorowo językach padły słowa „zdrowie nieboszczyka" i już tego nieboszczyka nie dało się zepchnąć ze stołu.

Pan Muldgaard nie pożałował sobie wyjątkowej okazji.

– Odnaleziono we wodzie narząd morda – rzekł bez nacisku, tonem wręcz beztroskim. – Kamień to. Ordynarny. Duży jako owoc. Oranż. Duży oranż.

Rozejrzał się, nie dostrzegł ścisłego przykładu w naturze, wskazał zatem średniej wielkości ususzoną tykwę, służącą Alicji jako zasobnik na liczne długopisy, ołówki i różne inne patyki.

– Morda – powtórzył Olaf, pilnie korzystający z nauki języka. – Leje do morda.

– Do głowa – skorygował pan Muldgaard. – Tyły głowa. Morda jest przoda.

– I takie duże jak to? – spytała z niedowierzaniem Marzena, wpatrzona w tykwę.

– Trochę więcej duże, ale nie ideał. Prawie nie tak równe. Nie... regu...ra...lar.

– No to już wiadomo, że musiał go kropnąć solidny chłop z łapami jak goryl! Przecież to nawet trudno wziąć do ręki!

Odruchowo rzuciłyśmy odrobinę podejrzliwe spojrzenia na ręce Stefana, który też je obejrzał nieufnie. Do goryla było mu daleko.

– Nie – zaprzeczył stanowczo pan Muldgaard. – To nie samotne było. Odziane w sieć.

– Jaką sieć?

– Taką... W magazynie nabyć można owoce. Ziemne płody. Sport... piłka, futbol, tenis, dziecię zabawiać można.

– Takie siatki, jak siatki?

Marzena dała spokój tykwie, zerwała się i w ekspresowym tempie przyniosła z kuchni kilo pięknej cebuli w eleganckiej siateczce. Pan Muldgaard potwierdził, kiwając głową.

– Oto takie. Ale wielce duże. Wielce długie. Oraz mało gięte. Twarde.

Zrozumieliśmy wszyscy. Ręce goryla nie były potrzebne, wystarczyło trochę siły i trochę zręczności, pan Wacław dostał w łeb kamieniem wytwornie opakowanym i zaraz potem wrzuconym do wody, która zmyła wszelkie ślady. Należało jeszcze wyjąć go z siatki, kamień, nie pana Wacława...

Pan Muldgaard czytał w myślach.

– Oto rozmach uczyniony być musiał nader silny. Potem wtóry, sieć oraz kamień społem, łatwościa wyjmania nie było, nie gładki ów kamień. Szybko należy, razem do wody wpada. Woda spokojna, nie rzeka.

– Ale dno musi być zamulone, skoro są pijawki – zauważył Stefan.

Pod tym względem miałam dość duże doświadczenie.

– Zamulone tylko przy brzegu, tam gdzie rosną trzciny, może kawałek dalej, reszta dna jest czysta. Możesz mi wierzyć, kąpałam się w takich, a między pijawki pod groźą śmierci bym nie weszła.

– To jak wchodziłaś? Skakałaś z trampoliny?

– Trampoliny szczęśliwie nie było, to w dziczy. Na dmuchanym materacu, byle się odepchnąć od brzegu, tak rzucić jak dzieci na sankach i już świństwa zostawiasz z tyłu.

Pan Muldgaard najwidoczniej potwierdzał moje zdanie, bo kiwał głową.

– Jednakowoż oto nie nasze – dodał smutnie.

Zdawałoby się, że wszystko rozumiemy, ale tu nas zaskoczył.

– Co nie nasze? – spytała Magda.

– Owa sieć.

– Tylko czyja?!

– Badania czynione są. Mniemanie, iż nabytek od inna firma, handel, polityka, od krainy komunis... – zatrzymał się z zakłopotaniem, zapewne w obawie, że nas poobraża. – Demokrat ludowe. Tam eksport-import od jedna firma. Danmark takowe nie posiada. Inaksze.

– O polityce nie rozmawiam – mruknęła Alicja.

– Z tego wynika, że siatka ma pochodzenie demokratyczne – sprecyzował Stefan i spojrzał na mnie. – Ktoś z Polski przywiózł?

– Nie ja! Wypraszam sobie! Ale tak prawdę mówiąc, każdy mógł. I w ogóle jeden przywiózł, drugi znalazł...

– A, właśnie! – przypomniała sobie nagle Alicja. – A co z tą młodzieżową wycieczką? Podobno się pobili, podobno byli przesłuchiwani? I co?

Pan Muldgaard żadnymi tajemnicami nie zamierzał nas gnębić. Pogmerał w kieszeni, wyjął notes, zajrzał do kieliszka i wypił resztę szampana, co skłoniło Stefana do szybkiego skoku po ostatnią butelkę. Magda rzuciła okiem na Alicję, zerwała się i popędziła do kuchni dorobić kawy, termos do kawy był istnym błogosławieństwem, pozwalał przez jakiś czas posiedzieć spokojnie przy stole, ale na wieczność nie wystarczał. Pan Muldgaard grzecznie zaczekał, przeglądając notes.

Po czym poinformował nas, iż było to dwadzieścia osób narodowości norweskiej i szwedzkiej, po jednej sztuce niemieckiej i polskiej, razem dwadzieścia dwie, w wieku przeciętnie dwadzieścia jeden lat. Wszystko studenci z różnych uczelni. Bez oporu wymienił nazwiska, które miał zapisane, po czym popatrzył na nas pytająco. Głównie na Alicję.

Wśród nazwisk znajdował się jeden Arnold Keller, osobnik narodowości polskiej.

– Arnold! – wyrwało się Alicji. – Ten wuj! Nie, ten siostrzeniec... To znaczy wnuk...

Cholera. Milczałam, bo nie wiedziałam co powiedzieć. Nie zamierzałam chłopakowi robić koło pióra. Pan Muldgaard też milczał, przyglądając się nam z zainteresowaniem.

– I co ten Arnold? – spytała podejrzliwie Marzena po dłuższej chwili.

Stefan strzelił szampanem, Alicja zdążyła się opanować

– Nic. Właśnie. Co ten Arnold zeznał?

– On czyni amory do jedna młoda dama, Swensk – odparł pan Muldgaard pobłażliwie. – Nie nadmierno wzajemne. Obcy człek, denat, do grupy przybywa, damy w objęcia chwyta, dama Arnolda takoż. Drugi zalotnik, Norwegen, na Arnolda gniew uczuwa, takoż na denata. Na Arnolda więcej. Dwie damy oraz denat obiera inne drogi, Arnold pragnie szkody czynić, też podążyć, jednakowoż drugi zalotnik czyni obstrukcje, grupa nie zwarta. Wielka bitwa, dwa rywale oraz pomoc wokół, silne szkody czynią wzajem, zmysły utracone, medycyna niezbędna. Aż Bistrup, ambulans, długi czas płynie, dwie damy wracają, wielce wesołe. Udają się posilić, grupa razem, komplet. Ciemność zapada.

Z zapartym tchem wysłuchaliśmy niezwykłych zeznań Arnolda z Polski, wnuka pisarza. Zwarta grupa w komplecie, też przesłuchana, poświadczyła każde słowo, nawet rywal, a przesłuchiwani byli oddzielnie. Ambulatorium w Bistrup przedstawiło na piśmie dowody udzielania pomocy dwóm młodzieńcom, nieźle poszarpanym i poobijanym, ale bez skutków trwałych, oraz kilku młodzieńcom, uszkodzonym tylko troszeczkę, zapewne była to owa pomoc. Miejsce ich nocnego spoczynku nie obchodziło nas już zbytnio.

– No to Arnold odpada – rzekła Alicja. – Nie będę się wypierać, że doznałam ulgi, bo znów byłoby na nas. Ciekawe kto nam zostaje...

Pan Muldgaard kręcił głową.

– Nie tak pewne. Oto młode osoby nie dworzec kolejowy, godzina waży lekce. Dwadzieścia pięć minut niepewne jest, bitwa potem. Możliwościa egzystuje.

– Cholera...

– Ale ogólnie odpadają kobiety – zaopiniował Stefan. – Chociaż w pierwszej chwili mignęły mi tak te wesołe panienki...

– Nie sprawdził się, więc w wybuchu rozczarowania...?

– No właśnie, przyłożyły mu. Ale nie, tak wycelować kamieniem w długiej siatce żadna baba nie potrafi.

– A doniczka? – zaprotestowała Magda. – Spycha taka doniczkę z drugiego piętra i trafia gościa prosto w łeb!

– Przypadek. Przypadkiem możliwe jest wszystko.

– Nie samotny kamień narząd morda – włączył się znów pouczająco pan Muldgaard. – Żywy zewłok do wody padł, tamże ostatek żywota postradał. Autopsja wykrywa woda jeziora w narzędzie oddecha…

– A mówiłam, że pijawki trupa nie żrą!

– I długo tak ucztowały..?

Pan Muldgaard uniósł dłoń.

– Krótki moment proszę, relacja pełna oto. Ślizg uczyniony, tyły obuwia, nogi bierze dół, człek pada ku plecami. Poczyna padać, równowaga zachwiewa się, ręka chwyta gałęzia drzewa, osoba ku przodu wraca gwałtownie. Ta chwila doskonała do kamienia. On wali tył głowa, pcha nadmiernie, człek pada do przód, tam woda.

Dech nam zaparło. Rzeczywiście zjeżdżał na butach, miał obowiązek przewrócić się do tyłu, czegoś się złapał, potężne pchnięcie w chwili zachwiania równowagi dopomogło i poleciał do przodu. Tak bezbłędnie wybrać, to wielka sztuka, musiał to być szczęśliwy przypadek, nie ma siły inaczej!

Stefan wrócił do pijawek.

– I na jak długo im starczył?

– Wedle pokarmu, któren dziwny był…

– Jaki?

– Pomidory jakoby konserwa, ryba nieznana, ości wielkie, oraz osobliwa rzecz, najbliżej sera, ale więcej pasta. Dla ząbów. Smak niczym papier. Czysty. Nie żurnal. Nie prasa.

Popatrzył na nas pytająco, z wyraźną nadzieją, że wyjaśnimy rodzaj produktu. No owszem, mogliśmy go powiadomić, że niewątpliwie był to polski topiony serek, ale taki komunikat przez usta nam nie przechodził, stłamszony patriotyzmem.

Przytomność umysłu okazała Elżbieta.

– Nie do zębów. Jadalne. To dieta.

– A, dieta...! – ucieszył się pan Muldgaard, najwidoczniej tak samo jak wszyscy inni ludzie znający doskonale upiorną smakowitość potraw dietetycznych. – Takoż sucha ryba Norwegen, znana. Na koniec było piwo. Ostatnie. Zatem postradał żywot przed godziną siedem, po godziną sześć i pół.

Znów przyjrzał się nam, zapewne oczekując reakcji. Stefan rozlał resztę szampana.

– Gdyby ta cholerna Julia posiedziała tam dziesięć minut dłużej, widziałaby wszystko! – powiedziała z irytacją Marzena.

– Było mu przeznaczone – orzekłam uroczyście. – Gdyby go znaleźli od razu, mogliby jeszcze odratować...

– Opatrzność wie co robi – pouczyła mnie Magda.

Pan Muldgaard też wiedział co robi.

– Azali mogę ninie wiedzę uzyskać? Jaka osoba wrogiem była mu?

– Liczba mnoga potrzebna – westchnął ciężko Stefan. – Wrogów miał zatrzęsienie. Ale chyba nie w Danii, tylko w Polsce.

Pan Muldgaard przetrawił informację.

– A tu...?

– Nie ma co ukrywać. Nawet w tym domu siedzą prawie sami jego wrogowie, ja, Magda, Elżbieta...

– Ja też – zgłosiła swoją kandydaturę Marzena z dużą zaciętością.

Poszłam za jej przykładem.

– Możesz i mnie dołożyć, chociaż osobiście nic mi nie zrobił. Ale za Marię Rohacz!

– Silne wrogi?

– Różnie. Od bardzo do średnio.

– Silne rogi – rzekł w zadumie milczący dotychczas Olaf. – Moc? Lelej. Jelej. Wymamy rogi.

– On ma – poprawiła odruchowo Elżbieta. – To znaczy, miał.

– Rogimiał...?

– Wnioskując z wielkich uczuć małżonki, rogów raczej nie miał – mruknął Stefan.

– A pani doma? – zwrócił się pan Muldgaard do Alicji po krótkim namyśle i przyjrzeniu się z zainteresowaniem Olafowi.

Alicja postarała się ukryć lekkie zaskoczenie.

– Rogów, zdaje się, nie mam. A co do ofiary... Wróg, to za dużo powiedziane, raczej niechęć. Nie lubię łgarstwa. I krętactwa.

Pan Muldgaard znacznie więcej rozumiał po polsku niż mówił, ale znów musiał przez chwilę układać sobie w głowie zaserwowany tekst.

– Azali takie wrogi, aby zabić?

Alicja popatrzyła niepewnie po swoich gościach.

– Nie, zabić chyba raczej nie... Ale zaszkodzić dyplomatycznie... Możebyście tak sami się przyznali, co? Dlaczego ja mam tu uprawiać psychologiczną gimnastykę i wytykać was palcami?

– Możesz sobie wytykać ile chcąc – przyzwoliłam jej łaskawie. – Przypominam ci, że wnioskując z czasu śmiertelnego zejścia ofiary, siódma godzina, wszyscy mamy alibi i niewinni jesteśmy do obrzydliwości.

Pan Muldgaard zaciekawił się naszą niewinnością i z wielką uwagą wysłuchał ścisłych informacji na temat ustalonej obecności w domu i wszelkich pozostałych poczynań. Z pewną niechęcią i rozgoryczeniem uniewinniłam także Marianka, świadoma sprawdzonej już olśniewającej szybkości jego działania. Przydały się nam poprzednie rozważania na temat alibi i właściwie drobną niepewność budziła tylko Magda, ale wszak o Magdzie pies nie powiedział ani słowa!

Magda przeczekała uświadamianie pana Muldgaarda w niecierpliwym milczeniu.

– Powiem prawdę! – wyrwała się nagle. – Tylko żeby nie było, że donoszę i w ogóle ja jestem ta najgorsza świnia. Otóż owszem, przyjechałam tu z otwartym nożem w kieszeni, ale okazało się, że nie tego kretyna, padalca, debila radosnego, jak mu tam... Pangolina... A, prawda, świeć Panie nad jego duszą, może być słabo... powinnam zabić, tylko tę jego słodką sukę! Nazwisko mnie myliło, zagibałam się w niepewności, ale jednak ją! Cichutką, grzeczniutką, niewydarzoną Julię!

Patrzyliśmy na nią baranim wzrokiem, zaskoczeni kompletnie. Owszem, Julia była uciążliwa, niekomunikatywna, niesłychanie trudna w obcowaniu, a w dodatku fałszywa. Kłamliwa. Łgała tą swoją rzekomą nieporadnością aż echo niosło, na domiar złego symulując uwielbienie dla bucefała, budziła powszechny niesmak, trudno było z nią wytrzymać, ale żeby zaraz zabijać...? Czy to przypadkiem nie przesada?

W Magdzie pękło, rąbnęła w stół pustym już kieliszkiem od szampana, na szczęście go nie stłukła, ale Marzena rozbłysła znienacka wielkim blaskiem, prawie tak samo wszystkich zadziwiając. Pan Muldgaard na brak uciechy nie powinien narzekać. Poderwała się i zanim ktokolwiek zdążył się obejrzeć, na stole znalazło się wszystko, cokolwiek zawierała w sobie święta szafka

Alicji. Koniak, wódka, wino, whisky... no, piwo pochodziło z kuchni... także naczynia do napojów.

– Alicja, przebacz! – krzyknęła rozdzierająco, aczkolwiek radośnie. – Możesz mnie potem nie chcieć znać, ale to jest chwila jedna na całe życie! Wreszcie! Niech ona wreszcie wszystko powie, całą prawdę! Raz ktoś powie całą prawdę, bez krętactwa, i ja to chcę usłyszeć!!!!

Pan Muldgaard i Olaf, wyjątkowo jakoś w tym momencie podobni do siebie, oglądali występ z ogromnym zainteresowaniem.

W nadprzyrodzonym tempie postanowiłam nakłaniać Alicję, żeby jednak chciała ją znać. Marzenę, rzecz jasna. Oraz odkupić na wszelki wypadek wszystkie zużyte napoje. Oraz wkroczyć, bo już mi się coś lęgło w umyśle i za skarby świata nie zgadzało się czekać.

– To ja też powiem całą prawdę! Elżbieta... Miałaś rację!

Potężniej zapewne niż zamierzałam wygłosiłam te słowa, bo na moment zamilkła nawet Magda, a wszyscy spojrzeli na mnie chyba trochę niespokojnie. Elżbieta również. Miałam wrażenie, że coś wywęszyła, możliwe że profesjonalnie. Każdy dobry medyk wywęszy szaleńca, a pielęgniarka tym bardziej.

– Mówiłaś, że ona symuluje...?!!!

– Potwierdzam – rzekła sucho Elżbieta.

– Na własne oczy widziałam! Daj mi Boże taką formę wstecznie, w jej wieku, bo teraz już za późno! Jak ona jest niesprawna i rozpacza po pangolinie, to ja jestem arcybiskup Canterbury, królowa Izabella Hiszpańska i Adolf Dymsza!!!

– Mogłabyś poprzestać na arcybiskupie – skrytykowała z niesmakiem Alicja.

Pan Muldgaard opanował zaskoczenie i odważnie wszedł na plac boju, zaczynając od końca.

– Pani odkrycie wykonywa? Jakie ono? I sposobem jakowym?

– Przypadkiem, za pomocą Marianka – rzekłam równie niechętnie jak uczciwie i opisałam wszystkie sceny, jakich byłam świadkiem, wpatrzona spod kompostu w wejście do atelier. Elżbieta zdobyła się na potwierdzanie moich spostrzeżeń kiwnięciem głową od czasu do czasu. Mimo rzadkości tych kiwnięć, wszyscy zwrócili na nie uwagę, może dlatego, że stanowiły pewne odstępstwo od normalnego, kamiennego spokoju Elżbiety. Zważywszy, iż w ferworze demonstrowałam niektóre ćwiczenia gimastyczne, rzecz oczywista z pominięciem gwiazdy, na ciąg dalszy z dziką ciekawością czekał nawet Olaf.

– Tak, zgadza się – przyznała z odrobiną oporu Elżbieta, poddając się sile spojrzeń. – Od początku podejrzewałam, a zgadłam, kiedy jej dałam ćwiarteczkę przeciwbólową. Inaczej reaguje przyzwyczajony organizm. A potem przyglądałam się specjalnie, ja przecież mam pod opieką takich pacjentów bez przerwy, udawać umiała doskonale, ale fachowca nie zmyli. Po cholerę jej to było?

Magda, acz już nadpęknięta, hamowała emocje cały czas, teraz na nowo ruszyła.

– Nie wiem i nic mnie to nie obchodzi, ale teraz już wiem na pewno, że to nie ten baran debilny wszystko wymyślał, tylko ona! On był nieudolnym wykonawcą jej pomysłów, a jej o mało szlag nie trafiał, bo paskudził, ile mógł! Tak cholernie chciał być wspanialec i geniusz, megaloman zakamieniały, że poprawiał jej instrukcje i waliło się w gruzy! Ogrodnik idiotyczny, przesadzał na wszystkie strony, besserwisser, do tego erotoman niedorobiony, a tyle jeszcze miał oleju we łbie, że trzymał się jej pazurami, przecież to ona zarabiała, a nie on, dziesięć razy więcej! I nie on nie chciał wziąć ślubu, tylko ona, bo się bała, że za kretyństwa tego żłoba będzie musiała odpowiadać! Mogę wam podać całą listę osób, które potrafiła wydoić do imentu, wykantować, oszukać, życie im prawie zniszczyć i gdyby nie to, że cep i bałwan chciał być mądrzejszy, ci ludzie wyszliby jeszcze gorzej! Sami byliście świadkami, jaki bystrzak wszechświatowy tu siedział...!

No owszem, byliśmy świadkami...

– A ja byłam świadkiem, jak rolował moją ciotkę! To nie jest młoda kobieta, zaczęła pisać już przed wojną, a on chciał z niej zrobić teraz dojną krowę dla siebie, pchał się na agenta, menażera, darmowe podróże po nocach mu się śniły! Pchał się do tych obleśnych pocałunków w publicznych miejscach, przy ludziach! Ukochaną Julię też oszukał, uwierzyła, wmówił w nią, że moja ciotka umysłowo całkiem zdechła i można ją przydeptać dowolnie, doradzała mu, a tu się nagle okazało, że gówno! Dojna krowa uciekła!

– Ale dołki kopał, pod kim mógł, chyba z własnej inicjatywy? – zainteresował się Stefan. – Bez niej? Głównie przecież współpracownicy...?

– Głowy nie dam. Jedno warte drugiego. Z tym, że całkiem bez niej on by leciał z każdej pracy, bo nawet partyjni czegoś takiego nie zniosą, a nie wszyscy są kretynami... Skąpy taki, że Harpagon przy nim rozrzutnik. Mam konkrety. Chcecie listę?

Chwilowo zostawiliśmy listę na uboczu.

– Marianek też mówił, że skąpy – skrzywiła się marginesowo Alicja.

Stefan trzymał się swoich konkretów.

– Ale katastrofę miała?

– Miała. Może z nieco wyolbrzymionymi skutkami. Myślałam, że to prawdziwa żona, a nie ta... wspólniczka... Zaraz, bo to mnie właśnie zmyliło, nie zajmowałam się nim przecież od urodzenia, dopiero przy ciotce mi strzeliło i ciągle słyszałam, że tu żona, a tu asystentka, dwie baby, a nie jedna, dwa różne nazwiska. I asystentka, z którą sypia, to właśnie podstępna suka i wredna żmija, podpuszcza ile może, żona robotę odwala jak pan Bóg przykazał, aż mi się coś zaczęło nie zgadzać. Już miałam podejrzenia, wahałam się, ale skoro konkubina, to ona! Jedna osoba, a nie dwie!

– Spadły jej zarobki?

– A skąd! Gadanie się rozszalało, a gówno prawda, nie głowę jej uszkodziło, tylko coś tam w kadłubie. To inteligentna harpia i ma talent do wyłapywania cudzych błędów i potknięć, nawet najdrobniejszych. Ale unieruchomiło ją na jakiś czas i wszystkie informacje uzyskiwała od swojego geniusza, no i dlatego się rypło. Bo geniusz cokolwiek mitoman i realia mu kulały. Brała poprawkę, okazało się, że niedostatecznie...

Co z tego wszystkiego pan Muldgaard zrozumiał, Bóg raczy wiedzieć. Słuchał z szaloną uwagą. Co jakiś czas oko mu leciało ku Magdzie, która, wypuściwszy główną parę, odsapnęła i rozważała teraz wybór napoju.

– Lista owa, to spis?

Magda zdecydowała się na wino i kiwnęła głową.

– Pani ma?

– Mam.

– Mogę dostać ja?
– Bez problemu. Ale komentarze i wyjaśnienia są po polsku.
– Umiem czytać. Kiedy dostać mogę?
Z kieliszkiem wina w połowie drogi do ust Magda zastanowiła się i wydłubała z siebie coś w rodzaju skruchy.
– Ona jest pisana ręcznie. Musiałabym przepisać z kopią. Jeśli dacie mi maszynę, może być zaraz jutro albo nawet zaraz dziś.
Maszyn do pisania mieliśmy obfitość, całe trzy. Stefana, moja i Alicji. Alicji najstarsza, Stefana na dole, udostępniłam jej zatem swoją. Pan Muldgaard okazał wyraźniejsze zainteresowanie i poprosił o dokonanie wysiłku dla jego osobistej przyjemności, zabrałam Magdę do swojego pokoju i włączyłam ustrojstwo, duże poświęcenie z mojej strony, ponieważ była to moja pierwsza maszyna elektryczna, dość mała i możliwa do wożenia w podróże, przedtem pisałam na zwyczajnej olivetti.
– Jak mi coś zepsujesz, zabiję cię – zapowiedziałam. – Może mi pożyczą ten kamień w opakowaniu, narzędzie wypróbowane.
– Wypraszam sobie być zabita tym samym co pawian dęty. Nie zepsuję.
Zostawiłam ją i wróciłam do salonu.
Rozważana była właśnie kwestia wysiłków fizycznych. Elżbieta stanowczo odmawiała zeznań oficjalnych, twierdząc, że musiałaby najpierw zobaczyć rentgenowskie zdjęcie, co tam ta Julia miała połamane i jak jej się zrosło, prywatnie natomiast, tak na oko i na duszę, może powiedzieć, że nic jej nie jest. Udaje kalekę na rehabilitacji, zawracanie głowy, owszem, ćwiczenia gimnastyczne przy rehabilitacji są niezbędne, ale prze-

cież nie takie! Z łażenia jak pokraka i odpoczynków co trzy minuty przechodzić w mgnieniu oka do skłonów, piruetów i gwiazdy, to jest trening cyrkowy, a nie żadne zabiegi lecznicze. Nie, silna jak Horpyna nie musi być, nie do łamania podków stworzona, budowę ma raczej delikatną, mięśnie przeciętne, wszystko bardzo proporcjonalne, ale od paralityczki niech się odczepi!

– Po cholerę w takim razie nadal ofiarę z siebie robi? – zirytowała się Marzena.

– O, ty na przykład... Jesteś zdecydowanie solidniejsza i silniejsza. A ofiarę...? A co, ma z godziny na godzinę wyzdrowieć z uciechy, że jej pawiana szlag trafił? Musi udawać, że jej gorzej z rozpaczy, nie?

– I tak jeszcze długo będzie się z jego głupot wyplątywać – zauważył Stefan. – Jeśli ogólnie wiadomo, że to ona go nakręcała...

– Takie rzeczy zawsze wszyscy wiedzą.

– No to nie pójdzie jej z górki.

– Co nie przeszkadza, że moglibyśmy się poważnie zastanowić, kto go właściwie kropnął – powiedziała Alicja, okropnie niezadowolona z pozostawienia Arnolda z Polski w gronie podejrzanych. – Czy ten pies nie mógłby czegoś więcej wywęszyć?

Pan Muldgaard kręcił głową smutnie.

– Pies już nie. Młodzież za późno odnaleziona, miejsce zbrodnicze za wiele wizytowane. Inne osoby szukać należy.

– A ten drugi wielbiciel wesołej panienki? Ten Norweg?

– Niepewny otóż tak samo. Takoż gniewny, strażował, młodzież wielce ruchoma, do bitwy oba to nikną, to są. Tu trudnościa zawieszona.

Rozłożenie podejrzeń na dwie osoby zdecydowanie Alicję pocieszyło, Norwega również obce karesy mogły rozwścieczyć, w nerwach przyłożył nachalnemu amantowi, po czym z rozpędu ruszył na rywala. Minuty dzieliły jedno od drugiego, a kto z nich tam patrzył na zegarek? Tylko skąd Norweg wziął demokratyczne odzienie narzędzia zbrodni, tę siatkę dla kamienia? A, mógł złapać własność naszego...

Rozważania, czy młodzież turystyczna wozi ze sobą cokolwiek w siatce sklepowej, kartofle, puszki z mielonką, brudne skarpetki... a może sprzęt sportowy... zajęły nam jakiś czas i Magda przyleciała z listą pokrzywdzonych. Pan Muldgaard miał pierwszeństwo, ze zmarszczoną brwią przeczytał komentarze, okazało się, że doskonale mu idzie i wszystko do niego dociera. Aczkolwiek sedno rzeczy nieco go zdumiewało, czemu trudno było się dziwić.

Splendory w rodzaju stanowiska asystenta drugiego zastępcy sekretarza redakcji, względnie przydziału lodówki, telewizora, wczasów w Złotych Piaskach albo szczytów zbytku, samochodu marki Fiat 126p... Zeświniać się dla takich osiągnięć życiowych? Wygryzać z roboty faceta za puszczenie w prasie wzmianki o imporcie jugosłowiańskich kozaczków...? Bo co, bo zdradził tajemnicę stanu? Żeby na jego miejsce wepchnąć się samemu...?

– Wielkiej wagi tu nie widzę – zaopiniował pan Mulgdaard z naganą, czytając dokument Magdy. – Zali same intrygi?

– Zgadza się – przyświadczył gniewnie Stefan. – Przecież to głupoty, rzeczywiście intrygi, krecia robota za jakieś ochłapy. Przykro wyznać, ale już nawet nie porządne bagno tam panuje, tylko nędzne bagienko.

Po namyśle pan Muldgaard westchnął ze współczuciem i pokiwał głową.

– Tu jakieś, widzę, więcej ważące...

Z miejsca wskoczyła mu w słowa Magda i powiała lodem.

– A otóż to! Tu śmieci, a tu wielkie świństwa na dwie strony! O, na przykład ten, jot vel – popukała palcem w pozycję na liście, omal nie dziurawiąc papieru – taki pseudonim sobie wymyślił, znam palanta! Wiem nawet, ile...

I na to akurat wróciła Julia.

Nie została potraktowana ulgowo. Magda przeczekała różne powitalne wyrazy i wypuściła dalszy ciąg strzały, której grot już zgrzytał jej w zębach.

– ...ile i w jakiej formie jot vel zapłacił za peany na temat jego wypocin. A także ile sam na tym zyskał. Pani Julia też o tym coś wie, nieprawdaż?

Julia stała jeszcze za oparciem fotela i swoim zwyczajem milczała. Pan Muldgaard na nowo z wielką uwagą jął wpatrywać się w studiowany spis.

– Istotnie, rożnorodność panuje – przyznał. – Przymusa widzę, damska osoba, Hanna Se...dec...ka. Ona, ja rozumiem, jeden utwór wykupion, wtóry nie ma wcale. Odmienne dzieło pisać ma nakazane...

– A pewnie, bo pan Bucki chciał być adiustatorem, redaktorem, pisać wstępy i posłowia, a ona się nie zgodziła, więc jej drugiego tomu nie przyjęli do druku...

– Cholera, a ja tak na ten drugi tom czekałam! – warknęłam ze złością.

– Załatwił ją krytykami...

Julia nie wytrzymała. Przeszła przed fotel i usiadła przy stole. Alicja też nie wytrzymała, podsunęła jej zapasową filiżankę, dostarczoną na stół przez pomyłkę i czekającą na użytkownika, i nalała kawy z dzbanka. Julia wzięła głęboki oddech, wszyscy na nią patrzyli i nie mogła udawać, że tego nie widzi.

– Więcej jest w tym plotek i przesady niż prawdy. Trudno mi o tym mówić, ale powiem. Wacław nie miał szczęścia. A może cierpliwości. Tak strasznie chciał się wyróżnić, być kimś, czymś, coś znaczyć, i zawsze był o krok za daleko do przodu, zawsze swoje wyobrażenie brał za rzeczywistość...

– Na tym polega mitomania – przypomniała Magda z jadowitą uprzejmością.

– Trochę tak. Ale on był jak dziecko, jak chłopiec, który już widzi przed sobą swój sukces, osiągnięcie, swój szczyt... A ja nie miałam serca go ukrócać, bo dla mnie to było rozczulające...

Rany, a cóż za rzewność, wprost macierzyńska, wszyscy powinni się popłakać!

– I nie widział innej drogi na ten szczyt, jak tylko cudzym kosztem?

– Nie zdawał sobie z tego sprawy, widział upragnioną metę, a nie to, co po drodze, nie miał czasu oglądać się za siebie, bezwiednie narażał się różnym ludziom, a nie chciał tego przecież. Tak, to ja próbowałam go jakoś ukierunkować, pokazać możliwość i ciągle to źle wychodziło, za szybko pędził, potykał się na przeszkodach, których nie zdążył dostrzec. Narobił sobie wrogów...

Napiła się kawy. Miała prawie łzy w oczach, ale te łzy nie spłynęły. Magda bardzo wyraźnie ugryzła się w język i popatrzyła na pana Muldgaarda, pogrążonego w lekturze. Pan Muldgaard sięgnął po filiżankę, ale kawa już mu wyszła, dzbanek tajemniczym sposobem też się opróżnił.

Tym razem do kuchni skoczyła Marzena. Widać było, że Magda dla Julii palcem o palec nie stuknie, ja również w grę nie wchodziłam, cały czas stała mi w oczach ta jej gimnastyka artystyczna, ze strony Elżbiety promieniowało ku mnie zdecydowane poparcie. Alicja z kanapy miała w ogóle najdalej.

– Tu pan Kry...wo...pel... – zaczął pan Muldgaard.

– Krzywopełski – podpowiedział odruchowo Stefan.

– ...pelski. Ja tu czytam. Niepomiernie długi czas pisanie jego leży i czeka, Julia Warbel nie daje opinia. To oznacza co?

Julia z pewnością nie miała w sobie wad ukochanego pangolina, nie rzucała się z wyjaśnieniami niczym potok górski. Prezentowała rzeczowość i smętny spokój.

– To oznacza, że autor nie zgadzał się na propozycje drobnych zmian, których żądało wydawnictwo. I... to przykre... cenzura. Bez aprobaty cenzury nie można niczego wydać. Adiustowałam ten tekst, ale na cenzurę nie miałam wpływu. Krzywopełski w końcu odebrał książkę i wydali mu ją w Paryżu.

– Ale przedtem pan Bucki zdążył opublikować w prasie przerobione nieco fragmenty – poinformowała beznamiętnie Magda jabłoń za oknem, widoczną, chociaż przysłoniętą asparagusem i bez wątpienia słabo zainteresowaną.

Julia milczała. Marzena przyleciała z kawą.

– Ktoś panu Buckiemu udostępnił tekst – zauważyła niedbale. – Panie inspektorze, kawki? Proszę bardzo.

– Mnogie wrogi! – westchnął pan Muldgaard, podsuwając jej filiżankę.

Nie wytrzymałam.

– W Paryżu korzystniej niż u nas, powinien być wdzięczny, a nie wrogi. Mnie też cenzura książkę trzymała, chociaż wprowadziłam poprawki, w końcu pani redaktor powiedziała, że ma gdzieś czynniki, nie będziemy się obcyndalać i pchnęła książkę do produkcji. I ona wyszła. Książka, nie pani redaktor.

– On taki był – powiedziała Julia cichym głosem. – Jak dziecko...

– Takiemu dziecku bym coś zrobiła – mruknęłam pod nosem.

Magda nie popuściła.

– Ciekawa rzecz, swoją drogą, skąd mieliście te cholerne byczki w pomidorach, już dawno ich nie widziałam w sprzedaży. Teraz jest przysmak śniadaniowy. A jeśli są, jakoś mi w oko nie wpadły.

– Nie wiem. Wacław... Gdzieś trafił, ze starych zapasów...

Marzena pozwoliła sobie na współczucie.

– Był skąpy, prawda?

– Nie. Był po prostu oszczędny. To pozostałość z ubogiego dzieciństwa...

Otworzyłam gębę i ugryzłam się w język. Znienacka włączyła się milcząca dotychczas Elżbieta.

– Policja robiła pani badania? Mam na myśli medyczne.

– Tak. Rentgena. Jestem w lepszym stanie niż mogłam przypuszczać, bałam się trochę przeforsować. Ale te marsze... nad jeziorem... samą mnie zaskoczyło, że tyle mogłam przejść...

Trochę ją zadławiło, złapała dech, nikt nie zamierzał wnikać w szczegóły anatomiczne, tylko Marzena była brutalna.

– Trochę się pani cackała ze sobą na konto pan...na Wacława...

Przysięgłabym, że przemocą złapała za ogon wyfruwającego jej z ust pangolina.

– ...żeby nie popadł w nadmierną beztroskę. Mężczyźni mają to do siebie, czasem trzeba ich utemperować, nadmiar siły od razu wykorzystują...

Julia odpowiedziała milczeniem, za to wersalsko i dyplomatycznie wkroczyła Alicja.

– A czy nie było tam, w policji, mowy o tych dwóch chłopakach z wycieczki, którzy się pobili? Może pani przypadkiem coś wpadło w ucho? Mnie oni bardzo interesują, wszyscy inni podejrzani mają alibi.

– Nie wiem. Między sobą rozmawiali po duńsku.

– A nie pytali pani o siatkę?

– Jaką siatkę?

– Tę od kamienia. Podobno ona od nas, to znaczy z Polski. Nie mieliście takiej siatki?

– Nie wiem – powiedziała Julia i bezradność aż z niej tryskała. – Wacław pakował... A ja już długo nie robiłam zakupów, my mamy trzecie piętro bez windy.

Pan Muldgaard patrzył, słuchał i chłonął w siebie wiedzę...

*

– Nie odjadę stąd, póki się tu wreszcie atmosfera nie oczyści i nie odzyska równowagi – oznajmiłam stanowczo nazajutrz przy śniadaniu, – Nie chcę jajka! Niby się ta żałobna wdowa złamała, ale w żadne jej słowo nie wierzę. Połowa prawdy może w tym majaczy, ale gdzie reszta...?

– Nie wiem, gdzie reszta! – zirytowała się Alicja i włożyła chlebek do tostera. – Jak dla mnie, w ogóle nie musi mówić, ale nie zgadzam się, żeby moi wszyscy goście milczeli, bo jedna sztuka akurat cierpi! Chce cierpieć w samotności, proszę bardzo, nie u mnie. Za mało miejsca i nic na to nie poradzę.

– I tak się dobrze trzymasz, ja bym nie miała tyle cierpliwości. Czekaj, ale ona dziwnie cierpi. Jakoś tak... przeciwstawnie.

– Jak proszę...?

– Prostokątnie. Na krzyż.

Jajko Alicji zabrzęczało, wyjęła je, tak zaskoczona, że zapomniała chlupnąć na nie zimną wodą, oparzyła się i upuściła je na stół. Pęknąć pękło, ale zaledwie odrobinę, bez żadnej szkody. Brzęknął i toster, wyjęła grzanki, usiadła wreszcie przy stole i wygrzebała zawartość z nadpękniętej skorupki do filiżanki.

– Nie rozumiem, co mówisz. Dlaczego uważasz, że ona cierpi geometrycznie?

– Nad tym, że taki był, i nad tym, że go nie ma. Jedno z drugim się sprzecza.

Alicja rozważała przez chwilę mój pogląd.

– No, może... Skoro taki był, powinna się cieszyć...

– A skoro go nie ma, to bez znaczenia, jaki był!

– Chyba masz rację, kłóci się w niej. Powinna się na coś zdecydować, a nie mącić w głowach wszystkim z panem Muldgaardem na czele. Co on sobie w końcu będzie o nas myślał?

– To samo co do tej pory, z naszej strony już go nic nie zdziwi...

Alicja skrzywiła się, wzruszyła ramionami i przystąpiła do jedzenia.

– Nie do pojęcia jest, dlaczego my tacy taktowni jesteśmy, a ja szczególnie – powiedziałam teraz z irytacją, wpatrzona w jej jajko. – Nie rozumiem, dlaczego żresz to jajko w filiżance, przecież ono stygnie. Zimne jajka na miękko są obrzydliwe.

– Nie znoszę gorącego, mówię ci o tym setny raz – odparła Alicja spokojnie. – Czy to było to taktowne?

Nie tylko się skrzywiłam, ale także prychnęłam z niechęcią do samej siebie.

– Nie, nie to. Dlaczego my, do pioruna, nie dociśniemy tej zołzy? Pangolin proszę bardzo, mógł sobie być żywy chłopczyk, ją roztkliwia i rozczula, mnie przeciwnie, nie znoszę dzieci, ale ona? Zaraziła się od niego? Ona co, nie wiedziała, że żywy chłopczyk kradnie teksty spod jej ręki?

Alicja ponownie wzruszyła ramionami, a po namyśle popukała się jeszcze łyżeczką od jajka w czoło. Po czym zajęła się wycieraniem łyżeczki.

– Dlaczego ja sama jej nie powiem, że też miałam trudne dzieciństwo, bo wojna się nam przytrafiła i do samej śmierci nie zapomnę tego kartkowego gniota z gliny, zwanego chlebem, oraz żrącej marmolady z buraków, zaprawianej chyba witriolem, wnioskując ze smaku. Ściśle biorąc, to nie z ubóstwa, tylko z wojny, ale co za różnica, dziecko, nie dziecko, takie rzeczy się pamięta…

– Jadłaś to?

– A jak? Prawie półtora roku. A co, ty nie…? I jeździłam komunikacją publiczną, od czego wpadłam w nerwicę, a mimo to łyżeczek, noży i widelców nie oblizuję. Jedyne, co w życiu wylizywałam, to talerzyk po jajecznicy, z powodów nikomu bliżej nieznanych…

– Tylko po jajecznicy?

– Wyłącznie. Po niczym innym.

– Miało to związek z komunikacją?

– Żadnego. Czekaj, ja o Dulcynei. Przeczytałam tę listę Magdy, wszystko Julii robota, jak Boga kocham, pangolin przy niej mały pikuś. Słyszałaś, podsuwała mu możliwości, a on pieprzył ile mógł, bo od razu chciał za dużo. Nie dawała mu rady.

– I znów mi pewnie będziesz wmawiała tę wielką miłość razem z zaćmieniem umysłowym, co? Kompromitacje znosiła z tej miłości czy z zaćmienia?

Sama zaczęłam się nad tym zastanawiać w oparciu o doświadczenia własne. Pokręciłam głową.

– Bezuczuciowe zaćmienie by nie wystarczyło, poza tym skądś musiało się wziąć. Gdybym zapadła na aż takie... No dobrze, zapadłam, ale na krótko i nie do tego stopnia... i nie mogła się wyplątać... Nie, nonsens, nie zabijałabym go, tylko rozeszła się zwyczajnie za pomocą potężnej awantury. Awantury bym sobie nie pożałowała, to pewne!

– A gdyby on nie chciał pójść?

– E tam. Obraziłby się i poszedł. Oni się prawie zawsze obrażają, poza tym można ich wygryźć podstępem. A jeśli działoby się to u niego, jeszcze łatwiej, sama bym poszła. Szczególnie że nie mieli ślubu, rozstanie bezproblemowe.

Alicja podniosła się, nalała sobie wody na kawę, a mnie herbaty, przezornie zaparzonej już wcześniej. Obejrzała kawałek sera i przyniosła na stół, doznając skojarzenia.

– Może trochę szkoda, że nie było Marianka, jemu przynajmniej delikatności zarzucić nie sposób.

– Owszem, był – powiedziała Elżbieta, wychodząc z łazienki. – Nie wtrącam się na ogół, ale czy macie kota? Jak woda nie leci, w łazience wszystko słychać. Dlaczego w takiej sytuacji rozmawiacie o jajecznicy?

– Nie o jajecznicy, tylko o oblizywaniu – sprostowała Alicja. – Skąd wiesz, że był?

– Zauważyłam go. Dotarł do drzwi, zobaczył gliniarza i wymiotło go z miejsca. Ale chyba rzeczywiście szkoda.

Zgodziłam się z nimi. Spożywczych strat by nie przyniósł, za to z pewnością piękne nietakty wybiegłyby z niego świńskim truchtem. Wysunąłby może supozycję, że to Julia pangolina kropnęła, bo za dziwkami latał i ze skąpstwa pieniędzy jej żałował, nawet suchej bułki. Techniczna możliwość kropnięcia nie spędzałaby mu snu z powiek, a jej milczenie dowaliłoby zgoła orlich skrzydeł...

Z tarasu wszedł Stefan i grzecznie spytał, czy może wziąć sobie na dół kawę i śniadanko, bo doskonale mu się pracuje, siedzi przy maszynie i pisze, nadrabiając zaległości, a jest tu przynajmniej jedna osoba, która powinna go zrozumieć. Osoba zrozumienie okazała, wtykając do rąk talerz z tostami i czym popadło, dołożyła nawet nóż i widelec, od Elżbiety dostał kawę, bo za przykładem Magdy przyrządziła ją w dzbanku.

– Zdaje się, że mówiłaś coś o zaćmieniu? – przypomniała sobie nagle Alicja.

– Mówiłam, a co?

– Jakoś krótko mówiłaś?

– No owszem, ledwo napomknęłam, bo nam Marianek wszedł w paradę, jako ewentualny przedmiot użyteczny. Mogę kontynuować, jeśli sobie życzysz.

– Chyba życzę. Bo chciałam cię o coś w związku z tym zapytać i zapomniałam, co to było.

– Nie spodobała ci się wielka miłość i właśnie zdążyłam zmienić pogląd. Zaćmienie wcale jej nie wymaga, wystarczy zauroczenie, względnie zwyczajna fascynacja. Bardzo ładnie takie rzeczy na umysł padają.

– Tobie padły?

– Otóż to! Od paru dni usiłuję ci powiedzieć, że teraz zaczynają mi schodzić i stąd coraz silniejszy zamiar pochodzenia z moim mężem. On przynajmniej wstydu nie przynosił, a od uroków supermena, słowo ci daję, skóra na tyłku się marszczy!

Alicja spojrzała w dal z jakimś dziwnym wyrazem twarzy, więc nie chcąc jej niepokoić, czym prędzej dodałam:

– No nie, nie zawsze. Niekiedy. Chociaż ostatnio coraz częściej...

– Kawa jest w dzbanku – powiedziała Elżbieta bardzo spokojnie i też spojrzała w dal.

Dal nie była specjalnie odległa, znajdowała się za moimi plecami i miała postać Julii. Weszła z ogrodu, musiała wyjść tam już wcześniej i niepotrzebnie Stefan latał dookoła.

– Dziękuję – powiedziała, nie komentując fizjologicznych poczynań skóry na tyłku. – Mogłabym...?

– Usiąść i zjeść śniadanie – wpadła jej w słowa Alicja. – Proszę bardzo, nie ma żadnych przeszkód.

Julia nie zaprotestowała. Na stole pojawiało się jakimś sposobem coraz więcej produktów spożywczych, ale wziąć sobie z suszarki filiżankę i talerzyk musiała już sama. Uczyniła to bez głupich krygów, czego jak czego, ale inteligencji jej nie brakowało. Usiadła przy stole prawie jak normalny człowiek, Alicja zaś w ostatniej chwili wdusiła w siebie z powrotem pytanie o jajko.

Z zimną krwią podjęłam temat.

– Ostatnio pozwoliłam sobie nawet zareagować i siłą wywlokłam go z pomieszczenia urzędowego, gdzie facetka ze zmierzwionym włosem i obłędem w oczach w potwornym pośpiechu przedzierała się przez jakąś robotę...

– W urzędzie...? – przerwała z niedowierzaniem Elżbieta. – Robotę...?

– Jak Boga kocham, sama byłam zdumiona, ale fakt. Konkretną. Nas załatwiła w dwadzieścia sekund, proszę bardzo, papier dla państwa, podpisy, pieczątki, wszystko jak trzeba. Zabierać swoje i won, w powietrzu brzęczało, chociaż w słowa tego nie ujęła. Mówi się w takim wypadku: dziękujębardzo, dowidzenia, i wychodzi, nie? A ten dżentelmen przemówienie rozpoczął, jak to państwo są wdzięczni, nadzwyczajnie załatwione, przy tej ilości pracy jaką pani jest zajęta, serdeczne życzenia dla pani, miłego popołudnia, mamy nadzieję, że nie było to zbyt skomplikowane i uciążliwe...

– Przestaniesz? – warknęła Alicja.

– A pewnie. Ale on nie przestawał, pani zaczęła sinieć na twarzy, siłą fizyczną go wyciągnęłam, zapierał się i jeszcze za drzwiami kontynuował. Bo należy doceniać dobrą pracę i okazywać uprzejmość. Podejrzewam, że był to punkt przełomowy.

– Nie zdziwiłabym się – mruknęła Elżbieta.

– Twój mąż tak nie tego...?

– Mój mąż miał tajemniczy urok osobisty, którego po nim nie było widać. Nie przeszło mu, ma nadal, wystarczyło, że się tylko ukłonił bez słowa i już dżentelmeneria buchała oknami, a pani nie siniała na twarzy, tylko rozjaśniała się szczęśliwym uśmiechem.

– Nie rozumiem, nad czym się zastanawiasz.

– Jego wady dorównywały zaletom. Nie jestem pewna, czy ich nie przerosły pod wpływem kolejnych żon...

Marzena i Magda brzęknęły drzwiami i mój mąż, chcąc nie chcąc, poszedł w odstawkę. Obie na widok Julii przy stole okazały pełne opanowanie, ciężar konwersacji przenosząc na kartofelki w słoikach, obrane, gotowe do użytku, których przydygowały pełną torbę.

– To Magda się uparła – doniosła Marzena od progu. – Żeby nie było na mnie!

– Alicja lubi kartofle i dosyć tego ustawicznego obierania na zimno i na gorąco, w lodówce mogą postać – ogłosiła z energią Magda. – Poza tym zdaje się, że widziałyśmy po drodze Marianka, więc tym bardziej. My jesteśmy po śniadaniu.

Julia przez cały czas nie odezwała się ani jednym słowem, ale okazała samodzielność. Starałam się nie patrzeć jej w zęby, byłam pewna jednakże, że coś jadła i osobiście dolała sobie kawy. Z filiżanką w ręku zwolniła miejsce przy stole.

– Mogę zostać w salonie? – spytała nieśmiało.

– Nie, lepiej tu, przy stole, bardzo proszę – wkroczyła w pośpiechu Marzena. – Inaczej Marianek się zagnieździ i ludzka siła go stąd nie ruszy. Chyba że wszyscy do salonu i ja nawet tak wolę.

Alicja powstrzymała podnoszenie się od stołu.

– Bo co? – spytała podejrzliwie.

– Bo ten cholerny klops trzeba wreszcie upiec i mam zamiar go załatwić. Pół godziny mi wystarczy, w piecu może sobie spokojnie czekać na właściwą chwilę. Wszyscy zjedli...

– Jeszcze Olaf – mruknęła Elżbieta. – Słyszę, że już się obudził.

– Jeden Olaf nie czyni wiosny. No dobrze, zamieszania.

– Wzmocniony – ostrzegłam, bo dobiegło mnie szczęknięcie furtki. – Chyba Mariankiem...

– Nie szkodzi. Obaj dostaną wszystkie resztki, dużo tego widzę, wystarczy.

W rezultacie całe towarzystwo rzeczywiście ulokowało się w salonie. Taras odpadał, zachmurzyło się i zaczęła prószyć drobna mżawka, Alicja poddała się i zostawiła Marzenie w kuchni pełnię swobody, Olafowi zaś było wszystko jedno, gdzie spożywa posiłek. Mariankowi tym bardziej. Stefan chyba doznał jakichś przeczuć, bo też się pojawił, tym razem przechodząc przez pokój telewizyjny i z rozpędu pukając do obydwojga drzwi, i tych od jego strony wejściowych, i tych wyjściowych, do salonu. Nieco nas zdziwiło nagłe pukanie od tamtej strony, ale wszyscy grzecznie odpowiedzieli zaproszeniem.

– No rzeczywiście, przesadziłem. Nie szkodzi chyba?

– Nie. Możesz pukać, gdzie chcesz, ile ci się podoba – zezwoliła Alicja. – Skoro siedzę w kącie, niech mu ktoś da naczynie.

– Mam naczynie. Niestety, bez zawartości...

Marianek przeczekał chwile wstępnego zamieszania, pożywiając się z dużą zachłannością, a widząc już kres poczęstunku, pieczołowicie doprawił swoją kawę śmietanką i cukrem, po czym sapnął i jakby nieco spęczniał. Wyglądało na to, że ważnością. Nawet rozejrzał się, czy nikt nie jest czymś zajęty i wszyscy go widzą.

– Gadałem z chłopakami – rzekł znienacka, zarazem tajemniczo i dumnie.

Komunikat nie odznaczał się jakimiś niezwykłymi cechami, a mimo to całe grono na Marianka zwróciło uwagę. Najwidoczniej zaspokoiło to jego potrzebę chwały, bo sklęsł i nadęcie mu przeszło, ale wyraźnie oczekiwał reakcji.

– Z jakimi chłopakami? – zrobiła mu grzeczność Alicja.

– Z tymi podejrzanymi. Z tej wycieczki, co wykosiła nieboszczyka. Oni tam ze cztery sztuki mają wytypowane, ale głowy za nich dawać nie chcą. Niby mogli, jeden w drugiego, tylko po co? Że się do dziewuch dostawiał, to i cóż takiego, wystarczyło trochę tam w ryja szturchnąć i małego kopa strzelić, ale zaraz łeb rozbijać całkiem na śmierć...?

– Po jakiemu z nimi rozmawiałeś? – zainteresował się Stefan.

– A tak jakoś po różnemu. Najwięcej to po polsku, bo tam jeden nasz, taki pierwszy podejrzany, Arnold się nazywa. Gliny ich przemaglowały, każdą sztukę osobno, ale potem się zeszli i wszystko sobie opowiedzieli, podobno, tak im wyszło, że albo Arnold, albo taki Arne z Norwegii, oni razem za jedną cizią latali, a ją właśnie nieboszczyk podrywał, ale nie samą, tylko przyjaciółka się pchała, więc dwie miał na karku, całkiem z tego powodu nie płakał, tylko przeciwnie, aż świecił z uciechy. A to takie dosyć ostre panienki, jak im się nie spodobał, mogły go uszkodzić, ale chyba nie, bo chichotały całkiem zadowolone. No i one mówią, że tam jeszcze ktoś się pętał, obie razem, to znaczy każda oddzielnie.

Zamilkł, rozglądając się po stole, czy nie znajdzie się jeszcze jakiś przeoczony kawałek czegoś do zjedzenia. Elżbieta i Stefan wspólnymi siłami i na zmianę tłumaczyli Olafowi opowieść Marianka. Marzena, która na długą chwilę porzuciła klops, przenosząc się na salonową stronę, wróciła do kuchni i przyśpieszyła doprawianie potrawy, żeby nie stracić przypuszczalnego dalszego ciągu. Wszyscy usiłowali uporządkować sobie jakoś zasłyszaną treść.

– A rybki zeżarł – dołożył Marianek ze smutnym westchnieniem. – Trzy ostatnie.

– Kto?

– Jak to kto, nieboszczyk.

– Jakie rybki? – zaciekawiła się Magda.

– Norweskie. Suszone. Taka zakąska do piwa. Dali mu na spróbowanie i zeżarł do końca.

– Gdzie się pętał? – spytała surowo Alicja.

– Kto? – zdziwił się Marianek.

– Ten ktoś, kogo dziewuchy widziały – wyjaśniłam uprzejmie, bo Alicja zajęła się zgrzytaniem zębami.

– A, ten. Tak jakoś w okolicy. Nie całkiem blisko, tylko trochę dalej. Pewnie podglądał, a one mówią, że było co.

– I kto to był?

– One nie wiedzą.

– Ale coś przecież widziały, nie? Dzieciak jakiś? Wielki zbój z czarną brodą? Garbus z Notre Dame? Strażak w mundurze i w hełmie?

– Eee, nie. Jakaś taka, mówią, nieduża pokraka. Skoczna.

– Proszę? – zainteresowała się Elżbieta wyjątkowo gwałtownie. – Co to znaczy, że skoczna?

– A jakoś tak to przeskakiwało od krzaka do krzaka. Ale one się tak bardzo nie przyglądały, bo były zajęte. Podobno, tak mówią, to mogła być ta wariatka ze szpitala.

Tęskne spojrzenia Marianka, jakie biegły ku rozmaitym zakamarkom, gdzie jadalny drobiażdżek mógłby się podstępnie ukryć, stawały się tak intensywne, że nie dawało się ich znieść. Krojąca drobno cebulkę przy kuchenno-salonowym stole Marzena nie wytrzymała, porzuciła zabiegi kulinarne, wygrzebała jakieś szczątki spożywcze, pożałowała śmietanki, zastępując ją mlekiem, wszystko razem wwaliła na tacę i pirzgnęła na stół salonowy niczym kelnerka z podrzędnego lokalu. Naszego, nie ich.

– I niech to przyjdzie z dzbankiem po wodę, jak się wam kawa skończy! – warknęła nie gorzej od Alicji, wskazując palcem Marianka.

Marianek się rozjaśnił i nie zwlekając przystąpił do ulubionych czynności.

– Skąd wiesz o wariatce? – kontynuowała podejrzliwie Alicja.

Marianek nie miał oporów.

– Od szwagra.

– Przecież twój szwagier nie mówi po polsku!

– No to co? Ale siostra mówi. Wszystko mi przetłumaczyła, a on, mój szwagier, pracuje w tym szpitalu jako ogrodnik i w ogóle taki od różnych rzeczy na zewnątrz. Ta wariatka jest znana z tego, że ciągle ucieka, znaczy nie ucieka tak całkiem, bo wraca, tylko idzie na spacer, a nie wolno jej. I czasem siedzi spokojnie przez dwa miesiące, a czasem przez trzy albo cztery dni lata codziennie.

– Dlaczego jej nie wolno? – spytała Elżbieta.

– Zaziębia się albo co. Do ludzi nie gada, ale raz jakiegoś dzieciaka walnęła gałęzią. Cała awantura była, chociaż walnęła słabo i byle jak.

– To chyba ta moja – mruknęłam.

– A co? – zaciekawiła się Magda. – Też cię walnęła?

– Nie. Nie miała gałęzi, a to było w szczerym polu. Ale nie gadała.

– Może i ta – zgodził się Marianek. – A jak wraca, na przeprosiny przynosi co popadnie, bo wie, że źle robi, więc żeby się nie czepiali. Prezent. Już ona ma swój rozum, raz przyniosła gówno zająca, tak ładnie na liściu ułożone, szwagier akurat to widział...

– To rzeczywiście świadczy o wielkim rozumie – pochwalił Stefan.

– A jak? Mówią, że w ogóle ona mogła skasować tego nieboszczyka, ale wątpliwe, bo tyle siły nie ma. Jakby miała, to by mogła, bo niby dlaczego nie?

– No właśnie, dlaczego nie? Rozrywek mało...

– Ale podglądać nikt jej nie przeszkadzał, więc może to ona.

– Mogła widzieć sprawcę...

Alicja spojrzała pytająco na Elżbietę, Elżbieta pokręciła głową.

– Niekomunikatywna, niczego z niej nie wydoją, choćby widziała stado tygrysów. Najtrudniej z tymi milczącymi...

Julia siedziała w kącie kanapy tak milcząca i nieruchoma, że w ogóle zapomnieliśmy o jej istnieniu. Elżbieta urwała gwałtownie, pamięć nam wróciła.

– A ten Arnold co jeszcze mówił? – spytała Alicja pośpiesznie. – Czy on znał pana Wacława? Wiedział, że on tu jest?

Marianek skrupulatnie wyżerał z tacy przeoczone okruchy. Elżbieta, która nie zamierzała poddawać się zakłopotaniu, zajrzała do dzbanka i wysączyła z niego ostatnie krople kawy, szła ta kawa jakby ją kto gonił, ale, prawdę mówiąc, jako kawa nie wprawiała w podziw, można ją było pić wiadrami bez szkody dla zdrowia. Kiedyś przypadkiem zrobiłam w biurze naprawdę porządną kawę i cały personel orzekł ze zgrozą, że jest to straszny napój, nie do picia, wszyscy podolewali sobie wody. Nie dziwiłam się Olafowi, że woli piwo.

Mariankowi odpowiedź na pytanie Alicji odjęto od ust, Elżbieta podetknęła mu dzbanek pod nos.

– Nie ma kawy. Jazda!

Marzena skończyła właśnie z klopsem i wetknęła do pieca gotowe do upieczenia dzieło. W dzbanku z litości zaparzyła od razu kawę rozpuszczalną, chociaż puszka z kawą rozpuszczalną stała na stole. Wytarła ręce, zabrała śmietankę i weszła do salonu za Mariankiem.

– Wszystko słyszałam. Stanęliście na znajomościach Arnolda. To jak?

Marianek nie pamiętał, o czym była mowa. Chciwie i trochę żałośnie śledził wzrokiem kartonik ze śmietanką, którą stanowczo wolał od mleka. Magda dolała sobie tej cholernej śmietanki, ale kartonika nie wypuszczała z ręki, pytającym spojrzeniem wpatrzona w Marianka.

– No…?

– A co? – spytał Marianek niepewnie.

– Pytałam cię, czy Arnold znał pana Wacława – powtórzyła Alicja, teraz już bez pośpiechu. – I czy wiedział, że pan Wacław tu się znajduje. Tu, w Danii. W Birkerød.

– No pewnie, że znał. Znaczy, tak całkiem osobiście to nie znał, mówi, że tylko o nim słyszał. Znaczy wiedział, kto to jest. I raz go widział. Ale wcale nie wiedział, gdzie on jest i chromolił to, zobaczył go na tej wycieczce i cholernie się zdziwił, nawet w pierwszej chwili nie był pewien, czy to on. Znajoma gęba i tyle. Zezłościł się dopiero potem.

– Po czym?

– No, jak on tak zaczął z dziewuchami się obściskiwać i z tą jego Brygidą też, już mu do reszty, powiedział, ta gnida nosem wychodzi, mało że pluskwa, to jeszcze erotoman, kiedy takiego wreszcie diabli wezmą. Ale sam się nie udzielał, bo konkurencję miał i tego Arnego też musiał pilnować, razem do tej Brygidy startowali, a ona oporna jakaś.

– Wolała pana Wacława? – zdziwiła się Marzena, znów zapominając o zbolałej wdowie.

– E tam. One obie tak dla zgrywy, bo co im szkodzi. Mówią, że podobno na złość chłopakom, żeby im dokopać, bo niemrawe, ale w ogóle to chętne.

Stefan zlekceważył intymne i trochę niejasne sekrety skandynawskiej młodzieży, które najwidoczniej wydały mu się mało atrakcyjne, i odrobinkę zmienił temat.

– No dobrze, a była mowa o tej siatce?

– O jakiej siatce?

– Tej, w której był kamień. Narzędzie zbrodni. Arnold miał ze sobą siatkę, taką, w której się wozi na przykład piłkę?

– On nie gra w piłkę. Nic nie mówił, żeby miał.

– I nie znaleźli gdzieś porzuconej?

Marianek zadumał się głęboko. Co myślał, jeśli w ogóle coś, nikomu nie udało się odgadnąć. Znów trafił spojrzeniem na śmietankę w kartoniku i westchnął ciężko.

– Nikt o żadnej siatce nie gadał, więcej się sprzeczali, ile to siły potrzeba, żeby tak gościa zdemolować. Dlatego wariatka się nie nadaje, nieduża, chuda i starawa, to od szwagra wiem. A, siatka...! No tak, ale to rozmach trzeba wziąć, jak taki co siekierą rąbie, a w dodatku dobrze wycelować, bo jak się opsnie, najwyżej trochę odszczypie i tyle. I ta rękojeść im dłuższa, tym lepsza, a za to trudniej trafić, więc zaczęli się natrząsać z siebie, który tam gra w golfa, niech się przyzna. Albo w tego amerykańskiego, w bejsbola. Nikt nie grał, bo u nich kraje za bardzo górzyste, a do golfa więcej płaskie potrzebne.

W tym miejscu niewątpliwie wykazał się dużą wiedzą i w nagrodę Alicja zlitowała się i nakapała mu do kawy trochę śmietanki. Samodzielnie Marianek z całą pewnością opróżniłby kartonik do ostatniej kropelki.

Julia przeprosiła i wydostała się z samego końca kanapy, unosząc na włosach kilkanaście igiełek asparagusa. Alicja i Magda przepuściły ją bez protestu i głupich pytań, bo z łazienki skorzystać każdy ma prawo, nawet jeśli chce tylko obejrzeć się w lustrze, a niekoniecznie musi o tym zawiadamiać całe społeczeństwo.

– Co do kamienia, należało wykorzystać psa – powiedziałam z niezadowoleniem, kończąc własną myśl, niesłychanie skomplikowaną, która odwaliła swoją robotę w ciągu ostatnich pięciu minut. – Wiem, że znaleziono go później i w wodzie, pies nie miał nic do gadania, ale skądś ten kamień przecież pochodził, nie?

Osoby wokół otworzyły gęby i zamknęły, bo z pewnością chciały w pierwszej chwili potruć tą wodą. Mogłam streścić dalszy ciąg myśli.

– Wiem, że tu jest dużo takich kamieni, murki i tym podobne, ale wyjęty z murku czy ze stosu zostawia ślad.

Dla psa woń ręki, która go wyjęła. Wiem, że teraz już przepadło... chociaż... Czy można zakonserwować woń?

– Wnioskując z perfum, chyba można... – bąknęła niepewnie Magda.

Alicja przepchnęła się przez nią i wylazła zza stołu.

– Na świeżym powietrzu chyba wątpię – zaopiniował Stefan, też niepewnie i po krótkim namyśle. – Ślad został na świeżym powietrzu. Wywietrzał...?

Alicja usiadła przy telefonie i zaczęła wypukiwać numer.

– Ale brał do ręki – uparłam się, chociaż wcale mi na tym nie zależało i nie miałam takiego zamiaru. – To duże, może nawet wydłubywał dwiema rękami, na sąsiednich kamieniach i na tej tam odrobinie ziemi została woń. Jeśli człowiek gdzieś był, pies go wywęszy! A jeśli pies powącha i jeśli obok będzie sprawca...

– Może raczej grono podejrzanych i niech pies wybiera...

– Olaf mówi, że tu jest porządek – włączyła się nagle Elżbieta. – Ja mu wszystko tłumaczę na bieżąco, streszczam trochę, ale to bystry chłopiec. Mówi, że prawie nigdzie nie ma ubytków i nic się nie poniewiera, zwrócił uwagę, w całym Birkerød i w okolicy ledwo może parę miejsc. Moment. Co...? Zestawić ubytek z podejrzanym...

Alicja się dodzwoniła i radośnie zaczęła rozmawiać po duńsku. Teraz włączyła się bardzo przejęta Marzena.

– Pana Muldgaarda złapała i powtarza mu to o kamieniu i o psie. O, ucieszyła się! Nie wiem, co on mówi... Możemy wszyscy latać po terenie i szukać ubytków... Nie, coś inaczej, nie wiem co... O, rzeczywiście, bardzo jej przyjemnie, dużo nam z tego przyjdzie...

Alicja miała słuch nie tylko nietoperza i węża, ale także wielokierunkowy, jednym uchem słyszała pana Muldgaarda, a drugim Marzenę. Zakończyła rozmowę, odłożyła słuchawkę i odwróciła się na krześle.

– Kto wymyślił, że wszyscy latać? Idiotyzm, sprawca też lata, pies go wykrywa, a on mówi, że wszystko się zgadza, jest tu właśnie, pomacał te kamienie i one muszą nim śmierdzieć, pies ma rację. Kretyn, to jasne, ale na kretyństwo nie ma paragrafu, żaden dowód. Właśnie mamy NIE latać!

– Mnie nie zależy – mruknęła Elżbieta.

– To co on mówił? – zniecierpliwiła się Marzena. – Bo drugiej strony nie słyszałam.

Alicja zaczęła się rozglądać wokół siebie w poszukiwaniu papierosów.

– Oni też nie potrafią wytypować sprawcy. Mówi, że motywy im majaczą, ale właściwie niepoważne i trudno się na nich opierać. W zasadzie wykluczają kobiety, chyba że jakaś Dumbadze, w ogóle sportsmenka albo co. Wariatka bezwzględnie odpada.

Papierosów nigdzie w pobliżu telefonu nie znalazła, podniosła się zatem i wróciła do stołu.

– No to mówię przecież, że golfa! – przypomniał z urazą Marianek, czym zwrócił na siebie uwagę. Lekkomyślnie, bo Marzena natychmiast wyrwała mu z ręki kartonik ze śmietanką, jeszcze nie całkowicie opróżniony.

Alicja znalazła papierosy i usiadła na kanapie, popychając w głąb Magdę.

– Co do zapachu, to można, ale na jakimś przedmiocie. Przedmiot musi śmierdzieć, szczelnie zapakowany całą woń utrzyma. Luzem nie da rady, chyba że bardzo krótko, ale deszcz padał...

– Ledwo mżyło!

– W Kopenhadze padał.

– Ale tu ledwo mżyło, a i to krótko i nie wszędzie. Gdyby się dobrze uprzeć, dałoby się jeszcze coś znaleźć i coś wywęszyć!

– A ty się naprawdę zamierzasz upierać?

Marzenę gwałtownie zastopowało. Rzeczywiście, w gruncie rzeczy sprawca śmiertelnego zejścia pangolina wyświadczył niezłą przysługę społeczeństwu, jeśli nie całemu, to przynajmniej jego dużej części. Po jaką cholerę mieliśmy go z takim zapałem szukać? Zmąciła nas w pierwszej chwili straszna rozpacz Julii, ale już ogrom tej rozpaczy zaczynał budzić wątpliwości, popiskujące coraz głośniej za murem milczenia.

Z korytarzyka dobiegł tajemniczy, zgrzytający szurgot drzwi do pokoju telewizyjnego. Stefan nie wytrzymał.

– Alicja, to nie do zniesienia. Czy pozwolisz, że ja ci wydłubię to coś, co tam masz pod drzwiami?

– Proszę cię bardzo – zgodziła się melancholijnie Alicja. – Ale ja już próbowałam i obawiam się, że trzeba będzie zdjąć drzwi z zawiasów. Inaczej się nie da.

– Ale zdjąć się je da? Nie stanowią monolitu z futryną?

– O ile wiem, to nie.

– Olaf…!

Wezwany po szwedzku do pomocy Olaf ochoczo zerwał się z miejsca. Przepchnął się obok Marianka, który wciąż siedział przy stole, głęboko skrzywdzony brakiem dostępu do wyrwanej mu z rąk śmietanki.

– A frokost? – upomniał się wręcz rozpaczliwie.

– Frokostu nie ma i nie będzie – odparła natychmiast Marzena.

– A tam... coś... robiłaś...?

No tak, do żarcia to Marianek oko miał.

– Kolację. Będzie bardzo późno.

– I zaprosiłyśmy gliniarzy – uzupełniłam poufnie. – Wolimy być z nimi w dobrych stosunkach. Chociaż mamy alibi, a ty nie.

W kwestię obiadu Marianek już nie wnikał. Znikł nam z oczu, zapewne z nadzieją na drugie śniadanko u siostry.

Spod drzwi Stefan z Olafem wygrzebali dwie malutkie kulki do łożysk kulkowych, wykonane z wyjątkowo solidnego materiału, które wbiły się w niemal równie solidne drewno tak porządnie, że same z siebie nie wyszłyby do sądnego dnia. Trzeba je było już nawet nie wygryźć, a wręcz wypiłować. Skutek wynagrodził wysiłki, drzwi całkowicie przestały hurgotać.

Julia w trakcie operacji postanowiła się usunąć. O zamiarze powiadomiła tylko Alicję.

– Powiedziała, że chciałaby, jeśli można, pobyć trochę sama i pojechać sobie byle gdzie, żeby się oderwać – powtórzyła Alicja jej słowa, być może nie całkiem dokładnie. – Wyraziłam zgodę. Mam nadzieję, że nie macie nic przeciwko temu?

Nie, nikt nie miał nic przeciwko temu.

*

Julii najwyraźniej spodobała się turystyczna samotność, bo nazajutrz po wcześnie skonsumowanym śniadaniu znów się wybrała byle gdzie. Wpływu na jej gadatliwość nie miało to żadnego, wczorajsze grzeczne pytanie Stefana, czy oglądała coś interesującego, doczekało się wyłącznie równie grzecznej odpowiedzi, że ta część Danii bardzo jej się podoba. I tyle.

Alicja jednakże kindersztubą przerośnięta była na wylot, bo z grzecznością wręcz upiorną pozwoliła sobie zapytać przy kolejnej wycieczce, kiedy przewiduje powrót. Mniej więcej, na wszelki wypadek, w razie gdyby okazało się, że do czegoś jest niezbędna.

I tu nas Julia nieco ustrzeliła.

– Myślę, że na kaweoti – odparła. – Jak Marianek. To pewnie zaraźliwe.

– Hej, czy ona przypadkiem nie zaczyna odzyskiwać równowagi? – powiedziałam znad swojej herbaty, nieco zaintrygowana, kiedy już znikła nam z oczu. – Siłą tłamsi ulgę po utracie Romea, ale chyba coś jej pęka?

– Chcecie jajko? – spytała Alicja.

Ewentualnych amatorów miała niewielu, bo na razie tylko Stefana i mnie. Elżbietę słychać było w łazience, nie ulegało wątpliwości, że to Elżbieta, bo Olaf z przyjemnością sypiał dłużej, a Marzena z Magdą jeszcze do Birkerød nie dotarły.

– A może być dwa i to w postaci jajecznicy? – spytał Stefan pokornie.

– Może być i cztery jakbyś chciał, mam tyle. Zdaje się, że te przymusowe produkty z atelier już wyszły…?

– Jeszcze był gulasz wołowy, który zlekceważyłaś.

– Chcecie gulasz wołowy? – zdziwiła się Alicja.

– Nie chcę – powiedziałam stanowczo.

– Nie zależy mi – powiedział równie stanowczo Stefan.

– To nie. W takim razie możecie na obiad jeść ryby, ty i Olaf, i kto tam jeszcze lubi…

– Wszyscy, z wyjątkiem ciebie.

– Zjem kawałek przez uprzejmość. Upoważniam cię do kupienia tego chłamu rybnego, co ci tam pod rękę wpadnie. Ale sama będziesz smażyła!

– Mogę smażyć, nie przeszkadza mi, a i tak Marzena się przyłoży.

– I może białe wino, bo wcale nie mamy...

– Olaf kupi białe wino i różne tam takie – powiedziała Elżbieta, wychodząc z łazienki. – Nie chcę jajka. Wyjątkowo chcę herbaty. Joanna, mogę wziąć trochę twojej?

– Kretyńskie pytanie.

– Ona nie ma co odzyskiwać, bo tej równowagi wcale nie straciła – powiedziała Alicja, siadając wreszcie przy stole nad swoim jajkiem i kawą, po obsłużeniu Stefana. – Pierwszy raz w życiu czuję w sobie żmiję, świnię i... zaraz, co by tu jeszcze... harpię może? Potępiam bez dowodów!

– Owszem – przyświadczyłam po krótkim zastanowieniu. – To ja mówiłam, że podejrzane bydlę, a ty swoje. A jeśli już się uczepiłaś, wychodziło, że słusznie. A teraz co masz? Przeczucia?

– Czy można wiedzieć, o czym mówicie? – zainteresowała się Elżbieta nad czajnikiem. – Wszystko słyszę, jak się wycieram. Przedtem woda zagłusza, więc nie złapałam początku.

– Julia trysnęła szampańskim humorem – wyjaśnił Stefan.

– A...! Nie dziwi mnie to. Alicja, a dlaczego jesteś ta cała fauna z przyległościami?

– Bo jej nie wierzę. Nie wierzyłam od początku i nie wierzę nadal. Symuluje dobry humor, tak jak symulowała ten upadek zdrowotny...

– Co do upadku zdrowotnego, dowodami ci posłużyłam – wytknęłam z urazą. – Nie musisz się dręczyć wątpliwościami.

– Mogło być tak, że ją przytłaczał...

Więcej, zła i niezadowolona, powiedzieć nie zdążyła, bo brzęknęło, szczęknęło i Magda z Marzeną już były w salonie. W temat zostały wprowadzone z lekkim opóźnieniem, okazało się bowiem, że do żadnego sklepu jechać nie trzeba, przywiozły ryby z wszelkimi dodatkami. Zwariowały, odwalały za nas całą robotę. Ponadto Marzena znała Alicję, więc na wszelki wypadek dokupiła kurczaka i jajka.

– Kota macie – skarciła je Alicja gniewnie, w grucie rzeczy bardzo zadowolona. – Czy w ogóle nic innego na świecie nie istnieje, tylko żarcie? U mnie goście zakupów nie robią!

– To co, odwozimy z powrotem do sklepu, czy wyrzucamy na śmietnik...?

– Śmietankę też mamy – pochwaliła się Magda. – Przestańcie bredzić, wpadły mi tu w ucho atrakcyjne teksty. Kto kogo przytłaczał?

– Jeszcze mleko...

– Olaf pójdzie do kupca – zarządziłam. – Później mu się wszystko przetłumaczy, bo i tak na bieżąco nie rozumie. Alicja suponuje, że Romeo Julię przytłaczał. Alicja...?

Alicja wygrzebała papierosa spod notatek i kalendarzyków.

– Zapomniałam, o co mi chodziło. A, nie... Już wiem. Nie wierzę jej za grosz, ale dopuszczam... To pod jej wpływem – ze wstrętem wskazała mnie łyżeczką. – Ona go tak kochała, chciała mu nieba przychylić, trzęsła się z tego zaćmienia umysłowego, a on ciągle czegoś wymagał i ona w nerwach cała i tak dalej. Dobrze mówię?

– Nie jestem pewien – odezwał się Stefan, patrząc w zadumie to na nią, to na mnie. – Tak mi jakoś dziwnie wychodzi, że to Joanna go kochała i trzęsła się z zaćmienia umysłowego, ale przecież nie jej nie wierzysz za grosz...? I tego „go", to kto to jest? Bo chyba, do cholery, nie adonis Bucki?

– O Jezu... – jęknęłam z samego dna jestestwa.

– Pokręciłeś wszystko – zdenerwowała się Marzena. – Tylko mężczyźni potrafią tak głupio myśleć. Jasne, że Julia małpiego rozumu na tle ubóstwianego pangolina dostała, Alicja dopuszcza, że on ją przytłaczał i najpierw była jak kibic, cicha i bezwonna, potem zdruzgotana, a teraz odżywa, ale sama jeszcze w swoje odżycie nie wierzy. I łyso jej za niego...

– Głupie jesteście wszyscy jak próchno! – przerwała zirytowana Magda. – Gówno prawda, ja wiem lepiej! Mówiłam wam, że to żmija, nakręcała, pokazywała palcem, a on miał być wykonawcą, a własną inicjatywą bekał, bo chciał być wspanialec! Bez niej mógłby się w tyłek z kląskaniem całować! Nosem jej wychodziły te wszystkie kompromitacje, same straty, miała dość!

– I skasowała go własnoręcznie? – skrzywiła się Elżbieta. – Nie wierzę.

– Dlaczego?!

– Fizycznie odpada. A poza tym co, pozbyła się wykonawcy?

– Taki z niego wykonawca, jak z krowiego ogona wachlarz!

– Marianek by się przydał – wtrąciła z westchnieniem Alicja. – Warto więcej z tymi wycieczkowymi chłopakami pogadać. Ale ja nie chcę, żeby to był ten Arnold...

Zważywszy liczne obowiązki, jakie należało pospełniać, z wysłaniem Olafa po mleko włącznie, kłótliwe rozważania trwały aż do kaffe og te, które bezbłędnie wywęszył Marianek. Pierwszy raz został powitany tłumionymi dyplomatycznie objawami zadowolenia.

Marianek był zmartwiony.

– A co to, pani Julii nie ma? – spytał z troską. – Bo samochodu nie widzę...

– Niedługo będzie. Do czego ci ona?

– Ona to na nic, tylko samochód.

Zaczął się obracać i zerkać pod nogi, we własnym mniemaniu dyskretnie, w naszym wręcz przeciwnie. Przykucnął nawet i pomacał podłogę pod regałami w przedpokoju, po czym zajrzał pod marokański stolik i stojące przy nim krzesło. Po czym wyprostował się i westchnął.

– Nie, ja wiem, że tu nie ma, już wczoraj patrzyłem...

– Czego nie ma? – zainteresowała się podejrzliwie Alicja.

– No, takiej mojej siatki.

– Jakiej siatki?

Marianek łypnął okiem na przygotowania do kaffe og te i usiadł przy stole.

– Takiej zwyczajnej, chciaż dużej, moje rzeczy tam były.

– Można wiedzieć, jakie twoje rzeczy znajdowały w moim domu i co tu robiły?

– One nic nie robiły, a ja je zabrałem razem z plecakiem, jak powiedziałaś, że nie ma miejsca, i rzeczywiście zabrałem, bo tu nie ma, ale u siostry też nie ma. Cała siatka oddzielnie, wszystkie rzeczy.

– Zwariować można – powiedziała Marzena i postawiła na stole salaterkę z orzeszkami i migdałami, wśród których plątały się licznie suszone warzywka w cukrze, marchewka, imbir, jakieś kostki czegoś, a najliczniej nieziemsko obrzydliwe cukierki z salmiakiem. – Czy ty nie możesz mówić jakoś porządniej? Jakie rzeczy?

Wyraźnie widoczne skrępowanie Marianka zaciekawiło nas niezmiernie.

– No, takie te, do prania. Spodnie i sweter, i koszule, i skarpetki, i te, no... takie...

– Gacie – podsunął życzliwie Stefan.

– No toteż właśnie, ale gorzej, bo tam były i szwagra...

– Bardzo chciałabym wiedzieć, dlaczego przyniosłeś do mnie brudne gacie swoje i szwagra! – rozzłościła się Alicja.

Marianek się jej przestraszył.

– Szwagra nie! – zaprotestował ogniście. – Tylko moje! Szwagra była koszula i sweter. I skarpetki.

– I do czego mają mi być potrzebne twoje brudne gacie?

– Nie, tam spodnie też były i w ogóle. Nie, tobie to nie, tylko tak do prania...

– Rozumiem, bo tu jest pralnia...?

Marianek robił wrażenie męczennika na ruszcie, ale krzesła i stołu nie opuścił.

– Nie, ja tylko sobie myślałem, że jakby co, to tego, tak przy okazji... A szwagra zabrałem przez pomyłkę, z pośpiechu, bo tego... no... siostra się śpieszyła...

– Rozumiem jeszcze lepiej – zaopiniowała niemiłosiernie Marzena. – Siostra cię wygoniła z domu, żebyś zabierał swoje brudy i wynosił się do ciężkiej cholery, a ty łapałeś co popadło. Jako ciężka cholera od razu ci się objawiła Alicja. A teraz szwagier upomina się o swoje, co?

Wbrew spodziewaniom Marianek doznał ulgi.

– No bo ten sweter to on roboczy, taki na lato, więc mu potrzebny, a razem jakoś leżało, a do plecaka już mi się nie mieściło, zresztą i tak miałem tę siatkę na brudne rzeczy, żeby oddzielnie, a spodnie to one się tym, keczupem tak…

– Upiększyły – podpowiedziała Magda, słuchająca z szalonym zainteresowaniem.

Marianek zgodził się na upiększenie. Żadne skojarzenie na razie jeszcze nie zaświtało nam nigdzie, głównie byliśmy zaciekawieni, gdzie też Marianek mógł zgubić swoją i cudzą odzież. Pewne było, że nie usiłował jej prać w jeziorze.

– No i tak myślę, że może ona została w samochodzie tych Buckich, bo razem z nimi odjechałem i może zapomniałem wyjąć…

Nie zdążyliśmy rozważyć supozycji, bo weszła Julia, jakoś mało po drodze brzękając. Ruszyło wszystkich, Magda odwróciła się przodem do bufetu, o który przedtem wspierała się tyłem, przytknęła czajnikiem i zajrzała do dzbanka dla sprawdzenia, czy wsypała kawę, Marzena przestawiła deskę z serami na stół, Olaf, który już zdążył wrócić z mlekiem, orientowany w treści rozmów przez Elżbietę na bieżąco, skoczył na dziedzińczyk po piwo, Stefan zabrał dwa krzesła do salonowego stołu. Nie pozostało mi nic innego, jak tylko przenieść tam produkty spożywcze i zastanowić się, gdzie zostanie upchnięty Marianek, żeby podsunąć mu pod nos salaterkę z ohydnym salmiakiem. Bardzo chciałam, żeby zeżarł tego możliwie dużo.

– Nie chcę ekspresu – powiedziała Magda do mamroczącej coś pod nosem Alicji. – Jeśli ci zależy, mogę nastawić, umiem, ale z niego strasznie wolno kapie. Ostatnia osoba dostanie kawę na kolację, nie wiem, czy to będzie dobrze.

– Mnie na niczym nie zależy…

– No dobrze, to nastawię.

Julia nie stroiła fochów, zajęła miejsce na kanapie jak człowiek. Alicja zgarnęła po drodze paczkę papierosów i też usiadła, zła i zakłopotana.

– W moim domu ten burdel mogę robić ja – rzekła spokojnie, ale takim głosem, że w każdym gwałtownie budziła się czujność. – I nikt inny. Nikt mi nie będzie podstępnie podrzucał żadnych śmieci ani gałganów. Mam własne.

Kierunek na Marianka był wręcz widoczny w powietrzu niczym foliowy tunel. Marianek był jedyną osobą, która tego nie dostrzegła. Pomyślałam, że Alicję zaraz szlag trafi.

– Marianek, miałeś interes do pani Julii – przypomniała Marzena, dla odmiany z przeraźliwą słodyczą.

Marianek z pewnym wysiłkiem oderwał się od salaterki i popatrzył wokół baranim wzrokiem. Ta siostra rzeczywiście musiała go karmić niezbyt obficie.

– Co…?

Nie wytrzymałam.

– Miałeś zapytać panią Julię, czy nie znalazła twoich brudnych łachów. Kto ma to za ciebie zrobić?

Julia też nie wytrzymała, pierwszy raz na jej twarzy mignęło zaskoczenie.

– Proszę...?

Marianek przełknął z trudem i nie całkowicie, bo świństwo z salmiakiem miało w pewnym stopniu konsystencję mordoklejek. Widząc szybki ubytek smakołyku, prawie nabrałam do niego sympatii.

– Ja... tego... No... Bo ja miałem taką siatkę z rzeczami do prania, wcale nie brudne, tylko do prania, zabrałem ją ze sobą, jak waszym samochodem stąd jechałem, i chyba zapomniałem zostawić, znaczy nie, zapomniałem i zostawiłem, bo nigdzie jej nie ma. Więc może w tym waszym samochodzie leży. Nie widziała pani?

– Nie.

– To może ona tam jeszcze leży?

– Nie wiem. Ale chyba nie, bo Wacław sprzątał samochód...

W Stefana jakby piorun strzelił. Poderwał głowę, wychlupnął na spodeczek odrobinę kawy.

– Słucham...?!

Julia spojrzała na niego i zamilkła.

– Co pani powiedziała?

Julia milczała.

– Czy ja dobrze usłyszałem, że Wacław sprzątał?

Julia milczała.

Stefan gwałtownie wypił resztę kawy, chwycił butelkę i do tej filiżanki po kawie nalał sobie piwa.

– Naprawdę chciałbym to usłyszeć porządnie. Powiedziała pani, że Wacław sprzątał samochód?

Julia siedziała nieruchomo i milczała.

Stefan odetchnął głęboko, napił się piwa z filiżanki i odzyskał opanowanie.

– Znałem Wacława od dawna – rzekł już spokojnie i jakoś bardzo sucho. – Nie ma tu co ukrywać, widywałem go w rozmaitych sytuacjach i czasach, także jako smarkatego gówniarza, starszy byłem od niego co najmniej piętnaście lat. Nigdy w ciągu całego tego czasu nie było wypadku, żeby Wacław coś posprzątał, nawet jeśli musiał i nawet jeśli bardzo chciał, z jego sprzątania wynikał jeszcze większy bałagan. Indolencja totalna. Niemożliwe jest, żeby Wacław posprzątał samochód, po jego staraniach byłby to śmietnik miejski, a nie samochód. Więc po co takie androny pani mówi?

Julia milczała.

Alicja poczuła się w obowiązku wkroczyć, obydwoje ze Stefanem stanowili to samo pokolenie, poza tym była tu panią domu i spoczywał na niej obowiązek rozjemcy bez względu na uczucia. Co do uczuć, zaniechała już nawet prezentacji zębów dookoła głowy.

– Jeśli pan Wacław sprzątał trochę nieudolnie, możliwe, że ta siatka z łachami Marianka jeszcze gdzieś tam leży. Można sprawdzić, o ile pani Julia nie ma nic przeciwko temu?

Na to Julia już milczeć nie mogła.

– Nie, nic. Czy muszę być przy tym?

Teraz podniosło Marzenę.

– Niekoniecznie. Marianek musi. Mogę iść z tym kretynem, nie posądza mnie pani, mam nadzieję, że coś ukradnę? Jeśli mi pani da kluczyki...

Julią sięgnęła do kieszeni letniego blezerka i wyjęła kluczyki. Magdę również podniosło.

– Też pójdę. Mogę być świadkiem.

Osobą najmniej zainteresowaną był Marianek, korzystający z sytuacji i zachłannie wyżerający z salaterki żrące draństwo. Prawie siłą został oderwany od uczty. Alicja uparła się złagodzić atmosferę i tematem rozmowy uczyniła nienażartego półgówka, w czym ją bardzo chętnie wspomogłam, rozważając cechy skąpej siostry. Źle trafiłam, Alicja znała tę siostrę, gwałtownie zaprotestowała przeciwko odsądzaniu jej od czci i wiary, w rezultacie wszystko skrupiło się na przemianie materii. W chwili, kiedy udało nam się dojść do zgody przy wspomnieniu dawnej koleżanki z pracy, prawdziwej rekordzistki w tej przemianie, ekspedycja wróciła.

– Gówno – powiadomiła nas zwięźle Magda. Zajrzała do dzbanka i ruszyła do kuchni robić nową kawę.

– Nic z tego – uzupełniła wchodząca za nią Marzena i oddała Julii kluczyki. – Obejrzeliśmy wszystko z bagażnikiem włącznie, żadnych łachów Marianka nigdzie nie ma. I w ogóle żadnych łachów. Stefan, nie chcę ci się narażać, ale ogólnie to jest normalny samochód, normalnie posprzątany. Bardzo panią przepraszam, pani Julio.

– Za co? – zdziwiła się Julia.

– Na wszelki wypadek. Bo mogłaby pani uważać, na przykład, że jest idealnie posprzątany i za „normalnie" obrazić się na śmierć i życie.

– Och, nie. Z pewnością nie.

– A w ogóle widziała pani ten tobołek z łachmanami?

– Nie. Pan Marianek siedział z tyłu razem z bagażami. Nie zwróciłam uwagi.

– To nie tobołek, tylko siatka – wtrącił Marianek, nie wiadomo dlaczego z urazą. – Teraz już całkiem nie wiem, co ja powiem siostrze.

Stefan zamilkł na dość długo, wyglądając przy tym, jakby intensywnie myślał. Odezwał się wreszcie.

– Gdzie Wacław robił ten porządek?

Przysięgłabym, że Julia najchętniej ogłuchłaby i zaniemiała, ale ogólna sytuacja nie sprzyjała takim dolegliwościom. Przemogła się.

– Nie wiem.

– Niemożliwe. Takie sprzątanie trochę trwa. O ile wiem, nie traci pani przytomności?

– Nie wiem dokładnie. Chyba gdzieś w pobliżu knajpy.

– Na parkingu?

– Nie wiem. Może obok. Siedziałam nad jeziorem, a on poszedł do samochodu.

Takie długie zdanie miało swoje konsekwencje, spowodowało dalszy ciąg.

– I kiedy to było? Tylko dwa razy pojechaliście nad jezioro. Którego dnia?

– Za pierwszym razem…

– I razem wróciliście. A następnego dnia parkował w tym samym miejscu? Czy może postawił samochód gdzie indziej?

Julię wyraźnie zaczynało dławić, ale widać było, że Stefan nie popuści, przeprowadzi całe śledztwo do końca. Nikt nie odzywał się ani słowem, słychać było tylko chrupanie migdałów w zębach Marianka. Brzmiało trochę złowieszczo.

– Nie wiem – powiedziała cicho Julia. – Nie zwróciłam uwagi.

– Przecież była pani przy nim, szukając Wacława, wsiadła pani później i przyjechała tu. I nie wie pani, gdzie stał?

– Na parkingu turystycznym. Ale nie wiem, gdzie stał poprzedniego dnia.

Stefan podniósł się z miejsca, szurnąwszy dość gwałtownie krzesłem, uczynił kilka kroków do drzwi ogrodowych, wyjrzał na taras, odetchął głęboko i wrócił do wnętrza. Zatrzymał się na środku salonu.

– A co Wacław zrobił z tymi śmieciami, które wygarnął z wozu? Nie rzucił ich przecież byle gdzie, tu się takich rzeczy nie robi, to jest uporządkowany kraj.

– Nie widziałam. Może wrzucił do śmietnika, tam chyba jest śmietnik?

– Jest. Nawet dość duży i nie opróżniają go codziennie. Gdyby ta siatka z łachami jeszcze tam była... Uważam, że warto sprawdzić. Alicja...?

Alicja strasznie nie chciała wtrącać się akurat w tej chwili. Zrozumiała Stefana doskonale, cholerna siatka demokratycznego pochodzenia stanowiła raczej dość istotny element, jeśli wciąż leżała w śmietniku razem z odzieżą Marianka, sprawiłaby wielką radość wyłącznie Mariankowi i nikomu więcej. Policji wręcz przeciwnie. Ileż w końcu siatek zza żelaznej kurtyny może wizytować Danię...?

Czy ta cholerna baba nie mogłaby jednak czegoś wreszcie powiedzieć?!

Starając się omijać wzrokiem Julię, Alicja jednakże zmobilizowała się i zadzwoniła, pan Muldgaard niczego nie ukrywał. Z wielką satysfakcję odłożyła słuchawkę.

– Przeszukali ten śmietnik zaraz po znalezieniu kamienia, śmieci z niego wywożą dwa razy na tydzień, zdążyli tuż przed opróżnieniem, więc wszystko tam było. Z wyjątkiem siatki. Łachów Marianka luzem też nie znaleźli. Śmietnik odpada.

– To już nie wiem – powiedział Marianek i nie stracił apetytu, pomimo zmartwienia.

Stefan drążył dalej, bezskutecznie. Julia popadała w rosnącą bezradność, naprawdę nie umiała odgadnąć, co Wacław zrobił ze znaleziskiem, może wielkim łukiem rzucił gdzieś w las. A może jednak ktoś to znalazł, zabójca, i spożytkował...

Nosem nam wyszły te rozważania. Jedyną ulgę sprawiło wykrycie pochodzenia idiotycznej siatki, stanowiła własność Marianka, zgubił ją przy pomocy tych kochanków z Werony i ułatwił zadanie sprawcy. Wbrew całej wiedzy o nim, prawie zaczęłam się zastanawiać, czy za przykładem Julii swojej rozlazłości nie symuluje. Nie, za przykładem odpada, rozlazły był znacznie wcześniej, tak wytrwała symulacja jest wprost niemożliwa, ponadto... nawet przy jedzeniu...?

Stefan chwilowo zamilkł i wrócił na miejsce przy stole, ale zastąpiła go Magda.

– Marianek, jedź ze mną na miasto, co? Kupimy coś na deser, ty mi doradzisz, siedzę tu jak taka świnia z rozdziawioną mordą na żarcie, więc chociaż tyle. Ty się znasz.

Subtelność propozycji raziła nas jak gromem, ale Marianek nie był wrażliwy, zaproszenie powitał chętnie. Kaffe og te uległo zakończeniu, mógł się oderwać od stołu, znikli nam z oczy w takim tempie, że nikt nie zdążył uczynić żadnej uwagi. Elżbieta z Olafem również porzucili towarzystwo, od rana mając w planach białe wino. Julia przeprosiła, bo chciała odpocząć, zostaliśmy we własnym gronie, Alicja, Marzena, Stefan i ja. Natychmiast przenieśliśmy się do stołu kuchennego.

– Śmierdzi mi, jak średniowieczne pole bitwy w letnim okresie, nazajutrz – oznajmił Stefan, otwierając dwie butelki piwa.

– Bo co? – spytała szybko Marzena.

– Bo znałem tego palanta. W życiu nie wyrzuciłby niczego, co byłoby podobne do jakiejś odzieży. Najpierw sprawdziłby jakość, a tu mają rzeczy wysokiego gatunku. W porównaniu z polskimi, przepraszam.

– Nie szkodzi – zapewniłam go z całego serca. – Tylko że to były łachy Marianka... Chyba niepotrzebnie wydłubaliście już teraz te kulki od łożysk tocznych, można było trochę poczekać...

*

Magda zaczęła uszczęśliwiać Marianka już od pierwszej chwili. Wykorzystała kiosk z parówkami w samym centrum Birkerød, a zaraz po nim kawiarenkę z ogromnym wyborem ciastek i dwoma stolikami dla gości. Wedle mojego głębokiego przekonania równie dobrze mogła wykorzystać bar z flakami i bigosem, bazarowe pyzy domowej roboty, względnie byle co gdziekolwiek pod warunkiem, że byłoby to jadalne. Możliwe, że ciastka stanowiły pomysł najlepszy, zważywszy pewien brak słodyczy w domu Alicji.

– Ten Arnold – rzekła. – Ty go lepiej zapytaj, czy on twojej siatki nie znalazł razem z twoimi portkami i swetrem twojego szwagra. Bo może dla niego to było takie barachło, że wyleciało mu z głowy, ale może sobie przypomnieć.

– Wcale nie barachło – odparł z urazą Marianek, wchłaniający w siebie trzeciego hod-doga. – Bardzo porządne rzeczy, dlatego siostra tak się czepia, tyle że do prania. No i cóż takiego, tu wszystko jest do prania.

– To może pomyślał, że upierze i weźmie dla siebie? On od nas, takie znaleźne się przyda, nie?

Marianek łypnął okiem w głąb kiosku, rozejrzał się dookoła i zastanowił. Magda wyznała nam później, że kusiło ją wepchnąć w niego jeszcze trzy razy więcej, ale obawiała się jakiegoś spożywczego stuporu, który uczyniłby go niezdatnym do użytku, zmieniła zatem lokal. Na widok wnętrza kawiarni Marianek się rozpromienił.

– O, takie to! – powiedział tęsknie, wskazując palcem. – Nigdy tego nie jadłem, a zawsze chciałem!

Magda duńskiego języka nie znała, zatem nie potrafiła nam powtórzyć, co to było to coś, ale jej zdaniem miało jakieś wspólne cechy z owym salmiakowym świństwem, przed którym ją ostrzegałam. Żrącym, gryzącym, okropnym nie do opisania, być może w połączeniu z marcepanem jeszcze gorszym. Ale proszę bardzo, skoro Marianek chciał...

Zamawiała, co popadło, w dzikim szale. Marianek kwitł. Na pytanie o ewentualną chciwość Arnolda odpowiedział całkiem rozsądnie.

– E tam. Jakby nawet znalazł coś takiego, to by najpierw przymierzył na siebie. Jakby mu nie pasowało, to na co mu? Pralnia kosztuje. A on większy trochę i ode mnie i od szwagra, pasować nie mogło. To co miał zrobić? Wyrzucił.

– A siatka?

– Co siatka?

– Jak przymierzał, z siatki musiał wyjąć, nie? I co, potem ładnie składał i z powrotem wpychał?

– E tam. Wyrzucił jak popadło...

– Gówno zjesz więcej, jeśli nie pomyślisz – zdenerwowała się Magda. – Ja chcę od ciebie wiedzieć, co Arnold na to! Rusz tym głupim czerepem!

Marianek zatroskał się średnio, bo wielkiego głodu już odczuwać nie miał prawa, ale może zalęgły się w nim jakieś nadzieje na przyszłość. Gorliwie jął snuć supozycje na tle poglądów i poczynań młodzieżowej wycieczki.

– Oni tu jeszcze siedzą w okolicy, bo gliny im zabroniły wyjeżdżać. Znaczy, miały zostać tylko cztery sztuki, Arnold, Arne i te dwie dziewuchy, ale reszta powiedziała, że też zostają, jak razem, to razem. Arnold w ogóle w nerwach, chociaż zadowolony, że ktoś wykosił tego całego Buckiego, odgrażał się nawet, że jakby mu źle wyszło, sam by się przyłożył, trochę za dziadka, a więcej za Brygidę. Natrząsają się z niego, że kto go tam wie, może się i przyłożył, dziesięć minut by mu starczyło, a za dziesięć minut to nikt tam głowy nie da. Plączą się tak gdzie popadnie i Arnold mówił, że ta wariatka to jakoś marnie pilnowana, co i raz gdzieś łazi, sam ją widział, mignęła mu, jak za swoją Brygidą i za Arnem latał, do jeziora tak ciągnie. Pewnie drugiego trupa chce zobaczyć, bo może myśli, że się pozabijają.

Magda usilnie starała się na poczekaniu układać sobie w głowie sens wypowiedzi Marianka.

– Glinom o tym mówiłeś?

– O czym?

– No, o wariatce. I o odgrażaniu.

– Wcale mnie nie pytali, to co miałem mówić.

– A Arnold mówił?

– Nie wiem, ale chyba nie, bo właściwie to nie miał kiedy.

– A kiedy ta wariatka tak mu mignęła?

– Wczoraj i dzisiaj, ale za dzisiaj to głowy nie da. Akurat go spotkałem, jak do Alicji szedłem, i krzywił się, że tak jej nie powinni puszczać, bo czy to wiadomo, co taka zrobi, a potem znów będzie na nich. Wczoraj to nawet jakieś kamienie do wody wrzucała, ale wolał nie patrzeć i bliżej nie podchodzić, a dzisiaj, ledwo mu mignęła, od razu zawrócił i poleciał między ludzi. Żeby nie było, że gdzieś tam był.

– A ty jej ani razu nie widziałeś?

– Ja nad jezioro nie chodzę i za Brygidą nie latam – obraził się Marianek. – Jakbym miał latać, to już prędzej za tą drugą, za Ingą. Ale też nie chcę, bo kto to tam wie, może i skasowały nieboszczyka? Za ostre dla mnie.

Jakby dla podkreślenia swoich gustów tęsknym wzrokiem obrzucił słodką ekspozycję w gablotach...

*

– Pół sklepu zeżarł – relacjonowała Magda po powrocie do Alicji, krótko przed obiadem. – Ale nie żałuję, uważam, że się opłaciło. Poza tym tak zaraz nie przyjdzie, bo mu kazałam koniecznie i natychmiast znaleźć Arnolda i nakłonić do pogawędki z gliniarzami. Arnold te skandynawskie języki zna, lepiej, gorzej, ale zna, a do tego angielski.

– Niech mi ucho odpadnie, jeśli da się nakłonić – mruknął Stefan.

– Myślisz, że ten głodomór nie zrezygnuje ze spełnienia obowiązku na korzyść obiadu? – zatroskała się Marzena.

– Chyba nie, bo liczy na kolejną wyżerkę. Tak mu dałam do zrozumienia.

– Ale Stefan ma rację – powiedziałam stanowczo. – Arnold się będzie głupio migał, lepiej byłoby zadzwonić i złożyć donos, a policja niech się z nim dalej męczy.

Na konkretne pytania pewnie odpowie, sam z siebie głosu nie da.

– A jak się rozejdzie, kumple go nakłonią do gadania – poparł mnie Stefan. – Chociażby po to, żeby ich wypuścili z tego domowego aresztu. Alicja...

Alicja przechyliła się na krześle do tyłu i spojrzała w głąb korytarzyka za plecami.

– Rzeczywiście z tym zgrzytaniem należało poczekać... Szlag mnie trafi, ci ludzie zmienili mi charakter!

– Jacy ludzie?

– Romeo i Julia. Słowo daję, że nigdy taka nie byłam! To, co robimy, to jest sadystyczne znęcanie się nad skrzywdzoną, nieszczęśliwą ofiarą, normalnie żadna siła na świecie nie skłoniłaby mnie do czegoś podobnego, a teraz...? Wy tam patrzcie, czy ona nie idzie.

Podniosła się z krzesła i podeszła do telefonu.

– Postępuję wbrew sobie i nie rozumiem tego... Ktoś rozpylił w powietrzu jakąś zarazę? Przecież ona jest moim gościem, obydwoje są moimi gośćmi.

– Jedno było. Już nie jest.

– Bez znaczenia. Dlaczego nie robimy tego wszystkiego jawnie, po jaką cholerę ukrywamy się przed nią? Przecież pomagamy znaleźć zabójcę jej męża!

– Konkubenta.

– Wszystko jedno! Mogę nie rozumieć, co wy robicie, ale dlaczego nie rozumiem, co ja sama robię?! Nigdy w życiu...

Na szczęście wypukiwanie numeru uległo zakończeniu i z drugiej strony ktoś podniósł słuchawkę.

– Pan Muldgaard – powiadomiła nas z zadowoleniem Marzena, przez chwilę pilnie podsłuchująca. – Zeznaje mu porządnie i nic nie przepuszcza. Ma rację, że jest nienormalnie, też nie wiem, skąd się to bierze. Jakieś paskudztwo plącze się pod nogami.

– Wszystko dlatego, że do ofiary i jej śmiertelnego zejścia mamy kompletnie odmienny stosunek niż żałobna wdowa – wyjaśniłam szeptem, żeby nie przeszkadzać Alicji. – Już się nad tym zastanawiałam, bo sama się dziwię prawie od początku. Nikt tu nie ma skłonności do obłudy i coś mi się widzi, że nikt nad brakiem pangolina głęboko nie cierpi, musielibyśmy symulować gorzkie żale i tryskać wyrazami współczucia, a kto to wytrzyma? Bo ja nie. Nie mam cierpliwości! W dodatku całej prawdy z gęby wypuścić nie można przez zwyczajną przyzwoitość i elementarny takt...

– I przez stosunek do żałobnej wdowy – uzupełniła syczącym szeptem Magda. – Ona taka żałobna, jak ja upierzona!

– Że coś ukrywa, jestem pewna!

– Popieram zdanie przedmówczyń – ogłosił Stefan. – Zaraz uszczęśliwimy Alicję!

– Pan Muldgaard zaprosił się na jutro, na kaweoti – oznajmiła Alicja, odkładając słuchawkę. – I dobrze nam tak! Czym mnie zaraz uszczęśliwicie? Może kawą?

Magdą miotnęło w kierunku czajnika.

– Wyjaśnimy ci przyczyny naszego zbiorowego ześwinienia – obiecałam jej. – Zaraz, nie tak od razu, Elżbieta z Olafem wracają, niech też usłyszą...

Elżbieta z Olafem mieli zapewne jakieś przeczucia, bo kupili więcej wina i rozmaite podwieczorkowe łakocie w postaci słonych paluszków, krekersików, serowych ciasteczek i tym podobnych drobnostek. Akurat na jutrzejsze podjęcie pana Muldgaarda. Tajemnice zostały im wyjawione przy salonowym stole, z widokiem na Julię, która raz wreszcie dokładnie zwiedzała ogród i w żaden sposób nie mogła nas usłyszeć.

– Gratulacje za Marianka – powiedziała Elżbieta do Magdy. – Miałaś pomysł godzien podziwu. A co do reszty, to Joanna ma rację, ta cała Julia siedzi nam tutaj jak wrzód na dupie i nie pasuje do niczego. Olaf jest tego samego zdania, rozmawialiśmy na ten temat, zamknęła się w klatce i nosa nie wychyla.

– Wyjechałaby z pewnością, gdyby jej policja pozwoliła – zauważył Stefan.

– Zostawiając ukochane zwłoki?! Coś ty...!

– No, zwłoki jeszcze trochę potrzymają, ale na jej miejscu wyprowadziłbym się do hotelu, chociażby tego tutaj, w Birkerød.

– Niewygodny cholernie – skrytykowałam.

– No to co? A tu jej wygodnie? Przecież musi czuć, że przeszkadza, nie jest z drewna! Nawet nie ma do kogo gęby otworzyć!

– Jej na otwieraniu gęby wcale nie zależy – powiedziała Elżbieta. – Wręcz przeciwnie. Olaf twierdzi, że tu ona ma na podorędziu wszystkie informacje i trzyma rękę na pulsie śledztwa, a gdzie indziej gówno będzie wiedziała. On niegłupi, nie spodziewałam się po nim takiego rozsądku, chociaż jest asystentem policyjnego psychologa.

– Zasługuje na nagrodę, trzeba mu coś dać! – zawyrokował Stefan.

– Może ryby, co? – przypomniała jadowicie Alicja. – Zdaje się, że to nie ja miałam smażyć.

Poderwało nas równocześnie, i Marzenę, i mnie.

– Ryby...! Obiad...!

Smażenie ryb nie wymagało żadnego wysiłku, panierowane, gotowe do rzucenia na patelnię, potrzebowały tylko czasu. Zaczęły się już trochę rozmrażać, więc nawet tego czasu niewiele. Na znacznie cięższą próbę gościnność Alicji wystawił stół, który znów trzeba było odczepiać od ściany i rozkładać prawie pośrodku salonu. Uznaliśmy, że albo będziemy jedli wszystkie posiłki na raty, jak śniadanie, albo ten stół zostanie tak już na stałe, najwyżej nieco skrócony, żeby można było koło niego przechodzić. Nie podjęliśmy wiążącej decyzji, zważywszy jutrzejszą wizytę pana Muldgaarda, przez jutro stół miał zostać.

Marianek trafił akurat na chwilę zmiany umeblowania i jego pomoc bardzo się przydała. Wezwanie na posiłek Julii okrzykiem z tarasu nie nastręczyło trudności.

Wszyscy doskonale wiedzieliśmy, że pojęcie taktu Mariankowi jest obce, nikt, rzecz jasna, nie spytałby go przy Julii o efekty jego rozmowy z Arnoldem, chociaż ciekawość kąsała, ale też nikt nie sądził, że wyrwie się sam z siebie aż tak wystrzałowo. Starania Magdy dały rezultat, śmiertelnie głodny nie był, mógł zatem mówić. Z tej możliwości skorzystał.

– Arnold mówi, że co widział, to widział, ale do glin bez przymusu nie pójdzie. Jeszcze go posądzą, że rzuca podejrzenia na nieszczęśliwą kobietę, żeby z siebie zepchnąć, a ona może w tym swoim nieszczęściu jakiej rozrywki potrzebuje i tak tam sobie chlup, chlup, cokolwiek do wody wrzuca. O, pani Julia by mogła na przykład, i kto by się czepiał?

Dla uniknięcia wątpliwości wskazał Julię widelcem, a pozostałym biesiadnikom pożywienie stanęło kością w gardle. W obliczu ogólnego milczenia odezwał się Olaf.

– Chlup, chlup – powiedział zachęcająco i uniósł w górę kieliszek z białym winem.

Efekt toastu był dość niezwykły. Magda zawyła dziwnie i wybiegła z salonu na dziedzińczyk, Marzena zerwała się z miejsca, runęła do kuchni i zaczęła strasznie kichać w ściereczkę kuchenną, Stefan, człowiek światowy, wspomógł Olafa, powtórzył „chlup, chlup", też uniósł kieliszek i prychnął w zawartość tak, że opryskał nawet kwiatki na oknie, chociaż siedział do nich tyłem. Uciekłam na taras. Alicja była jedyną osobą, która zdołała opanować niestosowne reakcje i tylko przez długą chwilę szukała pod stołem widelca.

Julia oczywiście milczała.

Chichoty z miejsca mi przeszły na myśl, że każdy normalny człowiek zareagowałby jawnie. Zapytałby bodaj, co się stało, dlaczego chlupoty Marianka wpędziły nas w konwulsje i w ogóle o co tu chodzi. Obraziłby się, dostał ataku śmiechu, popukał się w głowę albo wzruszył ramionami. Normalny człowiek, łajdak czy nie, ale komunikatywny, z którym można nawiązać porozumienie osobiste...

A Julia milczała.

Marianek natomiast, nieco zdziwiony, z lubością opiekował się sałatką z krewetek.

– A co do siatki, to nie – kontynuował. – Siatki w życiu na oczy nie widział, znaczy tej mojej, bo inne widywał. Po pralniach owszem, lata, wszyscy latają, ale każdy swoje pierze, a nie cudze. Ale szwagier mówi, że wariatki ostatnio nie wypuszczają, znaczy mówił, bo jak wczoraj czy dzisiaj, to nie wiem, mogę go zapytać.

Z szaloną gorliwością wszyscy jęli go nakłaniać, żeby koniecznie zapytał, bo była to jedyna zmiana tematu, jaka zaświtała nam na horyzoncie, a zarazem jedyna szansa wprowadzenia wariatki na scenę. Spotkanie z nią opisałam Bóg wie który raz z największą dokładnością, Zamiast skomentować informacje Marianka... Ten cały posiłek powinien nam był zaszkodzić.

O jutrzejszej wizycie pana Muldgaarda nikt nie powiedział ani słowa.

*

– Osoba niezdrowa na umyśle silnie pilnowaną jest – rzekł pan Muldgaard przy stole w pełnym składzie osobowym, bo Marianka i Julię udało nam się zaskoczyć i żadne z nich nie zdążyło uciec. – Osoba nie ma pragnienia spacera. Nieobecna do jeziora dwa dni. Tak wiemy.

– To znaczy, że Arnold widział kogoś innego – zawyrokowała Alicja. – Nie mógłby sobie dokładniej przypomnieć, co właściwie widział i kogo?

– A po co miałby sobie przypominać? – spytałam tak głupio jak rzadko.

Alicja najwyraźniej podobnie oceniła moje pytanie.

– Wyjątkowe kretyństwo udało ci się powiedzieć. Bo ten ktoś, skoro wciąż się tam pęta, nie morderca przecież...? Mógłby dużo widzieć, wiedzieć i posłużyć zeznaniami.

– A... Możliwe. Masz rację. To niech sobie przypomina.

Wszyscy spojrzeli na Marianka, który w pobliżu władzy z całej mocy starał się być niewidoczny i niesłyszalny. Nasz krótki dialog zabrzmiał jednak tak, że brak odpowiedzi mógł napełniać różnymi obawami, adresat zostanie wyrzucony z domu na samym początku posiłku albo co. Mobilizacja była niezbędna i Marianek odchrząknął.

– On więcej patrzył na to, czego nie widział. Jak to nie była Brygida z tym całym Arnem, to reszta go nie obchodziła. Mogła być nawet królowa Małgorzata.

– To skąd wymyślił wariatkę?

– Nie wiem. Jakoś mu wyszła. Tak kucała i pluskała, głupia chyba czy co, tak mu się pomyślało. Może puszczała kaczki. O, lepiej niech on sam powie, mnie tam nie było i nic nie widziałem!

– Już widzę Małgorzatę, jak puszcza kaczki nad jeziorkiem w Birkerød – mruknęła pod nosem Marzena.

– On powiedział – rzekł pan Muldgaard, kiwnąwszy głową z aprobatą, z pewnością nie dotyczącą królowej. – Pilnie baczył do swojej damy. Stroje rozpoznawa, oraz miejsce. Tam zaszedł pies. On również powiedział.

W napięciu czekaliśmy na dalszy ciąg.

– To mądry pies – zauważył Stefan. – Co powiedział? Możemy się dowiedzieć?

– Tak. Tam była pani.

Łyżeczką, żeby nie palcem, bo niegrzecznie, pan Muldgaard wskazał Julię.

Julia milczała.

– Tam była pani? – powtórzył pan Muldgaard, tym razem wyraźnie eksponując znak zapytania.

– Tak – przyznała się Julia cichym głosem. – Nie umiem puszczać kaczek.

Przez moment pan Muldgaard wydawał się zdezorientowany.

– Kaczek... Oto drób jadalny. Jezioro zawiera łabądź, nie kaczek...

Uświadomiliśmy sobie nagle, iż pierwotne źródło jego znajomości języka polskiego, biblia, informacji o puszczaniu kaczek z pewnością nie podaje, a i babcia, kształcąca wnuka, też raczej tą rozrywką się nie zajmowała. Wspólnymi siłami Alicja i Marzena rzuciły się do wyjaśniania, o co tu chodzi z tymi kaczkami, aż doszło do tego, że wszyscy popędziliśmy na taras, ciskając w ogród połamanymi płytkami terrakoty, wyciąganymi spod doniczek. Alicja wywlokła z zakamarków atelier stary plastikowy basen dla dzieci, do napełniania wodą, kąpieli i zabawy, basen jednakże odmówił usług. Po pierwsze, należałoby go nadmuchać, a po drugie, w dwóch miejscach był dziurawy. Zrezygnowaliśmy z pokazów praktycznych, ale pan Muldgaard zrozumiał.

Podczas tych demonstracji w salonie przy stole zostały dwie osoby, Marianek i Julia.

Wyłącznie wrodzonej powolności Marianka należy zawdzięczać fakt, że stół nie został ogołocony z wszelkiego pożywienia i napoju, jakieś tam resztki ocalały, dostatecznie smętne, żeby na ten widok Marzena wymamrotała, znów pod nosem: „Boże, jaka ja jestem mądra", i wyciągnęła z dna szafki dwie zapasowe torby z łakociami.

– Nie przewidywałam kaczek, ale miałam złe przeczucia – mruknęła do mnie na stronie. – Jak widać, słusznie...

Pan Muldgaard pamięci nie stracił.

– Pani była tam po co? – zwrócił się do Julii bardzo uprzejmie i z lekkim współczuciem, siadając przy stole. – Dla jakiego powoda jezioro?

Julia, jeśli już nie mogła milczeć, przynajmniej odczekała chwilę.

– Wacław tam zginął. To był nasz ostatni spacer. Nigdy tu nie wrócę.

– Pamiątkowo...? – zastanowił się pan Muldgaard. – Sentymenta odczuwać? Rozumiem smutnie. Osobę drugą widziała pani tam?

Wahanie Julii tym razem wyraźnie spowodowane było niepewnością, a nie chęcią powrotu do milczenia.

– Nie wiem. Wydaje mi się, że raz. Unikałam ludzi.

– Niebezpieczne miejsce, głęboka woda. Tam łatwa poślizga.

– Nie wiedziałam.

– Dwa razy była pani?

– Trzy. Dziś też, ale poszłam w drugą stronę. Ostatni raz.

Pan Muldgaard współczująco zamilkł na krótką chwilę.

Kolejny raz powinniśmy byli wszyscy się popłakać. Rzewne wspomnienie, ukochany tam zginął, ostatni uścisk, ostatnie spojrzenie, przepadł w odmętach i nigdy więcej, nigdy więcej, nigdy już... Hej, łza się w oku kręci...

I w żadnym oku ani jedna łza się nie zakręciła, co za cholera jakaś, nieczułe świnie, a nie ludzie, Marianek ani na sekundę nie przerwał pracowitego chrupania szczękami, w tym musiało coś być...!

I nagle zgadłam co. Sztuczność. Nieprawda. Łgarstwo. Nieudolne przedstawienie rozpaczającej heroiny na amatorskiej scenie, jak Boga kocham, sama potrafiłabym to lepiej odegrać! Może zasugerowały mnie te ćwiczenia gimnastyczne, ale jednak...

Spojrzałam na Alicję. Przez obojętnie uprzejmy wyraz jej twarzy przebijała odrobina niesmaku, króciutko spojrzała na mnie, przysięgłabym, że myślała to samo. Nie miała już chyba wątpliwości, że to nie ona jest wredna suka, tylko to wszystko razem jest jakimś jednym imponującym załganiem.

Rozpacz, akurat... Julia nienawidziła swojego pangolina, miała go po dziurki w nosie, skręcało ją i nic nie mogło uszczęśliwić jej bardziej, niż pozbycie się go dokładnie, definitywnie i na zawsze! Nikt by się temu nie dziwił. Na jaką grzybicę zatem były jej te wszystkie sztuki?!

Pan Muldgaard zaprezentował coś w rodzaju telepatii, tyle że poszedł troszkę innym torem.

– Wir niepomiernie trudno osiągalny – oznajmił takim tonem, jakby ów wir stanowił jego osobisty triumf. – Morderca go wie, zna miejsce dookolne. Obce odzienie – tu wskazał Marianka, wciąż posługując się łyżeczką – może szarpane, lubo cięte, zapakowane wraz z ciężarem, kamienie liczne, do wiru rzucone, tamże przepadły...

Marianek nagle przestał pracować szczękami.

– Co...?

– Do wiru przepadły...

– Jak to...? Mojego szwagra koszula i sweter, i moje wszystko...? Jak to...? Pocięte...?

– Tak jest. Zbędne. Odrzucone. Ukryto.

– Ale... Ale to...

– Pozbądź się wszelkiej nadziei – poradziła mu Marzena uroczyście. – Pożegnaj się na zawsze ze swoimi brudnymi gaciami! Trudno, fatum. Pech. Przeznaczenie.

– A... A to może... znaleźć...

– Jest szukane – rzekł pobłażliwie pan Muldgaard. – Nader wielce wątpliwe, ciężar w głębiach trzyma. Pani

– teraz znów łyżeczka wycelowała w Julię – podejrzana nie może być.

– Dla...? – wyrwało się Magdzie i zdążyła ugryźć się w język. Dźwięk owszem, stłumiła, tylko oburzenie zostało.

Pan Muldgaard zlekceważył jej nietakt, ale i tak odpowiedział.

– Pani okolica nie umie. Sprawdzono, pierwszy pobyt i nie ma wiedza. Rzecz dwa. Pani w terapia, do ów kamień w sieci wielki zamach, wielka siła niezbędna, ekspert rzekł, iż potrafić należy. Sport tak, osoba niezdolna nie. Sama siła na nic, mnogo ważne umieć.

Uniewinniwszy w ten sposób Julię, rozejrzał się po stole i poprosił o więcej kawy.

Zdaje się. że większość towarzystwa poczuła się nieco skołowana.

Nikt, co prawda, nie wysuwał w stosunku do Julii poważnych podejrzeń, snuliśmy sobie raczej pobożne życzenia, ale też nikt za jej niewinność głowy by nie dał. Tu zaś nagle okazało się, że policja wzięła ją pod uwagę znacznie solidniej, sprawdziła i uniewinniła. Powinniśmy się może oburzyć, zaprotestować, bo z jakiej racji obrażać podejrzeniami osobę dotkniętą tak wstrząsającą stratą życiową...? O, nic z tego, nikt nawet nie pisnął, dość wysiłku wymagało ukrycie ostatecznego rozczarowania.

Może nie wszyscy myśleli jednakowo, może tylko ja miałam kontrastowe poglądy.

Przez całe życie dogadywałam się z ludźmi bezproblemowo z rozmaitym skutkiem. Mogliśmy się wzajemnie pokochać albo znienawidzić, pobić... co owszem, nastąpiło w wypadku dostojnika z mojego Zjednoczenia, kiedy jeszcze pracowałam w biurze projektów. Uczucia pozytywne nie wchodziły wtedy w rachubę, odciągnięto nas od siebie przemocą... albo padać sobie w objęcia, ale roli milczącego pnia nikt nigdy nie odgrywał.

No, raz się zdarzyło. Druga żona mojego męża. Zważywszy jednak, iż stała się drugą żoną, rzecz wydaje się zrozumiała.

Ale tu...?

Od początku, prezentując coś w rodzaju ogólnej życzliwości, przed ludzką mową Julia się wzdragała. Zastępował ją szalejący Romeo, któremu co...? Stwarzała pole do popisu? No rzeczywiście, popisy wielkiej klasy... I jakoś, w sytuacji podbramkowej, umiała wedrzeć mu się w środek zdania i uciąć dalsze wybryki kompromitacji, bez lęków i zahamowań oraz bez dalszych konsekwencji, z czego dość jasno wynika, że milczała, bo chciała. Dobrowolnie. I oczywiście korciło mnie, coś w moim wnętrzu życzyło sobie przedrzeć się przez ten mur, który mi się nie podobał. Każdy ma prawo do własnego gustu.

Nie polubiłam jej przesadnie.

A z drugiej strony budziła współczucie. Bo jeśli rzeczywiście zapadła na wielką miłość do takiego bufona...? Ręce łamać i rwać włosy z głowy, nieszczęsna kobieta, na miłość nie ma lekarstwa i każdy ćwok o tym wie. Przy jego bęcwalstwie musiała przeżywać katusze i jeśli wielka miłość jej sklęsła... albo może rozterka rozszarpywała na sztuki...

To właściwie jakie miała inne wyjście, jak nie kropnąć go i rozterkę zniweczyć?

No i właśnie wyjście odpadło. Ktoś ją zastąpił.

Nie odpadło natomiast ciężkie zmartwienie Marianka. W żaden sposób nie mógł przeboleć utraty odzieży swojej i szwagra, ogłuszony w pierwszej chwili straszną klęską, nic nie mówił, tylko jadł, powoli i zachłannie, wszystko co miał pod ręką, bez wyboru. Gdyby na stole znalazły się ozdobne patyki albo skorupki ślimaków, też by je zjadł. Wreszcie niewiarygodna wieść znalazła jakoś drogę do jego umysłu.

– To jak to tak? – wydusił z siebie ze śmiertelnym oburzeniem, radykalnie utrącając zasadniczy temat. – Jak pocięte? Tak całkiem?

Pan Muldgaard z kartkami Magdy w dłoni informował nas właśnie o zamiarze sprawdzenia miejsca pobytu hipotetycznych wrogów ofiary i Marianek wskoczył mu w środek zdania. Pan Muldgaard zamilkł. Odpowiedzi udzielił Stefan.

– Nie całkiem. Częściowo. No wiesz, tak, żeby każdy kamień ładnie opakować.

– I na co to... Pani Bucka...? A to nie mogła nieboszczyka pociąć do tego pakowania...?

– Nie pani Bucka – wtrącił się z naciskiem pan Mulgdaard.

Marianek nie zwrócił uwagi.

– A to może da się tego... zeszyć... bo co ja siostrze powiem! Ona już mnie trzy razy pytała! To może teraz pani Bucka do mojej siostry pojedzie i sama jej powie...? A może trochę już znaleźli...?

– Wielce mozolna praca – przypomniał pan Muldgard pouczająco.

– I tak nie mogła tych kamieni luzem wrzucać, tylko w opakowaniu? Jak to w ogóle tak można cudze pociąć i potopić...

– I poszarpać – podsunęła Marzena.

– I poszarpać... Co? Dlaczego poszarpać?

– Może ta osoba nie miała nożyczek?

– No to ja już nie wiem. I po co się bez nożyczek brała do cięcia? Żeby moje, to jeszcze, ale szwagra...?! A ja do tego mam jeszcze te byczki odkupiać... odkupywać...?! W pomidorach...?!

Żałość pełna bezdennej krzywdy w połączeniu z resztkami marcepanowych gniotków zatchnęła go wreszcie. Pan Muldgaard nie rozwijał już tematu zasadniczego, zabrał listę Magdy i poszedł.

*

Korzyść z zaginionej odzieży Marianka objawiła się zaraz nazajutrz. Stefan wpadł na znakomity pomysł przypomnienia mu, że swojej własności najlepiej pilnować osobiście, z czego jasno wynikło, iż nurkom w wirze należy patrzeć na ręce. Tyle Marianek potrafił zrozumieć. Musiała go ta siostra ostro naciskać, bo przejął się radą i skróciwszy wizytę u Alicji do marnego kwadransa, poleciał nad jeziorko, pilnować swoich portek i koszuli szwagra. Nie spytał nawet o żadne pożywienie.

Zarazem porzuciła nas Julia, udając się do ambasady w celu załatwiania formalności pogrzebowych i komplikacji związanych z przewiezieniem do kraju ukochanych zwłok. I znów to samo. Nikt nie zaproponował jej pomocy, nawet Alicja.

– Co za cholera jakaś – powiedziała z gniewem, przystępując do prostowania fuksji na tarasie, zdaje się, że setny raz. – Mam tu co najmniej dwie i pół sztuki świadków, że takiego ześwinienia nie wygrzebałam z siebie jeszcze nigdy w życiu! No, będzie chyba stało, takie podparte...?

– Masz tu kawę – powiadomiła ją Marzena, stawiając na ogrodowym stole składniki skromnego frokostu. – Zrobiłam sałatkę po duńsku. Dlaczego dwie i pół sztuki?

Przyniosłam z komórki piwo, mijając się z Olafem, który wpadł na taki sam pomysł, i też postawiłam na stole.

– Podparłabym jeszcze z trzeciej strony – poradziłam delikatnie, żeby jej nie rozdrażniać bardziej. – Chociażby tym kawałkiem krawężnika, o...

Alicja spojrzała, kiwnęła głową i sięgnęła po krawężnik. Gniew ją nadal przepełniał i prawie było go widać.

– W ogóle jej nie pomóc, nawet nie spytać, nie zaproponować, nie ostrzec przed naszym konsulem! Przecież to gburowaty buc, zdechłą krowę by ruszył tym swoim powitaniem. „Czego?". Mnie to dręczy. Wątroba mi się skręca i dreszcze po plecach latają, jeśli ona jest nawet konkursowo wredna, niech sobie będzie, ale dlaczego ja? Nienawidzę załganej wredności i mam ją w sobie, z jakiej racji? Chcę się zachować przyzwoicie i w żaden sposób nie mogę, odrzuca mnie i zawiadamiam was, że mam tego dosyć. Nie wiem, co zrobić, a rzadko mi się zdarza aż tak nie wiedzieć, co zrobić, więc nie jestem przyzwyczajona. Co ja mam zrobić?

Odczepiła się od fuksji, wyprostowała się, pomasowała kręgosłup i popatrzyła na nas. Przy stole zgromadziło się już całe towarzystwo, tylko Marzena donosiła jeszcze drobnostki z kuchni.

– Dlaczego dwie i pół sztuki? – powtórzyła z zaciekawieniem, zatrzymując się w połowie drogi do drzwi.

– Co?

– Dlaczego masz tych świadków dwie i pół sztuki, a nie jakąś całość?

– A...! – przypomniała sobie Alicja i ruszyła do stołu. – Bo tylko trzy osoby znają mnie dłużej niż dwadzieścia lat... albo prawie dwadzieścia, ale z tych trzech osób Elżbieta mogła nie zwracać uwagi, więc się liczy za pół.

– Zwracałam – mruknęła Elżbieta.

Alicja usiadła i od razu znalazła papierosy.

– No to co ja mam zrobić? A jeszcze pranie mam na głowie, już dwa tygodnie czeka!

– Pranie zrobisz po gościach – zadecydowała kategorycznie Marzena.

Z ogólnego otępienia wyłamał się wreszcie Stefan.

– Odnoszę wrażenie, że wszystkim nam udało się zgłupieć doszczętnie – rzekł w zadumie. – Dlaczego, do diabła, nie zastanowimy się nad tym racjonalnie?

– Znaczy, jak? – zainteresowała się Magda.

Stefan łypnął okiem na mnie.

– Kryminalistka tu siedzi. Zdaje się, że istnieje pięć podstawowych pytań śledczych: kogo, kiedy, jak, dlaczego, na czyją korzyść. Nie należy tego przypadkiem rozważyć?

– A taki mi się wydałeś na pierwszy rzut oka sympatyczny! – prychnęłam z wyrzutem. – Zaraz ci na te pytania odpowiem i gówno nam z tego przyjdzie, bo wszystko wiemy i wcale nam sprawca z tego nie wychodzi. Wiemy kogo, kiedy, jak, przyczyny walą po oczach, korzyść z tego odniosły całe tabuny pokrzywdzonych i co? Podejrzanych zatrzęsienie!

– Może te przyczyny powinno się jednak ściślej sprecyzować – zauważyła sucho Alicja. – Bo mnie się wydają podwójne. O...! – ożywiła się nagle. – Ty sama to powiedziałaś, takie geometryczne, pod kątem prostym...? Na krzyż...?

Jęknęłam.

– To nie przyczyny były, tylko uczucia Julii! Mamy drugiego podejrzanego. Arnold...

– Nie chcę Arnolda! I gdzie tu masz motyw?

– A proszę, też podwójny i nawet nie na krzyż. Zemsta za dziadka, może obawa, że jeszcze mu dokopie, i dziewucha, obleśny erotoman mu ją podrywa, a ona chętna...

– Między nami mówiąc, Julię podejrzewałbym najbardziej – przerwał nam Stefan lekceważąc seksualne wybryki. – Przy jakich kompromitacjach musiała go obcinać, to oko bieleje. Ale trzymała się go kurczowo, więc coś mi tu nie gra.

Z głębi domu dobiegł dźwięk telefonu, ale Marzena była akurat w środku, więc nikt się nie ruszył.

– Krył jej podstępy – zaopiniowała Magda. – Brał na siebie, a ona siedziała w cieniu.

– Możliwe. W razie czego mogła na niego zwalić. Za głupi, żeby się zorientować...

– Naprawdę uważasz, że cierpimy na taki niedobór głupich?

– To jeszcze musi być głupi, zadufany w sobie. Narcystyczny.

– Znalazła ideał...?

– Hej! – wysyczała z progu salonu Marzena. – Chodźcie tu prędko! Dam na głośne, coś ciekawego, już, już! Tak, słucham pana, pani Julii nie ma, ale może coś powtórzyć?

– To raczej ja bym się chciał czegoś dowiedzieć, Jacek Zadra moje nazwisko, jak ona się czuje, kiedy wraca?

– Bardzo dobrze się czuje – powiedziała Marzena, poganiając nas gestami. – Ale co do powrotu, to jeszcze nieustalone...

Na palcach i bezszelestnie wepchnęliśmy się do salonu, zajmując byle jakie miejsca i słuchając zmartwionego męskiego głosu z tamtej strony.

– No właśnie, no właśnie, ja oczywiście wiem o rehabilitacji, ale podobno już odzyskała formę prawie całkowicie, a taka tu jest potrzebna! Pani się zapewne orientuje, czy ona już może grać?

– Na czym? – wyrwało się Marzenie. Niewątpliwie odruch zawodowy.

– Proszę? – zdziwił się męski głos.

– To znaczy... W co grać?

– Jak to w co, w tenisa! O, przepraszam, ja się nie przedstawiłem, jestem trenerem kadry w zasadzie, ale mamy zatrzęsienie amatorów, a pani Julia jest przy tym wprost bezcenna! Nie daję sobie rady bez niej, jaki ona ma bekhend, to pani sobie nie wyobraża, poza wszelką konkurencją!

– Co pan powie... – wymamrotała Marzena bezradnie, bo trener uczynił przerwę i wyglądało na to, że koniecznie trzeba coś powiedzieć.

– Lewa ręka może mniej, ale za to prawa...! O ile wiem, ręce i barki miała nieuszkodzone, to raczej kość biodrowa i nogi, ale słyszałem, że wszystko w porządku, jeszcze trochę ćwiczeń i forma gotowa. No i chciałem się dowiedzieć, upewnić, pani sądzi, że jak?

– Ja sądzę, że ona jest w doskonałej formie – rzekła Marzena z nagłą stanowczością. – Ręce, nogi, wszystko działa, ale co do terminu powrotu... to czy ona ma pański telefon...?

– Ależ ma, oczywiście, ale może ja podam ponownie, tak na wszelki wypadek...

Przeczekaliśmy cierpliwie dyktowanie numeru, który Marzena starannie i uczciwie zapisała na jakimś papierze Alicji. Pan trener uparcie piał nad Julią.

– Myśli pani, że kiedy mógłbym ją osobiście złapać i konkretnie ustalić?

– Myślę, że nie wcześniej niż późnym wieczorem albo nawet dopiero jutro, bo właśnie załatwia coś w ambasadzie, a to zawsze trochę trwa. I mówi pan, że głównie ten bekhend...?

– Arcydzieło! Nie znam nikogo, kto mógłby jej dorównać, a jestem trenerem już dwanaście lat...

Rozłączył się w końcu, a w salonie wciąż panowało milczenie. Marzena odwróciła się i popatrzyła na nas, wyraźnie wstrząśnięta.

– Twój telefon miał od Hani – rzekła niepewnie.

– Bekhend – powiedziała dziwnym głosem Elżbieta, – Ja wiem, co to jest. Olaf gra w tenisa.

– Ja też wiem – powiedział Stefan.

– Ja też – powiedziała Magda.

– Ale rakieta jest sztywna – powiedziała Marzena z lekkim protestem w tonie.

Alicja podeszła do niej i obejrzała zapis telefoniczny.

– Cudownie. Zapisałaś mi to na składnikach kompostu do juki, które miałam dla Kirsten. Myślisz, żeby jej to zostawić? Zadzwoni do trenera w sprawie transportu mierzwy?

Wszyscy nagle odzyskali przytomność umysłu i wszelkie inne przyrodzone właściwości. Nie dość na tym, w atmosferze zalęgło się osobliwe ożywienie. Doznałam dziwnego wrażenia, że nieco krwiożercze.

– To zmienia postać rzeczy – orzegł Stefan energicznie. – Bekhend, Marzena ma rację, rękojeść rakiety jest sztywna, ale ruch taki sam. Dopiero co słyszeliśmy tu coś o umiejętnościach sportowych...

– Uniewinniona, bo fizycznie nie dałaby rady – zachichotała szatańsko Magda. – I nie umie. Hi, hi!

– Nie chce mi się wierzyć – uparła się nagle Alicja. – Musiałabym to zobaczyć na własne oczy. Też wiem, co to jest bekhend i też dawno temu grałam w tenisa, ale kamień w siatce to nie rakieta...

– Za to głowa nie lata – zauważyłam, możliwe że nieco zgryźliwie.

– Co...?

– Głowa. Piłka lata dosyć szybko i w różne strony, a łeb tkwi na swoim miejscu i nic.

– No to co? Zamach wziąć trzeba i trafić trzeba!

– Zaczęłaś jej bronić? – zainteresował się Stefan. – Skąd ta nagła sympatia do podobno wrednej zołzy?

Alicja zaparła się do reszty niczym kozioł w kapuście.

– Nie żadna sympatia, tylko zdrowy rozum. Nie wiem, czy to jest możliwe i nie uwierzę, dopóki nie zobaczę. Gdzie moja kawa? A, na tarasie...

– W takim razie Olaf ci pokaże – oznajmiła spokojnie Elżbieta. – Mówi, że to żadna sztuka i on też tak potrafi.

– A on skąd wie...?

– Przecież mu wszystko tłumaczę! Przymusza mnie, bo jest bardzo zaciekawiony.

Eksperyment ruszył z ogniem. Stosowny kamień znalazłam pod garażem, Marzena wygrzebała z kotłowni kilka starych siatek zakupowych, wyszukując co większe i sztywniejsze, Magda obmacała wszystkie konary jabłoni, wybierając najstosowniejszy do zawieszenia celu. Stefan z Olafem ocenili teren, sprawdzając, co zostanie rozwalone, w razie gdyby zleżała siatka nie wytrzymała i urwała się razem z kamieniem. W charakterze głowy wystąpiła buła z zaschniętej gliny, z niechęcią udostępniona przez Alicję, elegancko opakowana w foliową torbę i zawieszona tuż pod konarem.

Scenografia wyszła nam nieźle.

Wszystkie osoby żywe zostały na wszelki wypadek zapędzone na taras i zgrupowane po drugiej stronie pnia. Alicja uparcie kręciła nosem.

– Gówno będziemy stąd widzieć przez te wszystkie liście...

– Możesz ukucnąć, pod spodem widać.

– Jak nie zobaczysz, to usłyszysz! Przecież bezszmerowo nie walnie!

– Wcale nie walnie...

Olaf na konwersację nie zwracał uwagi. Ujął siatkę z kamieniem, zważył w ręku, ustawił się starannie...

Alicja nie popuściła.

– W piłkę się trafia z rozbiegu! – zaprotestowała stanowczo. – Ona nie miała szans tak się ustawiać i przymierzać!

– Kto ci to powiedział? – rozzłościłam się. – A może właśnie lazła z nim razem, udawała pokrakę, – zejdź kochanie pierwszy, ja za tobą – powiedziała słodko, on zaczął zjeżdżać na tych zdartych flekach, ona za nim, wybrała sobie miejsce i chwilę, i gwizdnęła...

– To też był w ruchu, jak zjeżdżał, nie?

– Olaf, Alicja chce z rozbiegu! – zawołała Elżbieta, ucinając kontrowersję, a przetłumaczył nam te słowa Stefan.

Olaf kiwnął głową, odsunął się o kilka kroków, owinął koniec siatki wokół dłoni, podbiegł te kilka kroków biorąc potężny zamach, i kropnął.

Siatka wytrzymała, ale foliowa torba urwała się z gałęzi i razem z wielką pecyną gliny poleciała w kierunku leszczynowego żywopłotu, siejąc po drodze pokruszonymi kawałkami zawartości. Z jabłoni zleciały dwa niedojrzałe jabłka.

– Hej! – krzyknął Olaf radośnie i wszyscy razem rzucili się ku atrapie, obejrzeć rezultaty zbrodni.

Foliowa siatka pękła, glinianą bułę przepołowiło, od prawdziwej głowy nie należało aż tyle wymagać, ale z pewnością ulgowo by z tego nie wyszła. Odkruszone kawałki przepadły, nie było szans na odnalezienie ich w bujnych hostach i akantusach, Alicja mamrotała coś o stratach, bo ta glina miała służyć do produkcji ceramiki, po czym, całkowicie niekonsekwentnie, zażądała powtórzenia eksperymentu.

– Może mu się tak przypadkiem udało, jeden wypadek na tysiąc...

– Może jej się też tak przypadkiem udało – podsunęła Magda z jadowitą słodyczą.

– Na tysiąc, mówię! Niech trafi jeszcze raz.

– Nie szkoda ci gliny?

– Ta w torbie została, a więcej nie dam. Ale muszę mieć pewność.

Zirytowali się wszyscy, z wyjątkiem Elżbiety i Olafa. Elżbieta była z kamienia, a Olaf bardzo się ucieszył z perspektywy ponownej próby. Poświęciłam się i skoczyłam do kupca po melona, ponieważ klasyka literatury wskazuje, że na zastępstwo głowy niczego lepszego się nie znajdzie. Ewentualnie może mała dynia, ale na dynie była jeszcze nie pora. Marzena przez ten czas znalazła porządniejszą torbę, bezużyteczną w rezultacie, bo Stefan wymyślił, żeby melona owiązać sznurkiem i powiesić samotnie, wszystko dla ostatecznego przekonania Alicji. Zważywszy brak sznurka, użyta została wąska, ozdobna wstążeczka, której cały motek pozostał od Bożego Narodzenia, a która ocalała, bo w chwili pakowania prezentów gdzieś Alicji zginęła. Znalazła się zaraz po Wielkanocy.

Rozochocony Olaf wydłużył dystans rozbiegu, co nie przeszkodziło mu bezbłędnie trafić w dynię z bojowym okrzykiem:

– Walimorda! Hej!

Rozpryśnięta dynia zachlapała wszystkich, w tym okulary Alicji, co pozwoliło jej wreszcie uwierzyć w rzeczywistość.

– No dobrze, powiem wam prawdę – oznajmiła już przy stole ogrodowym, dopijając zimną kawę i wycierając okulary serwetką śniadaniową. – Przejrzały kupiłaś, nie mogłaś twardszego...? Tak bardzo chciałam, żeby to na nią padły podejrzenia, że musiałam mieć pewność. Samo chcenie to za mało.

– Bałaś się autosugestii? – odgadłam. – Ja się bałam autosugestii w odwrotną stronę, w pierwszej chwili ona się wydawała taka sympatyczna, porządna i taka udręczona pangolinem... I taka dzielna, ukrywa dolegliwości, nie chce być obciążeniem...

Elżbieta prychnęła wzgardliwie, Stefan i Magda bardzo zgodnie wzruszyli ramionami, Marzena nic nie powiedziała, bo właśnie serwowała Olafowi polską czystą, przepraszając za brak bigosu. Olaf nie miał pretensji, radośnie wzniósł polsko-duński toast:

– Skol! Chlup!

– Na tym polega jej wredność – pouczyła mnie gniewnie Magda i poszła do kuchni po nową kawę i kieliszek dla siebie. Nie okazała się samolubna, przyniosła tych kieliszków kilka.

– Szczerze mówiąc, mnie też się tak wydawało – wyznała Alicja, zakładając niedotarte okulary. – Na tle pangolina wręcz jaśniała. I byłam przekonana, że to on wytwarza atmosferę i rzeczywiście ją przydeptuje. Naprawdę miałam teraz obawy, że sama zwredniałam.

– Wrednych komary nie gryzą – orzekła Marzena stanowczo.

Podziękowałam jej z oburzeniem, bo mnie nie gryzły. Pocieszyła mnie informacją, że jej też nie gryzą, więc już jest nas dwie wredne, i chętnie przyjęła kieliszek od Magdy. Do ligi wrednych przyłączył się Stefan, a po nim Elżbieta i Magda, która wprawdzie nie słyszała tego o komarach, ale podobało jej się nasze towarzystwo. Alicja oświadczyła, że komary właśnie zaczynają potwierdzać opinię o niewredności, więc do diabła ze świeżym powietrzem, ona idzie do domu.

Komarów latało ze trzy albo cztery, ale wszystkie twardo grupowały się przy niej, porzuciliśmy zatem świeże powietrze lojalnie i bez wielkiego żalu.

Po czym, już przy kuchennym stole, podjęliśmy męską decyzję, że nie będziemy donosić. Niech sobie duńskie gliny same dają radę z morderczynią, my wiemy swoje i to nam wystarczy.

*

Julia wróciła krótko przed obiadem, bardzo zmęczona i znękana.

– Ona ma wielki talent aktorski albo dużą wiedzę medyczną – powiedziała do mnie Elżbieta na stronie, którą to stronę stanowił taras. – Albo jedno i drugie, a wiedza medyczna świetnie podbudowana całym leczeniem, które przeszła. Ale chwilami jej się myli.

Przyglądałyśmy się popisom Julii, Elżbieta bardzo pilnie od pierwszego momentu, ja mniej więcej od środka, bo wcześniej zajęta byłam myciem głowy. Okazało się, że we włosach mam melona, który mi jakoś przeszkadzał i postanowiłam pozbyć się go od razu, nie miałam cierpliwości tego naboju suszyć i z mokrymi, byle jak zakręconymi włosami wyszłam za Elżbietą na taras.

– Jak jej się myli?

– Łapie oddech z opóźnieniem. I bezwiednie robi taki ruch, który przy tych dolegliwościach musi być uciążliwy i bolesny, zapomniała już o tym. Drobnostki, ale widać.

– Wyraz oczu też widać. Wraca z ambasady, powinna być ochwacona doszczętnie, ma prawo, a moja dusza chichocze drwiąco i twierdzi, że jest świeża jak skowronek i w szampańskim humorze...

– Twoja dusza ma swój rozum. Skąd wiesz, czy naprawdę była w ambasadzie?

– A gdzie? W Tivoli? Musi bywać w ambasadzie, jeśli ma przetransportować pangolina do kraju, w bagażniku go nie przewiezie.

Julia napiła się wody mineralnej, przeprosiła i poszła do siebie. Każdy normalny człowiek podzieliłby się doznaniami, powiedziałby, co załatwił, a czego nie, poskarżyłby się na trudności, jakie musiał napotkać, bo nie poszła do nieba, tylko do naszej ambasady, a ta instytucja wszystkim nam była znana i przez wszystkich omijana szerokim łukiem. Poradziłby się może, wyjaśnił cokolwiek. A ona bez słowa poszła do siebie.

– Te ukochane zwłoki wiszą jej kamieniem u szyi – zaopiniowała Elżbieta i zgodziłam się z nią natychmiast.

Julia wróciła do salonu. Grzecznie spytała, czy można, i poza tym milczała. Marzena nie wytrzymała, nie przerywając przygotowań obiadowych, radośnie i wdzięcznie udzieliła informacji:

– Był do pani telefon. Dzwonił pan Jacek Zdzierca... nie, przepraszam, Zadra. Trener tenisowy. Pytał kiedy pani wraca, bo podobno świetnie pani gra w tenisa i nadzwyczajnie mu pani pomaga. Prosił, żeby do niego zadzwonić, zostawił swój numer.

– Dziękuję – powiedziała Julia po chwili milczenia.

I nie ruszyła się z fotela.

Stefan z Olafem oderwali stół od ściany i ustawili w salonie, nie rozciągając na pełną długość, żeby nie barykadować przejścia. Bez swojego ostatniego przedłużającego kawałka na osiem, a nawet na dziewięć osób wystarczał. Telefon, mimo stołu, był w pełni dostępny, ale Julia najwyraźniej w świecie nie zamierzała z niego skorzystać. Elżbieta z progu drzwi tarasowych uparcie wpatrywała się w nią z lekkim obrzydzeniem.

– Zasuń siatkę – poprosiła ją Alicja. – Bo te świńskie ryje tu lecą.

Przeszłam do kuchni, żeby dopilnować smażącej się ryby, którą Marzena rzuciła mi już na patelnię. Zmieściło się akurat osiem kawałków, oboje z Olafem mieliśmy szansę na repetę, bo wiadomo było, że Alicja tego do ust nie weźmie, a i w Julię wątpiłam. Przystawką był pasztet w dwóch smakach, w charakterze podstawowej potrawy występowała polędwica wołowa w plasterkach, w bardzo gęstym sosie i z ryżem, a deser składał się z kupnej sałatki owocowej z bitą śmietaną. Szał. Wszystko na cześć Olafa.

Zważywszy ryby, Alicja bardzo chętnie zamieniła się ze mną miejscami. Wyciągnęła z szafki dwie butelki wina i zaczęła rozkładać nakrycia na stole.

– I co udało się pani załatwić w ambasadzie? – spytała z uprzejmym zainteresowaniem w kierunku Julii.

Pochwalnie pokiwałam głową do Marzeny, która odpowiedziała mi identycznym gestem. Alicja zdołała zadać pytanie, wymagające obszerniejszej odpowiedzi niż tak albo nie, ciekawe, co ta zołza teraz zrobi...

Zołza nic nie zrobiła. Milczała. Alicja odwróciła się twarzą do niej a tyłem do stołu i siegnęła po stojący na miedzianym stoliku świecznik.

– Co pani załatwiła w ambasadzie? – powtórzyła z lekkim naciskiem, wciąż uprzejmie, tylko nieco głośniej. Bardzo rozsądnie, gość mógł być wszak trochę głuchy albo głęboko zamyślony...

Pomyślałam, że jeśli jeszcze i teraz ona się nie odezwie, na miejscu Alicji wyrzuciłabym ją ze swojego domu natychmiast. Z miejsca. Przed obiadem. I tuż za jej plecami z hukiem otworzyłabym szampana. Cholera, czy my mamy szampana...?

Stefan i Olaf zabrali butelki ze stołu i równocześnie zaczęli je otwierać. Alicja ze świecznikiem w ręku patrzyła na Julię i nieustępliwie czekała odpowiedzi. Moje poglądy wybiegły zapewne z kuchni i zaczęły jazgotać pod sufitem salonu, bo Julia jednak wydała z siebie głos.

– Nie wiem. Chyba niewiele.

Alicja postawiła świecznik na stole.

– Z kim pani rozmawiała?

– Nie wiem. Z sekretarką. I chyba z konsulem.

– I co on pani powiedział?

Julia zamilkła na chwilę. Alicja wyłowiła wzrokiem Marzenę w kuchni, spojrzała na świecznik i znów na nią. Marzena porzuciła doprawianie sałaty, weszła do korytarzyka, wróciła po piętnastu sekundach i podała Alicji paczkę sześciu świec. Magda z przedpokoju patrzyła na to wszystko i słuchała z roziskrzoną ciekawością, wyglądając przy tym, jakby lada moment sama miała się zamienić w roziskrzony fajerwerk. Alicja rozszarpała paczkę, ale nie zaczęła jeszcze wtykać świec na ich właściwe miejsce, wróciła wzrokiem do Julii.

Chwila Julii trwała dość długo. Pojedynek na cierpliwość, czy na upór...? W każdym razie Alicja wygrała.

– Jutro... odpowie ostatecznie.

Niewątpliwie ten bucefał, będący aktualnie naszym konsulem. Ciekawe, co odpowie. I ciekawe, w jakim opakowaniu Julia zamierza przewozić czy przesyłać pangolina, luzem...? Na siedząco? W kawałkach, upchanych w pudłach albo w walizkach? Bo jeśli w trumnie, tę trumnę należałoby może kupić, względnie zamówić...? I czym w ogóle, samolotem, samochodem, pociągiem...? Lato jest, w środku Europy goręcej niż w Danii, jeszcze jej się po drodze zaśmiardnie...

Zaczęłam szeptać te pytania do Marzeny i o mało nie przypaliłam ryb. Alicja przystąpiła do dekoracji świecznika, był wysoki, na sześć świec, pięć dookoła i jedna w środku, świece idealnie pasowały. Magda wybiegła nagle z domu i po chwili ujrzałam ją w ogrodzie, z siekierą w dłoni, siekiera owszem, znajdowała się w składziku, znalazła ją łatwo. Przez drzwi tarasowe doskonale było widać, że złapała jeden z pourzynanych przeze mnie konarów i przerąbała go na pół. Konar był gruby, pokręcony, nie poszło jej łatwo, ale za to wielkie emocje miały prawo przycichnąć. I chyba przycichły, bo z wahaniem sięgnęła po następny, zastanowiła się i dała spokój.

A Julia oczywiście milczała.

– Oni to załatwiają we własnym zakresie, mają jakieś tam pudła termosowate – pouczyła mnie szeptem roześmieszona Marzena i wrzasnęła elegancko w przestrzeń: – Hej! Wszyscy do stołu! Jazda!

Zachichotała przy tym, co zabrzmiało trochę upiornie, jakby na tym stole stał żarcik w postaci arszeniku albo strychniny. Alicja przyjrzała się bacznie całemu wyposażeniu.

– A kartofle? – spytała żałośnie.

– Spoko, w mikropiecu, specjalnie dla ciebie…

Magda zdążyła wrócić bez siekiery, opłukała ręce byle jak pod kuchennym kranem, usiadła blisko przedpokoju, być może przewidywała nastepną potrzebą kojenia emocji i chciała mieć swobodę ruchów, wszyscy zareagowali na wezwanie Marzeny jak normalni ludzie, tylko Julia odczekała swoje. Krótko, zdopingował ją, zdaje się, błysk w oku Elżbiety, która oderwała się od futryny, ale nie siadała przy stole, stała i wyraźnie czekała na nią. Udało mi się nie spytać, czy należy jej wręczyć zaproszenie na piśmie, bo Elżbieta wystarczyła, Julia podniosła się z fotela i usiadła przy stole bez dalszych wydziwiań.

Rzecz jasna, zasadniczym toastem było zdrowie Olafa, przy czym powodów tej czci nikt nie zamierzał jej wyjaśniać. Alicja jednakże zaparła się przy swoim i nie popuściła.

– To znaczy, że jutro znów pani musi jechać do ambasady? – spytała z troską w starannie wybranej chwili.

– Tak – odparła Julia prawie natychmiast, bo forma pytania ułatwiła jej odpowiedź.

– Policja nie ma zastrzeżeń? – wtrącił się Stefan.

– Nie.

– Powinna pani zaczynać więcej jeść – zauważyła Elżbieta najdoskonalej obojętnie. – Skoro zamierza pani wrócić do gry, musi pani odzyskać siły.

– Dziękuję – powiedziała Julia.

Już prawie otwierałam gębę, żeby zwrócić się do Magdy z wyrzutem o ten przerąbany pieniek. Należało nie rąbać, tylko przynieść go do domu i posadzić przy stole, z pewnością byłby rozmowniejszy, szczególnie, że zapewne ma w sobie bogate życie wewnętrzne w postaci korników. Albo innych podobnych żyjątek. Na szczęście przeszkodziły mi brzęki drzwiowe i w progu salonu pojawił się Marianek.

Miał na ustach jakieś słowa, ale ujrzał solidnie już napoczęty obiad i treść tych słów bez wątpienia uległa gwałtownej zmianie.

– O...! – powiedział z dziką, zachłanną nadzieją. – Obiad...!

Musiał być straszliwie przejęty, skoro zapomniał, iż trafia na normalną porę przedwieczornego posiłku. Zawahał się, szarpnięty rozterką, gibnął jakoś tam i z powrotem, lecieć do kuchni po talerz dla siebie, czy rzucić się ku stołowi i pożerać co popadnie i jak popadnie, bodaj nawet garściami prosto z półmisków, widać to było jak na dłoni. Marzena wyjątkowo zlitowała się nad nim.

– Weź sobie krzesło i siadaj, dam ci talerz. Później możesz wylizać jeden garnek, bo nie zdążyłam jeszcze zalać go wodą.

W oczekiwaniu na talerz, co trwało mniej niż pół minuty, Marianek nie wytrzymał, owinął sobie ćwiartkę jajka w połówkę liścia sałaty i pożarł. Przez co nie zdążył rozpocząć przemówienia, z którym wkraczał.

Stefan rozlał resztę wina z drugiej butelki, Marianka ominęło, bo Marzena zapomniała o kieliszku dla niego, Alicja chwilowo dała spokój Julii i zaczęła rozważać, czym ufetować Olafa na deser, z podsuwanych propozycji Olaf wybrał koniaczek i mleko. Przerażony wizją posprzątania resztek ze stołu, Marianek przemógł swoją powolność i wykańczał potrawy w tempie dla siebie rekordowym. Przyglądałyśmy mu się prawie z tkliwością.

– Popatrz, jak miło – powiedziałam do Marzeny. – Niczego nie trzeba wyrzucać.

– W tym akurat wypadku zgadzam się z tobą...

Marianek okazał się już zdolny do rozszerzenia zainteresowań. Przezornie zgarnął na swój talerz resztę ryżu, mięsa i sosu oraz tyle sałaty, ile mu się zmieściło. Smętną resztkę kartofli Alicja dyskretnie odstawiła na miedziany stół, dzięki czemu nie miał do nich dostępu.

– Wyrzucać, wyrzucać! – sarknął z goryczą, zwalniając tempo konsumpcji. – To takie właśnie jakieś maniactwa, wszystko wyrzucać, a potem tylko człowiek ma zmartwienia i nie wiadomo co zrobić!

– Myślisz, że należy zostawiać takie resztki w garnkach i na półmiskach, żeby się zaśmiardły?

– A kto by się tam zaśmiardł! Ja mówię o takich innych. Już przestali grzebać i się zbierają, bo wieczorem gorzej widać, a w nocy to już nic. I na co to było wyrzucać?

Pełne ciężkiej urazy spojrzenie na Julię mówiło samo za siebie, jego zdaniem ona była sprawczynią strat. Najwidoczniej cały dzień spędził nad jeziornym wirem, rzeczywiście pilnując nurków. Nie była to dla niego ciężka praca, polegała głównie na patrzeniu, mógł zatem długo wytrzymać, szczególnie wspomagany myślą o siostrze.

– Znaleźli coś? – zaciekawił się Stefan.

Marianek pocieszył się ostatnim kawałeczkiem polędwicy i odsapnął.

– No znaleźli. Jeden rękaw od szwagra. Kamieniami zapchany i taki trochę odcięty, a trochę oddarty. I skarpetkami z każdego końca na supeł zawiązany, ale skarpetki już do niczego. I dziwnie, jedna moja, a druga szwagra. I więcej nic, a żeby chociaż spodnie!

– I co? Kazali ci rozpoznawać, czyj to rękaw?

– No pewnie.

– I co? Rozpoznałeś?

– No pewnie! On znaczny, bo to od swetra, w takie zielone wzorki. I mojej siostrze też kazali rozpoznawać i też rozpoznała. A pani Bucka wcale do mojej siostry nie poszła!

Wyrzut to był najgłębszy, środka ziemi sięgał. Julia patrzyła na Marianka współczująco i oczywiście milczała. Ściśle biorąc, wszyscy w tej chwili zamilkli, bo nie wiadomo było co powiedzieć.

Odezwał się Olaf.

– Woda? Leje morda. Chlup! Mówie polsk?

– Mówisz, mówisz – mruknęła Elżbieta.

Marzena i Magda zerwały się równocześnie.

– Dosyć tego, wszyscy zjedli, oddajcie te talerze! Deser jest orzeźwiający, a kawka będzie w salonie.

– Zrobię kawę od razu i nastawię ekspres...

Jak łatwo zgadnąć, Marianek już nie popuścił, musiał odpracować całodzienne zaległości żywieniowe, dopóki widział cokolwiek jadalnego, trwał na stanowisku. Do opowiadania miał dużo, a drętwota wokół Julii nie przeszkadzała mu w najmniejszym stopniu.

– Arnold powiada, bo oni tam prawie wszyscy byli, ale ich gliny odpędzały, żeby który do jeziora nie wleciał, a on ciągle za tą Brygidą świruje, ale z Arnem się nie szarpią, bo Arnego ta Inga na smyczy trzyma, a ta Brygida to ich obu ma gdzieś. Ale co im szkodzi popatrzeć, zawsze jakaś sensacja, więc byli, i kiełbaski na patyku piekli...

To wyjaśniało, jakim cudem Marianek cały dzień przetrzymał pozornie na głodno.

– Więc ten Arnold powiada, że jak to była moja siatka z tym kamieniem, to ten jakiś, co ją miał, musiał się pozbyć moich rzeczy, żeby się nie przyznać. Ale to mógł rzucić byle gdzie, nie? A niechby i do śmietnika, i tak były do prania, ale żeby zaraz do wody...?

– Bez wody pies by wywęszył – oświecił go Stefan, który całą opowieścią świetnie się bawił.

– Przez wszystkie śmietniki pies nie przeleci!

– Oni tu mają więcej psów.

– A nawet niechby, to co? Wyszczeka nazwisko i adres?

– Wywęszy sprawcę i pokaże.

Marianek zamilkł na chwilę, konsumując, ku mojemu zachwytowi, resztki czekoladek z salmiakiem. Wszyscy już siedzieli przy stole salonowym nad kawką i koniaczkiem, tylko Olaf wolał piwo.

– Bezwody – rzekł w zadumie. – Bezmleko. Bezdupa. Bezkurwa. Mymacie sołkie.

– Ślicznie – pochwaliła Magda.

– Komu ślicznie, komu nie – obraził się Marianek. – A nawet jak do wody, to na grzyba te kamienie? I to szarpanie? Całe wrzucić i kto wywęszy?

W tym miejscu miał trochę racji.

– Same łachy źle się wrzuca – zauważyła ugodowo Marzena. – Daleko nie polecą.

– A te znowu daleko poleciały! Przy samym brzegu ten wir, tyle że po dnie kotłuje i nie wypuszcza. To i bez szarpania też by nie wypuścił, nie? I co ja mam teraz zrobić?

– Trzeba było swoich rzeczy w cudzym samochodzie nie zostawiać – powiedziała bezlitośnie Alicja.

Marianek był zdecydowanie zbuntowany, cały dzień rozpaczliwego wypatrywania rezultatów poszukiwań ze zmienną, lęgnącą się i traconą nadzieją, musiał mu nieźle dokopać.

– A nawet jak cudze, to co? To zaraz trzeba wyrzucać? Spokojnie leży, jeść nie woła, nie śmierdzi, a niechby nawet i śmierdziało, to od razy tak ciachać i szarpać? Pirzgnąć i starczy, ten pies by znalazł, a pani Bucka by mogła iść do mojej siostry i sama powiedzieć, że śmierdziało, więc wyrzuciła, jej siostra uwierzy!

– A tobie nie? – zdziwiła się podstępnie Magda.

Marianek za grosz się nie zmieszał, westchnął tylko, zmartwiony.

– Mnie, to ona myśli, że sam zgubiłem albo co. A one w tej ich gablocie musiały być, bo stąd zabrałem, a tam już nie było, to mnie już wszystko jedno kto wyrzucał i szarpał, nieboszczyk, czy pani Bucka, czy jeszcze kto, ja nie mówię, żeby łowiła, ale powiedzieć by mogła! Chyba że faktycznie ona sama pocięła i utopiła, to ja nawet rozumiem, że się nie chce przyznać, ale to co ja mam zrobić?

Znów westchął jeszcze ciężej i zeżarł ostatnią obrzydliwą czekoladkę. Mówił to wszystko, jakby nie widział, że Julia siedzi między nami i słucha. Julia siedziała, słuchała, symulowała absolutną głuchotę i milczała kamiennie.

– Jutro też będą szukać? – spytał Stefan.

– A pewnie. Jak znaleźli kawałek, to myślą, że się znajdzie i więcej. A do tego znaleźli całkiem co innego, Arnold akurat blisko się pętał, a on trochę po duńsku rozumie, takie jakieś coś znaleźli, podobno srebrne, wisiorek czy coś takiego, z brzegu całkiem tego widać nie było, bo przy samej wodzie leżało, w tym połamanym sitowiu i w trawie, od strony jeziora zobaczyli, a i to nie od razu. W torebeczkę taką zapakowali, jak na brzeg wynieśli, chociaż pooglądali trochę. Więcej nie widział i nie słyszał, Arnold znaczy, ale powiada, że jak ten jakiś wrzucał nasze rzeczy, moje i szwagra, to nie ma siły, musiał rękami machać i pewnie mu się od czegoś urwało.

Dokładnie w tym momencie Julia sięgała prawą ręką po filiżanką z kawą. Na ułamek sekundy zastygła, po czym spokojnie uniosła filiżankę i napiła się kawy. Równie spokojnie odstawiła naczynie.

Marianek siedział po drugiej stronie stołu, na lewo od Julii, ale dostrzegł ruch.

– O, takie coś – powiedział smętnie, wskazując ją palcem. – Arnold porządnie gadał i nawet mi narysował jak to wyglądało, wszyscy patrzyli, a on przed Brygidą chciał tak szpanować, że niby co to on wykrywa, ho, ho. Całkiem podobne, jak to co pani wisi przy tej bransoletce, znaczy takie samo, tylko drugie.

Tym razem nie tylko Julia milczała, przez długą chwilę nikt nie odezwał się ani słowem. Co to znaczyło, że drugie? Jasne, jedno takie Julia miała, zatem w wodzie musiało być jakieś drugie. Podobne. Marianek dolał sobie kawy z dzbanka, łypnął niespokojnie okiem na Marzenę, ukradkiem zabrał Magdzie sprzed nosa śmietankę, zużył ćwierć kartonika i rozejrzał się za cukrem. Zajęty zaopatrzeniem, też nic nie mówił.

Wciąż zajęta byłam Julią. Bez względu na popełniane czyny, uparcie stanowiła dla mnie postać niezwykłą, z jednej strony niepojętą, z drugiej najdoskonalej zrozumiałą. Trochę mi w tej zrozumiałości bruździła osoba pangolina, ale nawet najbardziej oślizgłe gady bywały dziką namiętnością kobiet, niczego zatem nie mogłam wykluczyć. Tym bardziej żarła mnie ciekawość, co się w końcu wykryje i co z tego wszystkiego wyniknie. Marianek, jak dla mnie, niech się zaśmietankuje i zacukrzy po dziurki w nosie, nic mnie to nie obchodzi. Ważne było, co Julia...!

Julia oczywiście, jak zwykle, nic.

Siedzielibyśmy tak zapewne do sądnego dnia, gdyby nie Olaf, sukcesywnie i szeptem informowany o sytuacji przez Elżbietą, rzecz jasna w streszczeniu. Chwilami też przez Stefana, półgłosem. Uniósł teraz szklankę z piwem.

– Chlup! – rzekł z mocą. – Na zdowe! Zdowe niebosiku! Kapusta! Wali morda!

Zestaw toastów był zbyt piękny, żeby można go było zlekceważyć. Ponadto Olaf nie przestał być ważny, a bransoletka Julii jego ważność niejako potwierdziła.

O napoje zadbała Alicja, Marzena miała co innego na głowie.

– Jeśli pozwolisz – szeptała do mnie gorączkowo na stronie – będę spała pod twoim łóżkiem. Wyciągniemy tę dolną część, obojętne co się na tym znajduje, Magda tu, na kanapie...

– Marianek – ostrzegłam z niepokojem.

– Marianka się wygoni. Oddam mu ten garnek do wylizania, jeśli zgubi, odkupię Alicji. Ale nie wyjdę, dopóki ta cholera nie pójdzie do siebie i nie zniknie nam z oczu! Ona tu siedzi nie bez powodu! Zarżnie Alicję, ciebie, Magdę, Stefana...

– Nie wygłupiaj się, tyle roboty? A Elżbieta i Olaf?

– Ich też. Mam złe przeczucia. Weź do pokoju siekierę...

– Więc uważasz, że to ona?

– A ty nie? Jeszcze tego nie widzisz...?

Siekierę mogłam wziąć, zawsze lubiłam narzędzia ciesielskie. Byłam jednakże zdania, że Julia z uporem trzyma się towarzystwa nie w celach zbrodniczych, a z zamiarem osiągnięcia kontaktu w cztery oczy z którąś osobą. Nie byłam pewna z kim. Z Alicją? Z Elżbietą? Ze Stefanem...? Nie z Mariankiem, to pewne, nie z Magdą i raczej nie ze mną, no i Olaf chyba odpada...

Najbardziej prawdopodobna wydała mi się Alicja.

Wieczór zakończył się dość rewolucyjnie, bo Marzena wytrwała w uporze i wyciągnęła spod mojego łóżka to zapasowe i nie zraził jej nawet fakt, iż zapasowe usłane było rozłożoną na części potężną maszyną do mielenia mięsa dla zwierząt, ogólnie znaną pod mianem wilka. Alicja odmówiła odpowiedzi, na jaką cholerą był jej ten wilk potrzebny, ale poza tym nie protestowała przeciwko niczemu. W chwili, kiedy Magda wyszła z łazienki w szlafroku Elżbiety, poddali się obydwoje, rozżalony Marianek, na pociechę zabierając ze sobą garnek, znikł za wyjściowymi drzwiami, a milcząca Julia w pokoju telewizyjnym.

– Nigdzie już teraz nie jadę – powiedziała z gniewem Magda. – Chyba że tak jak stoję, w jej szlafroku i boso.

– Ja wcześnie wstaję – obiecała mi zacięta Marzena. – A gdybyś chciała w nocy łazić mi po głowie, nie będę miała pretensji...

*

Kiedy się obudziłam, już jej w pokoju nie było, a dzień biały jaśniał za oknem. Udało mi się bez przeszkód skorzystać z łazienki i nawet ubrać się w skąpe z racji pory letniej odzienie, po czym, nie wdając się w żadne pogawędki, usiąść nad poranną, prywatną herbatką. Obecne w kuchni Alicja i Marzena nie odzywały się do mnie, wiedząc doskonale, że przed herbatą jestem mało komunikatywna, a większa liczba niekomunikatywnych w tym domu byłaby już nie do zniesienia.

W pełni komunikatywna Magda weszła z ogrodu.

– Całkiem nieźle się śpi na tej kanapie – pochwaliła. – Co prawda o wschodzie słońca obudziły mnie jakieś zgrzyty, chyba czarna wdowa próbowała wyjść, ale zrezygnowała i potem już był spokój. Mogę zjeść śniadanie?

– Chcesz jajko? – spytała Alicja z natychmiastowym ożywieniem.

Magda nie chciała jajka, zabrała jakieś inne produkty i udała się z nimi na taras. Obejrzałam się za nią, zainteresowana na czym, na litość boską, zamierza uciąść, bo przecież nie na którymś z tych upiornych foteli, i okazało się, że istotnie. Przytomnie zaniosła tam sobie już wcześniej zwyczajny stołek.

Stefan przyszedł po kawę, informując, że świetnie mu się pracuje w atelier, ma co robić, a poczta istnieje i działa.

– Powinienem był wyjechać już przedwczoraj i niby mógłbym, ale nie chcę. Chcę doczekać oczyszczenia atmosfery, pozwolisz...? Felieton im wysyłam kawałkami, on dosyć długi, a mam jeszcze do napisania zaległy, czy mogę nie jeść jajka teraz, tylko zjeść jajecznicę na frokost...?

Alicja bez oporu udzielała wszelkich zezwoleń. Stefan zabrał kawę i poszedł do Magdy, korzystając z jedynego fotela z poduszką. Marzena z lekkim smętkiem zastanawiała się, czy Marianek odniesie wylizany garnek. Zaczynałam już mówić, więc obiecałam jej, że w razie czego do odkupienia się dołożę.

Zazgrzytały drzwi do pokoju telewizyjnego, Julia wyszła z wielką sklepową torbą w ręku, z torebką przewieszoną przez ramię. Nie siadała przy stole i nie zdradzała ochoty na kawę ani inne pożywienie, wyglądało to tak, jakby zamierzała przejść przez salon i zniknąć nam z oczu bez słowa. W progu przedpokoju zawahała się jednak i obejrzała.

– Jedzie pani do ambasady? – spytała Alicja znad swojej kawy.

Ciekawość z niej, pożal się Boże, biła tak beznadziejnie umiarkowana, że spokojnie można było nie odpowiadać. Toteż Julia milczała.

– Po co pani ta torba? – spytała Marzena z ciekawością odrobinę wyraźniejszą.

– Zażądali ubrania dla Wacława – odparła Julia po chwili, nieco zdławionym głosem.

– W ambasadzie? – zdziwiła się Alicja.

Wtrąciłam się niepotrzebnie.

– Myślisz, że pan konsul będzie przymierzał? Pan konsul kurdupel, gdzie mu do pana Wacława! W zakładzie pogrzebowym, tym takim specjalnym do przewożenia zwłok.

– Po co?

– Żeby ubrać nieboszczyka.

– Po co? Nieboszczykowi chyba nie zależy?

– Też tak uważam, prościej byłoby owinąć w prześcieradło... tego, chciałam powiedzieć w całun. Ale oni zazwyczaj chcą.

– Jedzie pani do zakładu pogrzebowego?

Opór zaczynał wychodzić z Julii i otaczać ją murem niemal widzialnym.

– Ja... Tak.

Alicja zadała wreszcie pytanie, do którego od początku zmierzała z najwyższą niechęcią.

– Przewiduje pani, że kiedy pani wróci?

Julia znów sobie trochę pomilczała.

– Muszę się zastanowić. Może już wcale...

Marzena w ślamazarnym tempie produkowała kawę w dzbanku przy kuchennym bufecie. Teraz nią nagle miotnęło.

– Co takiego?!

I już była przy stole, wsparła się pięściami o blat. Julia spojrzała na nią i milczała.

– Co pani powiedziała? Może pani wróci, a może nie? A pokój telewizyjny co, ma tak zostać w oczekiwaniu? Alicja tu mieszka, a to nie jest zamek o stu komnatach i nie hotel, gdzie się rezerwuje apartamenty, jak pani to sobie wyobraża?! W tym małym domeczku jeden pokój w samym środku ma zostać dla pani, jak długo? Do końca życia?

Teraz dla urozmaicenia zaniemiała także Alicja. Marzena pieklíła się nadal.

– Może pani podejmie jakąś wiążącą decyzję? Co to jest, wieczysta dzierżawa...? Ile czasu ma pani zamiar tu siedzieć jak wrzód na tyłku...?!

Przez chwilę panowało milczenie ogólne. Po czym Julia podniosła swoją torbę i wyszła bez słowa.

Z pewnym wysiłkiem udało nam się powstrzymać Marzenę przed wybiegnięciem za nią. Z tarasu zajrzeli razem Magda i Stefan, zwabieni ostatnimi okrzykami.

– Co się...

– Czy ona zwariowała?! Czy ty też zwariowałaś?! Co ona sobie, do cholery, wyobraża, ty chyba kota masz, może cały dom zostawisz do dyspozycji tej wrednej suki?! Ja też chcę sypiać w pokoju telewizyjnym, Wernera ściągnę, gacha sobie sprowadzę, perkusistę! Won z nią stamtąd, do diabła, i gówno mnie obchodzi policja!!!

– Dlaczego perkusistę? – spytała z szalonym zainteresowaniem Magda od drzwi tarasowych.

Marzena sklęsła nieco po wybuchu.

– Bo mi się wydaje najbardziej hałaśliwy. Chociaż może puzon... też niezły.

– Nie słyszałem początku – rzekł z pretensją Stefan. – Ale czy hałaśliwość jest tu niezbędna? Protestujesz przeciwko ciszy?

– Razem ich sprowadzisz, Wernera i gacha...?

– Trzeba było słuchać od początku!

– Alicja...?

– Czy jest tam może trochę kawy? – spytała smętnie Alicja.

Odzyskałam człowieczeństwo całkowicie, wśród takich emocji poszło mi to szybciej, zaczęłam relacjonować scenę od początku. Z korytarzyka wyłoniła się Elżbieta, jeszcze zaspana i ziewająca.

– Ja mam pielęgniarski słuch, to naleciałość zawodowa. Co tu za krzyki były?

– Julia dokonała rezerwacji darmowego apartamentu – wyjaśniłam z wielką satysfakcją. – Może wróci, może nie, a jeśli tak, to nie wiadomo kiedy. Zapewne ma na nią czekać do uśmiechniętej śmierci. Marzena była uprzejma wyrazić grzeczny sprzeciw, bo też chce tam sypiać z gachem. Albo z Wernerem, który, jak sądzę, ma pierwszeństwo.

Marzena nalała Alicji kawy z dzbanka, uspokoiła się już całkowicie, pozostawiając sobie tylko zaciętość.

– Werner owszem, ma, ale on woli w domu. Uporządkowałabym ten pokój natychmiast, pościel trzeba zmienić, dolne łóżko schować. Jak ona mogła słowem się nie odezwać...? Alicja, czy ty nie masz jakichś zawirowań psychicznych na tle gościnności? Dlaczego, do tysiąca piorunów, nawet się nie odezwałaś?!

– Zaraźliwe – powiedział Stefan.

– Ogłuszające – powiedziała Alicja, siedząc nadal spokojnie nad swoją kawą. – Poczekamy, zobaczymy co będzie. Na razie chyba jeszcze nikt nie idzie spać?

– Jak znam życie – ostrzegłam, podnosząc się, bo herbatka herbatką, ale normalne śniadanie zamierzałam zjeść – przyjedzie dzisiaj ktoś zaprzyjaźniony, kto nie będzie miał gdzie strudzonej głowy złożyć...

– Wypluj te słowa!

Elżbieta obejrzała się od drzwi łazienki.

– Ale wiecie...? To jest chamstwo.

I znikła w środku.

– A taka się wydawała na początku kulturalna i sympatyczna – powiedziałam zarazem z żalem i niechęcią, wtykając pieczywo do tostera.

– Na tym polega jej podstępna wredność – pouczyła nas triumfująco Magda. – Nikt jej o nic nie posądzi, wszystko waliło w tego jej głupka…

– Na niewinnego nie trafiło – mruknął Stefan.

– Aż trudno uwierzyć, że się go pozbyła! Rzeczywiście zastosowała takie radykalne wyjście?

Mimo lekkich nacisków za strony wszystkich gości, Alicja odmówiła zgody na jakiekolwiek działania, pokój telewizyjny, jak dla niej, nigdy w ogóle nie istniał. Stefan potraktował go zatem jak coś w rodzaju przedsionka, pozostawił otworem podwójne, zgrzytające drzwi i zaniechał latania po ogrodzie. Zuchwale zdecydowałam się iść tam po książkę z biblioteczki, zawierającej lektury w polskim języku. Alicja udawała, że nic nie widzi.

Powiadomiony przez Elżbietę o sytuacji Olaf skomentował rzecz krótko:

– Siampan! Duże fajn!

Spotkał się z powszechną aprobatą i spowodował wzmożoną ruchliwość, tego szampana bowiem koniecznie chcieli kupować wszyscy. W rezultacie Alicja została w domu sama, trzy samochody zaś pojechały w trzy różne strony, do Lyngby, do Hillerød i najbardziej ulgowo, do centrum Birekerød. Ulgowe przypadło Marzenie i mnie, bo przy okazji należało nabyć wystrzałowe produkty na obiad.

– Mogę zrobić duszone nogi od kurczaka – zaofiarowałam się, bo występ Julii nadzwyczajnie dodał mi wigoru. – W sosiku. Idą do tego makaron i ryż, co kto woli, a robota żadna. Obsmażyć, do garnka i z głowy, bulgoczą same. Albo wątróbki drobiowe po żydowsku, albo nawet jedno i drugie.

– Zwariowałaś, będziesz tak sterczała pół dnia przy kuchni?

– Jakie pół dnia, coś ty, taka pracowita to ja nie jestem, na wątróbki dwadzieścia minut. No, plus krojenie cebuli, trwa najdłużej, ale ja bardzo lubię kroić cebulę.

– I nie płaczesz?

– Wyobraź sobie, że nie, wcale. Wagon cebuli mogę posiekać bez jednej łzy, być może dlatego, że przez parę lat musiałam unikać cebuli, bo mnie od niej cholernie rąbała wątroba. A ona tak apetycznie pachnie, cebula, nie wątroba, że aż mnie skręcało. Później mi przeszło i z cebulą teraz jestem w pełni zaprzyjaźniona.

Marzena przyjrzała mi się z podziwem i pokręciła głową.

– Znaczy, dzisiaj ty robisz obiad?

– Mogę, mam natchnienie. Ale sałaty nie tknę, zresztą do tego wszystkiego najlepsze pomidorki. Zaraz, czekaj, jest problem, do kurczaka szampan świetnie pasuje, ale do wątróbek nie bardzo, a wątróbki powinny być na przystawkę.

– I czerwone wino – potwierdziła z zapałem Marzena. – Już wiem, po wątróbkach i czerwonym winie przechodzimy na szampana i kurczaka.

– A potem serki. Pełna gala!

– Ciekawa rzecz, czy zdążymy wpaść w nieodwracalny alkoholizm...

W wyniku rozszalałego zapału, jak się okazało powszechnego, u Alicji znalazło się dwanaście butelek wina, dwanaście butelek szampana i ze cztery kilo sera, pomijając drobnostki w postaci oliwek, marynowanej papryki, słonych ciasteczek i tym podobnych łakoci. Zjechali się wszyscy na późny frokost, upiększony jajecznicą Stefana, frokost zaś przeciągnął się aż do kaweoti.

– Dzwonili Hania ze Zbyszkiem – powiadomiła nas Alicja, osobliwie zadowolona. – Mają to urządzenie głośnomówiące, więc nie musieli sobie wyrywać słuchawki. Dobrze zgadłyśmy – zwróciła się do mnie. – To Zbyszek protestował w liście, teraz mówił, że się nawet własnoręcznie dopisał, żeby ich tu nie wpuszczać, bo coś mu śmierdzi.

– Ale przecież nie przyjechali chyba specjalnie z zamiarem zrobienia ci jakiego świństwa! – oburzyła się Marzena.

– Zbyszek mówił, że może i nie, ale możliwe, że tak, tylko zwyczajnie nie zdążyli. Więc wątpi, żeby to ona wykosiła pomocnika. A w ogóle oni sami ledwo wrócili z Chin, bo tam byli ostatnio, zaraz po Indonezji, i on nie miał dokładnego rozeznania, jakieś plotki i tyle. Nic sprawdzonego. Dopiero teraz wyszło na jaw, że i koło niego Bucki robił swąd, ale głupi i on to ma gdzieś. No i to o Kaziu. A Hania ustawicznie mu przerywała.

– I co mówiła? – spytaliśmy razem, oboje ze Stefanem.

Alicja napiła się trochę kawy.

– Monotonnie i mało konkretnie. Przepraszała mnie i płakała... nie, nie na zmianę, równocześnie. Bardzo ją zaskoczył trener Zadzior, czy jak mu tam, bo święcie wierzyła w niedołęstwo Julii. Majątek zapłacą za ten telefon, bo zajęli nim prawie cały ten czas, kiedy was nie było.

– I nic nowego nie powiedzieli! – rozzłościła się Magda.

– Tylko zamącili sprawę – przyświadczył Stefan. – Już byłem pewien, że to ona, ale teraz zaczynam się wahać. Jeśli mieli wspólne plany...

– Spróbuj się dowiedzieć od Julii – zachichotała złośliwie Alicja.

Zgniewało mnie oddalenie od Hani i Zbyszka, bo bezpośrednie plotki z Hanią mogły być cudownie piękne, szczególnie w gronie osób, z których każda coś wiedziała. Zapraszanie ich w tej akurat chwili mogłoby wyjść nieco kłopotliwie, w obliczu nieistnienia pokoju telewizyjnego pozostawało tylko atelier, w zasadzie zajęte przez Stefana, ale możliwe do podzielenia na dwie części, dolna dla Stefana, górna dla Hani i Zbyszka albo odwrotnie... Wyobraziłam to sobie. Wszyscy razem latają do łazienki przez ogród... nie, w tym rzecz, że nie razem, każdy oddzielnie, zderzają się ze sobą, zamieszanie przez całą noc, ubaw na dwadzieścia cztery fajerki...

Nieporównywalnie prostsze wydało mi się przygotowanie składników obiadowych, mogło sobie to wszystko stać i czekać na właściwą chwilę, spadłszy mi z głowy. Porzuciłam kaweoti, przedarłam się do kuchni, znalazłam największy garnek Alicji i największą patelnię i w pół godziny upchnęłam w garnku dziesięć kurzych, elegancko obsmażonych nóg z wszelkimi niezbędnymi przyprawami. Równocześnie pokroiłam cebulkę. Wyprodukowałam mnóstwo dymu i mnóstwo nader apetycznej woni, ale po następnej półgodzinie miałam już cebulkę na patelni, rodzynki namoczone i ryż błyskawiczny ugotowany. Gęsi szmalec dostałyśmy z Marzeną w dziale koszernym u Brugsena.

Ukojenie spłynęło na moją rozzłoszczoną duszę, przeszłam do salonu, gdzie dyskusja kwitła, dostałam kawę, oraz naganę za nasmrodzenie w całym domu i wtedy właśnie brzęknęła furtka. Zanim dało się słyszeć pukanie do uchylonych drzwi, wszyscy zdążyli prawie skamienieć.

Po pukaniu dał się widzieć aspirant Gravesen. Towarzyszył mu akompaniament w postaci potężnego, zbiorowego westchnienia ulgi. Nie było obawy, aspirant Gravesen w domu Alicji z pewnością nocować nie zamierzał.

Przywitał się grzecznie i spytał o panią Warbel.

– Pani Warbel nie ma – powiedziała Alicja.

– A kiedy będzie?

– Nie wiemy.

A czy wiemy może, gdzie pani Warbel znajduje się obecnie?

Tego też nie wiemy, ale mamy pewne przypuszczenia.

Aspiranta Gravesena nadzwyczajnie zainteresowały nasze przypuszczenia.

A otóż pani Warbel wybierała się do naszej ambasady, ale miała ze sobą dużą torbę, a w tej torbie podobno odzież pana Buckiego nieboszczyka, w którą to odzież zakład pogrzebowy życzył sobie zewłok pana Buckiego przyodziać, więc możliwe, że wybierała się także i tam...

– Zaraz, ten zakład pogrzebowy wymyśliłaś ty, ona nic o nim nie mówiła? – zwróciła się do mnie Alicja, z rozpędu najpierw po duńsku, a dopiero w drugiej kolejności po polsku.

– Wcale się nie wypieram. Ale to ty się zdziwiłaś, że łachy pangolina wiezie do ambasady, a ja ci tylko wyjaśniłam, że takie odzieżowe wymagania miewają zakłady pogrzebowe.

– Mówiłaś o jednym!

– No to co? Może w Danii mają w ogóle tylko jeden, skąd mam wiedzieć, jeszcze ani razu tu nie umarłam! Ale przedtem było gadanie, że zwłoki wysyła specjalny zakład pogrzebowy, w specjalnym opakowaniu, żeby się nie zaśmiardły, i on wystąpił w liczbie pojedyńczej! I tę jedną sierotkę miałam na myśli!

– A... Możliwe...

Ostatnie zdania odcierpiała na sobie Marzena, pan Muldgaard najwidoczniej doniósł na nią, że mówi po duńsku i pan aspirant zażądał od niej tłumaczenia. Usiłowała dokonać przekładu autoryzowanego, żeby dołożyć elegancji polskiej treści, nieco swobodnej, ale chyba jej wyszło nie najlepiej. Zdaje się, że jakoś dziwnie.

Nie szkodzi, aspirant Gravesen zrozumiał.

Wyjaśnił nam ciąg dalszy. Panią Warbel obciążają bardzo silne podejrzenia, iż spowodowała śmierć konkubenta, pana Buckiego. Wszystko wskazuje na to, iż pani Warbel umknęła spod karzącej ręki sprawiedliwości duńskiej, opuszczając ten kraj. Aspirant Gravesen posiada oto ten papier, który nam demonstruje, nakaz prokuratorski przeszukania zamieszkałego przez panią Warbel pomieszczenia dla sprawdzenia, czy istnieją tam ślady jej obecności lub też ślady oddalenia się na zawsze. Zatem uprzejmie prosi o wskazanie miejsca dotychczasowego pobytu pani Warbel.

Pokój telewizyjny był otwarty. Wszyscy spojrzeli w jego kierunku.

– Proszę bardzo – powiedziała Alicja. – Tylko...

Stropiła się na chwilę, popatrzyła na nas i odzyskała zimną krew. Aspiran Gravesen zdążył przez ten czas kiwnąć na swojego pomocnika, który prawdopodobnie podglądał i podsłuchiwał pode drzwiami, bo pojawił się mgnieniu oka. Przedstawił się nawet, na co nikt nie zwrócił uwagi.

Alicja zaczęła stosować przeskoki językowe. Marzena tłumaczyła z marszu.

– Wszystko pięknie, ale on chyba nie sądzi... *Nie przypuszcza pan chyba, że ja tu mam pokoje hotelowe, przeznaczone specjalnie dla gości? Puste...?* Zwariował, skąd ja mam wiedzieć, co jest czyje i które tej zmory, niech każdy rozpozna, czy nie jego... *Ja tu mieszkam i moje rzeczy też leżą w tym pokoju, jak pan chce stwierdzić, że ona zabrała wszystko?*

Aspirant Gravesen nie tracił cierpliwości.

– Jeśli okaże się, że coś nie należy do pani, obcy przedmiot...

– *Ja i własnego przedmiotu mogę nie rozpoznać, nie gwarantuję za żadną ścisłość...* To tylko Duńczycy mogą mieć takie złudzenia. Marzena, nie wiesz przypadkiem, co tam było, jak tam byłaś ostatnio?

– Wszystko. Ale tak trochę posprzątane. I dodatkowe pudło z twoimi roboczymi portkami i zdaje się, że razem z nimi trucizna na ślimaki. Albo na mszyce... nie, na mszyce jest inne. Może na nornice albo krety, ale głowy nie dam. I chyba stara kurtka. I rękawice.

– Kurtkę i rękawice rozpoznam. Zaraz. Joanna? Ty tam coś zostawiłaś?

Od początku się nad tym zastanawiałam i teraz pokręciłam głową.

– Przeciwnie. Zabrałam. Dwie książki z biblioteczki.

– W ogóle tam nie wchodziłam – oznajmiła Magda ze wzgardą.

– My też nie – rzekła chłodno Elżbieta. – Ani ja, ani Olaf, nie mieliśmy ani chęci, ani powodu... Nie, przepraszam, raz weszłam, jak jej dawałam leki na uspokojenie, biednej mimozie. I zostawiłam szklankę z wodą.

– I nikt jej stamtąd nie wynosił, więc jeśli jej nie ma, to znaczy, Alicja, że ona ukradła ci szklankę...

– Nie, przyniosła ją pojutrze rano, na własne oczy widziałam. Postawiła w kuchni.

Alicja i Marzena zostały specjalnie zaproszone, jako świadkowie przeszukania, tak zarządził aspirant Gravesen. Oczywiście wepchnęliśmy się za nimi wszyscy, taktownie gniotąc się przy drzwiach. Aspirant z pomocnikiem nie robili żadnego bałaganu, niczego nie przewracali, najpierw wykonali zdjęcia, a potem już tylko rozglądali się pilnie, otworzywszy wyłącznie jedną szafkę, tę pod oszkloną częścią biblioteczki z książkami. Ujrzeli w niej kilka książek i mnóstwo przedłużaczy i rozgałęziaczy elektrycznych, także zwój lampek choinkowych. Wątpliwe było, czy te przedmioty przywieźli ze sobą goście.

Rozglądaliśmy się równie pilnie jak policja. Pokój był doskonale sprzątnięty, łóżka osłonięte kocami, pod kocami znajdowała się pościel i nic więcej. Pościel i koce należały do Alicji. Poza tym żadnego łaszka, żadnej szmaty, żadnych kosmetyków, żadnego pogniecionego papierka, nic kompletnie.

Poza jednym przedmiotem.

Do którego poleciały w końcu wszystkie spojrzenia i już się nie mogły oderwać.

Na parapecie okiennym, gruntownie zapchanym kwiatami w doniczkach, jako element dodatkowy, stała sobie samotna puszka w doskonałem stanie, nietknięta żadnym otwieraniem. Z rzucającą się w oczy etykietką.

– Byczki w pomidorach – wyszemrała Marzena ze zgrozą.

– *Jeśli mnie oko nie myli, ta jedna rzecz nie należy do mnie* – powiedziała sarkastycznie Alicja, wskazując puszkę palcem. – Rzeczywiście, byczki w pomidorach. Myślicie, że zostawiła to jako ekwiwalent za pobyt?

– Marianek się ucieszy...

– Przecież krytykował. Nie smakowały mu.

– Ja w każdym razie tego nie chcę. Niech oni sobie zabiorą.

Gliny spełniły życzenie Alicji. W rękawiczkach, nie tykając palcem, wielką pęsetą zepchnęli z parapetu byczki do foliowego woreczka. Wydawali się przy tym tak zadowoleni, jakby ujrzeli nagle wymarzony posiłek dla siebie.

Aspirant Gravesen upewnił się jeszcze, że jest to jedyna pozostałość po gościach, jednym żywym, a drugim martwym, stwierdził, iż pani Warbel potwierdziła podejrzenia i najprawdopodobniej uciekła, najdroższe zwłoki porzucając na pastwę losu i polskiej ambasady, on zaś bardzo się dziwi, jak to się mogło stać, że nikt z nas nie zauważył jej przygotowań do podróży. Przecież musiała wynosić jakieś swoje bagaże. Czy nikt tego nie widział?

– Owszem, ja – przyznałam się, uzyskawszy przekład jego wypowiedzi.

Moich słów nie trzeba mu było tłumaczyć, odgadł bez pudła i poprosił o kilka szczegółów.

Alicja zaczęła tłumaczyć na bieżąco.

– *To było wtedy, kiedy uprawiała w ogrodzie tę swoją gimnastykę akrobatyczną*... Zwariowałaś, przecież mieliśmy nie donosić!

– O wisiorku! Mieliśmy nie donosić o wisiorku, jak majtała nim nad stołem!

– Gwarantowane, że o wisiorku doniósł Marianek – wtrąciła się Magda. – Więc możemy sobie darować ten nadmiar szlachetności.

– Powiedz, że to były ćwiczenia rehabilitacyjne – podsunęłam.

– *Ćwiczenia rehabilitacyjne* – powtórzyła posłusznie niezadowolona Alicja. – Licz się może ze słowami... *Była pewna, że nikogo w domu nie ma, bo mnie nie widziała. Ja zaś widziałam, jak wyniosła walizkę i wielką torbę turystyczną, z tymi rzeczami przyjechali...* Skąd wiesz?

– Przecież widziałam ich przyjazd, stałam i patrzyłam!

– A...! No dobrze... *Rozglądała się i sprawdzała, czy któryś samochód nie wraca. Mogła wynosić rzeczy po kawałku codziennie, a ostatnie zabrała w tej wielkiej torbie sklepowej z ubraniem dla nieboszczyka. Koniec zeznania...* A jak on będzie chciał więcej?

– To ja mu nie urodzę. Tyle widziałam i cześć.

Aspirant Gravesen nie chciał więcej. Kiwał głową w zadumie, po czym spytał, czy do tych byczków mamy jakieś pretensje, bo przy badaniu w laboratorium mogą ulec zniszczeniu. Z nadzwyczajnym zapałem zgodziliśmy się jednogłośnie nawet na całkowitą dewastację produktu, którego nigdy więcej nie chcemy na oczy widzieć. Podziękował grzecznie i obaj razem z łupem poszli precz, zaskoczeni może nieco nad wyraz entuzjastycznym pożegnaniem. Alicja posunęła się nawet do zaproszenia ich na następną wizytę.

Przez chwilę na ścieżce i wejściowym dziedzińczyku panowało milczenie. Magda wydała nagle z siebie radosny kwik i wykonała w miejscu taką gwiazdę, że niech się Julia schowa.

– Siampan! – przypomniał energicznie czekający w drzwiach Olaf. – Wodka, sołkie, jedzamy, chlup, siampan! Cebulo...!

Ostatnia inwokacja ruszyła wszystkich.

*

Mimo obaw, iż rozszalałe emocje mogłyby wprowadzić drobne zamieszanie, obiad nam wyszedł koncertowo. Wątróbki w charakterze przystawki w pełni zdały egzamin i wcale nie było ich za dużo z tego prostego powodu, że więcej nie mieściło się na patelni, nie zabiły zatem apetytu na nogi, a tym bardziej na szampana.

W Alicji wybuch ulgi i szczęścia objawił się nader użytecznie, beztrosko zezwoliła na powyrzucanie z lodówki i piwnicznego zamrażalnika wszystkiego, co nam w rękę wpadnie, dla uzyskania szampańskiego miejsca, wiadomo było zresztą, że to miejsce niezbyt długo będzie potrzebne.

– Gdybyśmy jeszcze mieli baryłkę ostryg, poczułabym się zupełnie jak w dziewiętnastym wieku – oznajmiłam ze wzruszeniem.

– I włożyłabyś gorset? – zainteresowała się Magda.

– Nie posuwajmy się za daleko, poza tym nie mam gorsetu...

Stołu nie trzeba było odrywać od ściany, sama radość, makaronik do sosiku gotował się niezwykle krótko i, zdumiewająca rzecz, nie kipiał. Możliwe, że był to specjalny makaron dla idiotów, nie przeczytałam duńskich napisów na opakowaniu, aczkolwiek idiota we wszystkich językach brzmi jednakowo. Wstępne czerwone wino świetnie pasowało.

– Jeśli cokolwiek ważnego chcemy powiedzieć, zróbmy to od razu, bo pod koniec możemy mieć pewne kłopoty – ostrzegła Alicja, delektując się napojem.

– Wszystko jest ważne – zaopiniował Stefan. – A żadne kłopoty już mi nie straszne!

– Tak od razu cię bierze? Po pierwszym kieliszku wina? Niemożliwe!

– Wiecie, do tej pory nie mogę przyjść do siebie – wyznała Marzena. – Własnym oczom nie wierzyłam i ciągle nie wierzę, jaki ona tam zostawiła porządek!

– Przecież już zdążyłaś ściągnąć pościel i wywalić do prania.

– Jak we śnie i w amoku. Zajrzałam po kątach, nic nie ruszone!

– Wystarczą byczki – ukąsiła Magda.

– Te byczki stanowią wyrzut, że była źle traktowana – oznajmiłam stanowczo.

– Kto tak powiedział? Jak źle?

– Natrząsaliśmy się z pangolina, nie chcieliśmy uwierzyć w jego boskość. Zmuszaliśmy ją do rozmowy...

– Wariatka!

– Wcale nie. To znaczy owszem, ale nie w tej chwili. Reflektorem świeciliśmy, że jej tu nie chcemy! Wszyscy jak leci, czuła się spętana... Znam ten ból – zwierzyłam się nagle. – Też raz siedziałam u ludzi za długo, ale to był prywatny pensjonacik i siedziałam za pieniądze. Akurat strasznie chcieli, żebym wyjechała w cholerę trochę wcześniej, a mnie nie pasowało, bo nie miałam się gdzie podziać, i udawałam, że jestem ślepa. głucha i z drewna. Ale rozmawiałam z nimi jak człowiek bardzo chętnie, to oni ze mną nie chcieli. Atmosfera okropna, nerwicy można dostać!

– Ona ma rację – ucięła Elżbieta wybuchające protesty. – Nasza zmora zaparła się w sobie, żeby niczego nie ujawnić, a szło jej jak z kamienia, i do tego te głupoty pangolina, ostrzał dwustronny. Ale on już padł, więc tylko nam okazała, że to nie ona była skąpa, byczki w pomidorach ma w dupie i możemy się nimi udławić.

– Z czego by wynikało, że ma paść na Marianka...

– Skończcie te wątróbki, bo nogi doszły, a szampan okrzyki wydaje!

Mimo białego dnia Alicja pozapalała świece gdzie popadło. Marzena podała potrawy do stołu znacznie bardziej elegancko, niż ja bym to zrobiła, bo natchnienie kuchenne już mi przeszło, wypatrzyłam i dołożyłam tylko borówki, bo też pasowały. Szampan strzelił.

Dziwiło nas nieco, że ciągle nie pokazuje się Marianek. Nie zależało nam na jego obecności, miałaby bowiem wpływ na stół, musiałby zostać odczepiony, ale nieobecność wydawała się zdumiewająca. Być może wciąż jeszcze z jeziornego wiru wyłaziły jakieś kawałki garderoby.

– Alicja, zadzwoń może do pana Muldgaarda – poprosiła Marzena już przy kawie. – Niech on się upewni, czy ta gangrena rzeczywiście uciekła i niech nam powie, bo ja spać nie będę mogła. Jutro Werner wraca i wolałabym znormalnieć. I nie żyć w nerwach.

– Zadzwoń, zadzwoń – poparł ją Stefan. – Też bym chciał wiedzieć.

– I zrób na głośne!

Wszyscy chcieli wiedzieć. Na myśl, że Julia mogłaby się znienacka pojawić, cierpła nam skóra na całej anatomii. Niby spokojna, grzeczna i cicha, a zarazem uparcie obca i w tej obcości straszliwie męcząca.

Pan Muldgaard znalazł się w domu, zapewne też kończył obiad jak normalny człowiek. Z grzeczności dla wszystkich mówił po polsku, bo pogłos dał mu do zrozumienia, że słychać go w całym pokoju.

– Otóż ninie jest pewne, iż dama dewastacja głowy uczyniła osobą własną. Wiedzę posiadamy od Polska...

Pan Muldgaard nagle urwał, zakłopotał się okropnie, odchrząknął kilka razy.

– Jest to sekret bardzo wielki. Nie oficjel, nigdy i wcale, dementi będzie, gawęda między prywatne osoby, nie dokument. Wyjawiać nader złe.

Zgodnym chórem przysięgliśmy, że nikomu nie powiemy, ponadto nie mamy wszak pojęcia, kto z kim rozmawiał. Pan Muldgaard, uznawszy słuszność argumentu i uwierzywszy nam, podjął:

– Oto ręka prawa onej wielka siła, takoż gra w tenis rekord. Insze członki nie doskonałe, ale takoż dobre. Sieć twardy, głowa jako piłka, kamień cel osiąga. Takoż ozdoba zagubiona obok wir jeziora, dama posiada dwa ozdoby na obręczy rękowej...

– Na bransoletce – wyrwało się Magdzie.

– Bransoletce – powtórzył posłusznie pan Muldgaard. – Oraz dwa litery od imiona, zagubiono W, ostała J. Litera W traci żywot we wodzie.

Zachwyt ogarniał nas coraz większy. Stefan wyciągnął z wiaderka z lodem kolejnego szampana i delikatnie zaczął go otwierać.

– A to nie są przypadkiem tylko poszlaki? – zatroskał się. – Nie dowód?

W głosie pana Muldgaarda znów pojawił się ton silnego zakłopotania.

– Dowód posiadamy takoż. Jeno wielce kłopot czyni. Rozważane jest, albowiem osoba... Dama, wraz sieć i kamień, oraz rozmach wielki widziała osoba pomieszana w umysłu. To wyznała do lekarza nie zaraz, jeno po czasie trzy dni. Mniemanie lekarza jest takie, prawda, nie zaś majak, nie fantom. Wielce trudna sprawa.

– Ha...! – wrzasnęła Magda triumfująco, a Stefanowi ręka drgnęła i strzeliła korkiem.

– Nie lej mi do butów! – jęknęła wyjątkowo żywo Elżbieta.

– I gdzie ona jest teraz, ta dama? – spytała Alicja. – Bo u nas jej nie ma i szczerze mówiąc, mamy nadzieję, że nie wróci.

Pan Muldgaard odchrząknął, wciąż zakłopotany.

– Długie kłopoty będą. Dama już w Niemcy demolud. Fera od Gedser w południe zasiadła. Mniemanie takie, do Polska podąża, za nią dokumenty od sprawy, pierwej one, lecą aeroplan. Porozumienie nastąpiło. Radość wielka dla mnie, albowiem nie moja to sprawa, kłopoty włosy na białe przemienią, tu winna być osądzona. A dalsze dzieje dla mnie nieznane.

– A zwłoki? Nieboszczyka Buckiego?

– Zewłoka takoż aero odleci.

– Matko jedyna, wy macie pojęcie, jaka kołomyja tam u nas nastąpi? – powiedziałam ze zgrozą. – O nie, nie wracam tak zaraz, poczekam aż się wszystko uspokoi.

– Państwa szampana huki słyszę? – zainteresował się pan Muldgaard. – Oto efekt właściwy. Ja takoż uczynię wraz z małżonką moją.

– Serdeczne pozdrowienia dla żony! – zawołała przytomnie Alicja.

– No i macie, przez tę zbrodniczą heroinę rozpijemy jeszcze pana Muldgaarda – zmartwiła się Marzena, kiedy urocza pogawędka uległa zakończeniu. – Będzie teraz leciał po szampana do sklepu? Już wszystko zamknięte.

– Może ma w domu…

– A co najmniej ma piwo i wino. Nie przejmuj się, wymiesza i też mu starczy.

– Chlup! – powiedział Olaf stanowczo radosnym głosem.

– Chlup, chlup – potwierdził chętnie Stefan. – W Szwecji mieszkam, mogę wracać do domu. Alicja, pozwolisz, że jutro pojadę? Z ulgą zostawiam cię w czystym powietrzu.

– Skoro musisz…

– Boże drogi, tu jest tak pięknie, ale też powinnam wracać – westchnęła Magda. – Przez Szwecję, tak jak przyjechałam, bo inaczej się przyczepią. Stefan, mogę pojechać z tobą?

– No i masz, jednak przywiozę żonie tę narzeczoną! Ale możesz, możesz! Najwyżej wysiądziesz za rogiem.

– I dopiero wtedy twoja żona nabierze podejrzeń…

– My jeszcze nie – powiedziała Elżbieta. – Alicja, możemy zostać na trochę?

– Ciągle mi zadajesz idiotyczne pytania – odparła wdzięcznie Alicja i nareszcie miała zęby na właściwym dla nich miejscu.

Wnioskując z szampana, gdyby to był dziewiętnasty wiek, wyszłyby nam do niego co najmniej dwie baryłki ostryg. Nabyty w pozornym nadmiarze ser bardzo szybko znikał i wcale nie było go za dużo, chociaż Alicja do szampana wolała kawę. Magda rzuciła się z dzbankiem do kuchni.

– Ciekawe, swoją drogą, kto im o tym wszystkim nakablował – zastanawiała się Marzena. – O tenisie mogli mieć donos z Polski, jestem pewna, że między sobą gadali...

– Po duńsku?

– Angielski u nas w modzie, a tu prawie wszyscy znają, szczególnie co młodsi. Ale te breloczki...? Rzeczywiście jej zostało J? Ktoś podejrzał?

Odpowiedź szczęknęła furtką i drzwiami.

– O, Marianek! – ucieszyła się Alicja. – Wiecie, że w tej sytuacji on mi wcale nie przeszkadza?

– Przeciwnie, nawet się przyda – zapewniłam ją, bo miałam swoje poglądy. – Poza tym, została jeszcze resztka nóg w garnku. Ciekawe, czy przyniósł wczorajszy.

– No właśnie, garnek! – rzuciła się Marzena i już była przy Marianku.

Nie musiała pytać, Marianek garnek trzymał przed sobą prawie jak tarczę. Marzena chwyciła go i obejrzała wnikliwie.

– Umyłeś go, czy tylko wylizałeś?

– No jak to, umyłem! – oburzył się Marianek. – Moja siostra jak ten kat nade mną stała, powiedziała, że wstydu jej nie przyniosę i on ma świecić. Ale nie świeci. To co...?

– Nic. Do świecenia są lampy. No dobrze, chcesz resztę obiadu?

– No, a dlaczego nie? Tu coś chyba jest...

Ułagodzona zniknięciem Julii Marzena wrzuciła do płytkiej salaterki resztki nóg, ryżu i makaronu i w dwie minuty podgrzała to w mikrofalówce, Mariankowi tych manipulacji wolała nie zostawiać.

– Możesz jeść z tego. Łyżką. No dobrze, dam ci jeszcze nóż i widelec...

– Między nami mówiąc, to jest przykrywka od naczynia żaroodpornego – zauważyła Alicja bardzo łagodnie. – Ale nie szkodzi, jeść z tego można.

Siadając z posiłkiem przy salonowym stole, Marianek bacznym wzrokiem obrzucił dość monotonne zaopatrzenie. Szampan, sery i słone krakersiki. No i kawa, ze śmietanką na osłodę.

– Pół spodni jeszcze znaleźli – zakomunikował smutnie. – To moje. Tyle kamieni w sobie miało, że siedziało tam jak przyssane, ledwo wyrwali. Mówią, że więcej nie będzie.

– I tak nic by ci z tego nie przyszło, skoro wszystko w kawałkach – pocieszyła go Magda, stawiając na stole dzbanek i nową śmietankę.

Marianek prezentował mieszane uczucia. Pożywienie sprawiało mu wyraźną przyjemność i poprawiało nastrój, ale ze środka popiskiwało rozgoryczenie.

– No bo czy ona tak musiała to rżnąć? Bo to przecież ona, nie? A ile się musiała umęczyć, to twarde i wcale nie takie łatwe do szarpania. Nie mogła napchać kamieni i wrzucić w całości? Na złość chyba, a co ja jej takiego zrobiłem?

– Jak to co? Zeżarłeś byczki.

– To mogła jedne skarpetki, niechby nawet dwie pary! A nie wszystko! I do tego jeszcze te gliny mnie trzymały i trzymały o suchym pysku, jakbym to ja tego Bucka kropnął, a wcale nie ja, tylko ta jego podła baba. Mało jej było, jeszcze rżnęła i szarpała, chyba jakiś pies jej pomagał.

– Po jakiemu cię pytali? – zaciekawił się Stefan.

– Różnie. Arnold był ze mną, on po angielsku gada nieźle, a ja to tak byle jak. Obu nas pytali jak wściekli, prawie od rana, a potem jeszcze raz.

– I o co tak?

– O głupoty. Czy ona gra w tenisa, a skąd ja mam wiedzieć, czy ona gra w tenisa? Arnold też nie wiedział. Bo o tym wisiorku, to tak, mogłem się zaprzysięgać, wszystko.

– Skąd tak dobrze o wisiorku wiedziałeś?

– No jak to, jak z nimi pojechałem do tej szopy turystycznej i po drodze, dwa takie placki miała przy bransoletce i akurat mnie przed nosem rękę trzymała, no to się przyjrzałem. Na jednym było takie fikuśne wu, a na drugim jot. To od imion pewnie. I wu zgubiła nad wirem, a jot ciągle miała, wszyscy widzieli. Jakby się uparła wyciągnąć od góry, to by wleciała do wody, nie ma siły inaczej, tam nurków to linami wywlekają, sam człowiek z tego nie wyjdzie. A do tego jeszcze przypadkiem widziałem, jak dziwactwa jakieś robiła, blisko jeziora z samochodu wysiadała i co jakie rozbebeszone kamienie gdzie były, na wszystkich siadała i macała rękami. Może miała taką nadzieję, że nie nad wirem jej odleciał, tylko gdzie indziej? A deseru to nie ma...?

Siedzieliśmy w milczeniu, wpatrzeni w Marianka. Marzena spojrzała na każdego po kolei, podniosła się i przyniosła z lodówki resztkę sałatki owocowej z resztką bitej smietany. Podetknęła Mariankowi.

– Masz. Zasłużyłeś się. Więcej nie dostaniesz, bo nie ma.

Marianek zdziwił się trochę, ale w szczegóły swojej zasługi nie wnikał. Oblizał bardzo porządnie łyżkę, którą wygarniał sosik z przyległościami, wytarł ją dodatkowo serwetką śniadaniową i przystąpił do niweczenia deseru.

– Była mowa o psie, który kamienie obwącha i przypasuje do sprawcy – bąknęła pod nosem Alicja.

– Przecież akurat wtedy wyszła!

– Ale nie przedtem. Z korytarzyka mogła słyszeć...

– Albo z wychodka... Zabezpieczała się na wszelki wypadek.

– A jeszcze podobno widziała ją wariatka – podjął Marianek, już znacznie mniej rozgoryczony, nawet, można powiedzieć, pogodzony z rzeczywistością. – To od szwagra wiem, co i raz to do kogoś mamrotała, do szwagra też, niewyraźnie, ale podejrzanie. Szwagier doktorowi doniósł i ktoś tam jeszcze też, więc pewnie z niej doktór wydoił. Wychodzi, że widziała, jak ta Julia Buckiego w łeb wali, ale średnio wychodzi, takie porąbane kawałki.

– No to już wiemy, skąd wiedzą – westchnęła z ulgą Marzena.

– No i wtedy Arnold się przyznał – kontynuował Marianek, najwidoczniej podbudowany deserem. – Byłby go sam skasował, już prawie za nim leciał, bo go straszny szlag trafiał. Za dziadka, temu dziadkowi Bucki zdrowo koło pióra narobił, a po dziadku, jakby co, Arnold dziedziczy, więc podwójnie go zgniewało, a do tego jeszcze przez Brygidę, ciemno w oczach mu się zrobiło i takie coś w środku, no i leciał, ale się spóźnił. Mignęło mu, że tam koło niego ktoś jest, więc wyhamował i od razu wrócił lać po pysku Arnego. Ale siatki nie miał. Ta Bucka miała. I moje spodnie też.

Wykończywszy sałatkę, Marianek zajął się śmietanką do kawy.

– Ona mi się od początku nie podobała – podsumowała Elżbieta po chwili milczenia i przetrawiania uzyskanej wiedzy. – Coś mi w niej nie grało i nie wiedziałam co. Romeo mylił, było go za dużo.

– A gdzie ona w ogóle jest? – zaniepokoił się Marianek. – Bo może znowu gdzieś stoi i podsłuchuje?

– Tych obaw możesz się wyzbyć – ukoiła go natychmiast Magda. – Uciekła.

– Jak to, uciekła?

– Zwyczajnie. Nikt jej nie trzymał, wsiadła w Gedser na prom i popłynęła do Warnemünde. Już jest w NRD.

– Na moje oko nawet blisko naszej granicy – uzupełniłam, spojrzawszy na zegarek.

Marianek patrzył na nas baranim wzrokiem.

– I już tu nie wróci?

– Na pewno nie! – zapewniła Alicja twardo, z niezwykłą u niej zaciętością.

– To jak to? Znaczy, co? Do mojej siostry nie pójdzie?

– Odczep się wreszcie od tych złudzeń. Nie pójdzie z całą pewnością.

Marianek przez chwilę przyswajał sobie straszną informację.

– I tak zwyczajnie pojechała i zabrała swoje wszystko...?

– Całkiem wszystko.

– Nie całkiem – zaprzeczyła Marzena. – Zostawiła jedną rzecz.

Zabrzmiało to tajemniczo. Marianek wgapił się w Marzenę i zamarł.

– Jaką rzecz...?

– Byczki w pomidorach.

– Co...?

– Byczki w pomidorach. Demonstracyjnie, na oknie, nietkniętą puszkę.

Marianek nadal patrzył tępo i prawie słychać było, jak ze zgrzytem zachodzą w nim jakieś procesy myślowe. Nagle z tych procesów wykwitła nadzieja.

– Nie wróci...?

– Nie!

– To już nie muszę jej odkupiać tych cholernych byczków...? One zostały? I są...?

– Nie, nie są.

– Jak to...? A co...?

– A to, że gliny puszkę zabrały i zniszczą całkiem, bo muszą otworzyć i dokładnie zbadać.

Wszelka nadzieja w Marianku zwiędła, zeschła się i znikła...

*

– Znalazłam ostatnią stronę listu od Hani – zawiadomiła mnie Alicja, wychodząc na taras, dokąd za przykładem Elżbiety i Magdy przyniosłam sobie ludzkie siedzisko do ogrodowego stołu, piłam piwo, paliłam papierosa i nic nie robiłam. – Potwierdza się to, co Zbyszek mówił przez telefon. Rzeczywiście dopisał się na końcu dość obszernie.

– Przez telefon tak znowu dużo nie powiedział – skrytykowałam.

– Bo Hania stała obok i nie chciał jej robić przykrości.

– Z tego wynika, że dopisku nie widziała?

Alicja rozejrzała się po stole, pogrzebała w kieszeni spodni i znalazła połamane nieco papierosy. Obeszła stół i usiadła na jedynym fotelu z poduszką. Też było niewygodnie.

– Pewnie że nie, sam ten list wysyłał. Rzeczywiście był przeciwny, ostrzega mnie i wyobraź sobie, nie przed pangolinem, tylko przed Julią. Wiedział, że ona zajmuje się sportem i wcale nie jest taka połamana, a Hania dała się skołować. Pisze, że jest to podstępna żmija...

– Rozumiem, że Julia, nie Hania?

– Idiotka. Pangolinem kręci, balona z niego robi... on sam jest winien, bo frajer, ale nie wiadomo, co ona może wykombinować. Nie wiem, co bym zrobiła, gdybym to przeczytała. A tak à propos, to ja przecież wiem, że Zbyszek grywa w tenisa i powinien ją znać, zapomniałam sobie przypomnieć.

Wyduszając z siebie naganę, podsunęłam jej zapalniczkę, bo z uporem usiłowała zapalić papierosa pustym pudełkiem po zapałkach.

– Może jednak wielokartkowe listy umieszczaj w jakimś specjalnie wybranym miejscu tak jak, na przykład, śmieci albo składniki kompostowe... Albo na gwoździu w ścianie.

– Nie mam gwoździa w ścianie.

– To przyczepiaj do zasłony kuchennej. Szpilką krawiecką z dużym łbem.

– I będę zbierała te szpilki krawieckie po całym domu, przestań bredzić!

– Stefan zadzwoni jak dojedzie, obiecał. Przy okazji go zapytamy.

Chwilowo byłyśmy same. Stefan z Magdą wyjechali rano, Elżbieta z Olafem zaraz po nich udali się na północ, obejrzeć Gilleleje i wykąpać się w morzu, a Marzena jeszcze do nas nie dotarła, zajmowała się w domu Wernerem. Strzegłam się pilnie, żeby nie powiedzieć słowa o świętym spokoju, bo wiadomo było, że zła godzina tylko na to czyha.

Alicja obejrzała się odruchowo na fuksje, ale wszystkie stały prosto, popatrzyła na ogród, ale wymagał mnóstwa uciążliwych zabiegów, zauważyła zatem, że siedzi jej się bardzo niewygodnie, a w dodatku nie ma pod nosem kawy. Dla kawy należało iść do domu.

Pozostałam przy piwie i wyjęłam sobie drugą butelkę z lodówki. Elżbieta miała rację, jakieś małe były te butelki.

– Jeden szampan został tutaj – powiadomiłam Alicję. – Ile leży na dole?

Alicja już usiadła nad kawą, przyrządzoną jej osobistą metodą. Filiżaneczka z wodą w mikrofalówce, nasypać rozpuszczalnej i cześć.

– Nie mam pojęcia, ale chyba ze trzy.

– To znaczy, że udało nam się obskoczyć osiem? O ile umiem liczyć...

– Okazja była na osiemdziesiąt. Ty wierzysz w to, że ona już nie wróci? Bo może załatwią, nie daj Boże, ekstradycję i do sprawy umieszczą ją u mnie...

– Nie popadaj w optymizm, po sprawie mogą też. Przecież tutaj zbrodniarz siedzi w więzieniu w dzień, a na noc wraca do domu, albo może odwrotnie, w nocy siedzi, a na dzień wraca.

– W ogóle nie siedzi, tylko leczą go w zakładzie psychiatrycznym. W jej wypadku to pewne, więc może mogłabym mieć nadzieję. Poza tym to nie ja mam zostać ukarana i mogę się nie zgodzić, tu szanują prawa człowieka.

Jak zwykle, usiadłam przy stole naprzeciwko niej.

– Wedle tego co mówił pan Muldgaard, władze się nie dogadają, a ona się wybroni, istnieją okoliczności łagodzące…

– Jakie?!

– No jak to jakie, straszny wstyd jej przynosił i nie chciał się odczepić, leciał na dziwki, pieniądze jej zabierał i siedział na nich, na wszystko skąpił, kawałka chleba żałował…

– Nie chleba, tylko bułki – poprawiła w zamyśleniu Alicja. – I nie jej, tylko łabędziom. Z tymi pieniędzmi to prawda, czy wymyśliłaś teraz?

– Wymyśliłam teraz – przyznałam się. – Wątpię czy jej naprawdę zabierał, ona twarda w gruncie rzeczy, ale zawsze tak można powiedzieć, nie?

– Móc, można. Po diabła się go w ogóle trzymała i wmawiała Hani, że go kocha nad życie?

Zastanowiłam się dogłębnie. Nie działała ta Julia na żywioł, wszystko miała przemyślane, trochę się tylko potknęła. Zabrakło odrobiny fartu.

– Nie było jej przeznaczone – powiadomiłam Alicję, omijając początek rozważań. – Po pierwsze, to on jej się trzymał, a nie ona jego. Po drugie, zaczynała już przygotowywać grunt i stwarzała sobie alibi, skoro kocha, mowy nie ma, żeby kropnęła! Tutaj też, zauważ, jedyna obszerniejsza wypowiedź, jaką wygłosiła, to był komunikat, że nie ma życia bez niego. Przedtem nic i potem nic, strzeliło i zgasło. Nawet nieźle wymierzone.

Alicja oceniała moje poglądy, wpatrzona w pustą filiżaneczkę po kawie.

– No może… Nawet na chwilę uwierzyłam i spodziewałam się, że ją odblokuje. Myślisz w końcu, że go kochała, czy że nie?

– Myślę, że miała mieszane uczucia – powiedziałam stanowczo i podniosłam się, bo Alicja nie miała już kawy, ja zaś postanowiłam przejść na herbatę. Przztyknęłam czajnikiem. – Czekaj, bo to nie koniec, ja teraz omawiam planowanie zbrodni.

– Ciekawa rzecz, ktoś mi wypił kawę…

– No przecież właśnie ci robię! Nie mogłabyś jej pić w normalnej filiżance, a nie w takim naparstku? W naparstkach wschodnie narody podają poczwórnego szatana.

– Wyobrażam sobie, że to jest poczwórny szatan i nie chcę pić za dużo. Poza tym lubię małe filiżanki. Planujesz zbrodnię, no dobrze, co dalej?

– Wykorzystała tę swoją katastrofę samochodową, ujrzała okazję i poszła na całość. Rehabilitację odwaliła w absolutnej tajemnicy, słabowita ofiara, nic nie może, wszyscy widzieli, a naprawdę koncertowo wróciła do formy. Druga okazja, to był pierwszy błąd. Siatka Marianka, znaleziona w samochodzie, pangolin żadnych porządków nie robił, ona ją dostrzegła i zużytkowała. Łachy w pośpiechu wywaliła byle gdzie i poleciała za nim, śledziła go od początku i dziewuchy ją pewnie jeszcze podbudowały… Nie krzyw się, to niezły doping, argument dla obrony…

– Jaki?!

– Zbrodnia w afekcie.

– Nie może być zbrodnia w afekcie, skoro wzięła siatkę.

– Puknij się, samo noszenie siatki o niczym nie świadczy, ale mówię przecież, że to był pierwszy błąd. Spotkała się z nim, czy zakradła od tyłu, nie wiem i wszystko mi jedno, załatwiła podstawową sprawę, ale potem pojawił się kłopot. Łachy Marianka. Możliwe, że jeszcze miała je w samochodzie, kiedy tu przyjechała, mogła przeoczyć, bo w końcu wątpię, czy popełnia zbrodnie codziennie, a niechby i raz na tydzień. W każdym razie zostawiła w samochodzie czy pirzgnęła w krzaki, musiała się ich pozbyć przez psa...

Słuchająca uważnie Alicja potrząsnęła głową.

– Do psa miała prawo. W jej samochodzie leżały.

– Za mało. Marianek tak, pangolin też, ale nie delikatna ofiara, która ich nawet nie dotykała, wsiadła z przodu, wysiadła i tyle. Utopić owszem, najlepiej, ale tu przedobrzyła, drugi błąd...

– To jest jezioro, nie potok, woda tak bardzo nie płynie, może to się utrzymać na wierzchu i ktoś zobaczy...

– A niech ogląda! Niech nawet wyłowią, co z tego? Pies już jej nie wywęszy. Ale pewnie tak właśnie myślała i dlatego potopiła w kawałkach i z kamieniami, w kawałkach niepotrzebnie, nie doceniła tego wiru. Bezpieczniej było zrobić tobołek, kamień do środka i won. Nikt by jej nie widział, nie zgubiłaby breloczka... No i trzeci błąd, akrobacje w ogrodzie.

Alicja domacała się papierosa i pokręciła głową.

– Nie wiem, czy to błąd. Przecież nie miała pojęcia, że tam jesteś.

– Mogła poczekać z tą gimnastyką, ostrożność nie zawadzi, euforia ją zgubiła. No i niefart okropny, to już nie jej wina, telefon od nerwowego trenera Zadry. Chociaż... czy ja wiem? Powinna była przewidzieć i sama do niego zadzwonić ukradkiem, bodaj z poczty, a z drugiej strony nieprzewidziana pomoc, wycieczka, dziewuchy i Arnold z dziadkiem...

– Czekaj, zaraz. Przecież o gimnastyce nikt z nas by nie doniósł!

– No to sam trener, bez gimnastyki. Dogadali się tam u nas ze Zbyszkiem, Zbyszek ich napuścił na trenera, bo niby kogo miał im podetknąć? No i dodali sobie co trzeba, więc z jej strony był to błąd. Ale ogólnie zaplanowała doskonale i gdyby nie te drobne potknięcia, padłoby na Arnolda albo sprawca nieznany.

– No i Marianek jej się przysłużył. Nie rozumiem dlaczego nie mam już kawy.

Ze zdziwieniem stwierdziłam, że nie mam już herbaty i podniosłam się czym prędzej.

– Siedź na tyłku, zrobię, a ty się teraz nad tym zastanów. Ja już zbrodnię odpracowałam, twoja kolej.

– Papierosów też nie mam – mruknęła Alicja i pogrzebała w torbie. – No dobrze, twoja zbrodnia mi się podoba, pomyślę nad nią. Dręczą mnie teraz te wielkie miłości, dlaczego to ciągle na mnie pada? Kochała go, czy nie?

– No przecież ci mówiłam, że w kratkę! – zniecierpliwiłam się, stawiając napoje na stole. – Chciała go, mogę się dziwić do upojenia, ale chciała, a równocześnie nosem jej wychodziły jego kretyństwa, walczyło to w niej ze sobą!

– I uważasz, że co, jedno z tych wojowniczych uczuć nagle wygrało?

Sceptycyzm w głosie Alicji bił na głowę wszelkie walczące uczucia. Zirytował mnie.

– Ten twój racjonalizm uczuciowy jest nie do zniesienia! Nigdy nie miałaś okazji tak się miotać między młotem a kowadłem?!

– Między lądem a morzem…

– Niech ci będzie, między ustami a brzegiem pucharu…

– Między nami nic nie było…

– Uspokój się, bo w życiu z tego między nie wyjdziemy! Ty nigdy się nie…?

– Raz – wyznała Alicja ze skruchą. – Ale krótko i bez morderczych efektów. W ogóle nie rozumiem wytrzymywania z facetem, który wstyd przynosi.

Westchnęłam.

– Ja rozumiem. Aż za dobrze. Co do morderczych efektów, to owszem, byłam bliska, też raz, ale po namyśle wolałam przyjechać do ciebie.

– A, to wtedy…! I dalej się miotałaś, ponieważ byłaś głupia, dawało się widzieć. A teraz co? Wracamy do pierwotnego tematu?

Znów westchnęłam.

– Teraz jest trudniej. Młoda dzieweczka miała przed sobą większe szanse…

– Młoda dzieweczka…! – prychnęła drwiąco Alicja.

– No dobrze, średnio młoda. Albo może nie całkiem dzieweczka. Za to osoba w średnim wieku powinna mieć więcej rozumu i stąd tak rychłe odkrycia, z niechęcią dokonane.

Alicja zaciekawiła się wyjątkowo.

– Naprawdę z niechęcią? I nie wymawiając, nie bardzo rychłe.

– Jedno wiąże się z drugim, a rychłe owszem, tylko przed samą sobą ukrywane. Tym bardziej przed światem. Optymistycznie miałam nadzieję, że może się mylę, a może uda mi się przeciwdziałać.

– Rozpękniętym brzuszkom na ćlamanym zboczu…

– Odchrzań się od brzuszków, zbocze wystarczy. O, właśnie! Julia zapewne też miała nadzieję i teraz ją ostatecznie straciła. Mnie w każdym razie pangolin pozbawił optymizmu radykalnie i gruntownie. Doceniłam potęgę łgarstwa!

– To może wreszcie zdecyduj się na coś. Twój mąż nie jest skąpy?

– Przeciwnie. Ma gest. Poza tym były mąż.

– Bez znaczenia. I o brzuszkach nie pisał?

Wstrząsnęła mną myśl, że facet, którego byłam żoną i matką jego dzieci, mógłby do mnie wypisywać takie debilne androny. Zajrzałam do filiżanki i zdenerwowałam się dodatkowo.

– Cholera. Ktoś mi wypił herbatę!

Alicja znów zajrzała do swojej.

– A mnie kawę. Czekaj, teraz ja zrobię. Ty pewnie chcesz gorącą, z czajnika? Słuchaj, a może byśmy coś zjadły? Nie jesteś głodna?

– Nie, ale zjem z łakomstwa. Co ty masz za upiorne pomysły...

Frokost nie nastręczył nam trudności, tosty, wędlinka, sałatki, parówki, kilka gestów wystarczyło, żadnej ciężkiej pracy! Miniony tydzień wymagał nie tylko odpoczynku, ale także porządnego oplotkowania. Co prawda oplotkowanie zjechało trochę z właściwej drogi i przeszło na manowce, jakiś związek jednego z drugim jednakże istniał.

– On nie łże świadomie – powiadomiłam Alicję, rozpoczynając posiłek. – On myśli, że nie mówi całej prawdy i tylko coś ukrywa. A ukrywać musi koniecznie, żeby mieć coś, czego nie ma nikt inny.

– Z tego wynika, że chciwy. Czekaj, o którym mówisz? Twój mąż czy ten wspanialec?

– Wspanialec. Mój mąż nie, takie głupoty nigdy nie przychodziły mu do głowy. Ale mam wrażenie, że pangolin też święcie wierzył w swoje bredRnie?

Alicja zastanawiała się przez chwilę. W zadumie nakapała trochę śmietanki do sałatki z czerwonej kapusty, zabrałam jej śmietankę i podsunęłam pieprz. Spojrzała, kiwnęła głową, akceptując zamianę, i wymieszała wszystko razem.

– Nie jestem pewna. Może tylko liczył na to, że inni uwierzą i on zaświeci własnym blaskiem...

W tym momencie brzęknęły drzwi, zamarłyśmy obie na bardzo krótko, bo od razu pojawiła się Marzena. Weszła jakoś ostrożnie, najpierw wyciągając szyję i wtykając głowę. Rozejrzała się po salonie.

– Czysto? – spytała półgłosem.

– Czysto, chodź czym prędzej, święty spokój...

– Nie mów głośno takich rzeczy! – wrzasnęłam ostrzegawczo.

– Tfu! Siadaj, zjedz coś, ja już uwierzyłam, że ona nie wróci...

– A jak wróci, to do duńskich Tworek...

– I nikt nie wyskoczy z pocałunkami – rozjaśniła się Marzena. – I żadna hiena nie pojawi się znienacka, bo widzę, że drzwi otwarte. Co za szczęście!

W mgnieniu oka zrzuciła z ramienia torbę, wyjęła talerz dla siebie, przytyknęła czajnikiem i już siedziała przy stole. Podsuwałyśmy jej co popadło, Alicja zdjęła z półeczki kawę.

– Chcesz parówki?

– Nie chcę parówek, zjadłam na dworcu i przyjechałam pociągiem, żeby móc pić wszystko w razie potrzeby. Nie wiem, czy nie powinnam uczcić pangolina!

– Oszalałaś! – zgorszyła się Alicja.

– Bo co się stało? – spytałam podejrzliwie.

– Bo się przyczynił. No, fakt, że bezwiednie. Werner się prawie przestraszył, co mi się stało, że jestem taką cudowną żoną, istny anioł z nieba, możliwe, że trochę przesadziłam, bo powiem wam... co mi się czknęło pangolinem, Werner robił za bóstwo. I chyba latałam koło niego jak koło śmierdzącego jajka, może i nadmiernie, ale nie mogłam się pohamować. Ty masz rację – zwróciła się nagle do mnie. – Nie ma tego złego, co by na dobre nie wyszło, czy tam odwrotnie, bo już mi się myli. Dlatego przyjechałam pociągiem.

Alicja bez sekundy namysłu zrozumiała aluzję.

– Te trzy butelki na dole to stanowczo za dużo, gulasz mi się kompletnie rozmrozi, chociaż kawałek miejsca potrzebuję. Czekajcie, przyniosę jedną i gdzieś go wepchnę, nikt mi nie musi pomagać.

Tanecznym krokiem przeszła przez pokój telewizyjny, którego zwolnienie wciąż nam sprawiało przyjemność. Popatrzyłam za nią z błogą satysfakcją i odwróciłam się do Marzeny.

– Chcesz nowości?

– Uważam, że jest to pytanie bardzo głupie!

Czym prędzej zgodziłam się z jej opinią i powiedziałam o odnalezionym dopisku Zbyszka, dokładając całe planowanie zbrodni, które Marzenie spodobało się ogromnie. Wróciła Alicja z butelką szampana w ręku.

– Trzeba znaleźć jeszcze z jedną okazję, bo mi nie wszystko weszło – rzekła z niezadowoleniem. – Czy Werner nie odniósł jakiego sukcesu?

– Odnieśli szalony sukces, dlatego byli o dzień dłużej...

– A poza tym Elżbieta z Olafem, jak wrócą, też chętnie uczczą cokolwiek – uzupełniłam. – Jakby chcieli, mogą mnie.

– Bo ty co...?

– Prawie podjęłam decyzję przy niezamierzonej pomocy pangolina. Na tamtym świecie już się pewnie tym dławi.

– Wstrętne megiery jesteśmy – orzekła Alicja kompletnie bez skruchy i przystąpiła do otwierania butelki. Marzena odebrała jej to zajęcie, bo umiała lepiej.

– Wiecie, ja już sama nie wiem, które z nich było gorsze, ona czy on – wyznała. – Niby ona milcząca, a on słowotok i wodolej...

Przerwałam jej od razu.

– I właśnie przez to swoje milczenie nieznośna. Kto milczy, ten coś ukrywa, gęby nie otwiera, żeby żadnej tajemnicy przypadkiem nie zdradzić, jakiej tajemnicy ona pilnowała? Nie podobało jej się tu cholernie, wstręt ją brał i za skarby świata nie chciała tego wyjawić? Szczękościsku dostawała od samej obecności ukochanego bóstwa?

– Bez bóstwa też milczała...

– Toteż właśnie. Ale zgaduję, co jeszcze. Siedziała tu, bo chciała się czegoś dowiedzieć, nie zadając pytań. Zauważcie, że taki wściekle milczący rozmówca prowokuje do gadania, milczała i czekała, co też nam się wyrwie.

– Chyba nic nam się nie wyrwało? – zastanowiła się Alicja.

Korek wyszedł Marzenie elegancko, z lekkim pyknięciem, Alicja ustawiła na stole kieliszki.

– Mówiłaś, że druga żona twojego męża też milczała – przypomniała mi. – To jak w końcu, wiesz dlaczego, czy nie?

– Ona była chyba na poziomie zboczy i hasania...

– O! – zainteresowała się gwałtownie Marzena i czym prędzej zakończyła nalewanie. – Znów zaczynacie! Może ja wreszcie coś zrozumiem z tych popękanych, zboczonych brzuszków? Nie przeszkadzajcie sobie!

– Nie zamierzamy, ale teraz Werner ważniejszy – zarządziła Alicja, dokładając do zagrychy oliwki i serek, i siadając wreszcie przy stole. – Pod Wernera, chlup!

Toast Olafa najwyraźniej się przyjął.

W sposób nieco mętny i chaotyczny wyjaśniłyśmy Marzenie pochodzenie brzuszków i zboczy, w pełni oczyszczając z podejrzeń mojego męża. Podjęłam temat drugiej żony.

– Przez dwa tygodnie, kiedy miałam zaszczyt przebywać w jej towarzystwie, mówiła wyłącznie tak albo nie i tylko jeden raz usłyszałam od niej trzy słowa razem. Robiła jajecznicę na śniadanie i te jajka mieszała w garnku, zamiast rozbijać na patelnię. Zdziwiłam się, bo przez chwilę myślałam, że chce zrobić omlet, ale w życiu omletu łyżką w garnku nie ubije, więc ją spytałam, dlaczego tak miesza. Bo może nie chce glutów albo klabzdronów z białka? Przytomnie nie zaczęłam pytania od czy, żeby jej nie ułatwiać tego tak albo nie, więc mi odpowiedziała: „Ja tak robię". I na tym koniec, a w oczy biło jak przy tym wysiłku cierpi. Że ona tak robi, sama widziałam, ciekawiły mnie przyczyny i cele, ale tę tajemnicę zachowała przy sobie.

– Może rzeczywiście nie chciała klabzdronów z białka? – uczyniła niepewne przypuszczenie Alicja.

– No wiesz! – obruszyła się Marzena. – Potrafię zrobić jajecznicę jaką chcesz, gęstą, rzadką, z klabzdronami, drobniutko wymieszaną, bez żadnego bełtania w żadnym garnku. Od razu na patelni. To jakaś idiotka?

– Konkursowa – potwierdziłam z przyjemnością. – Myślałam nawet, że może w ten sposób okazywała niechęć do mnie, bo na mojego męża już wtedy miała zakusy, ale nie. Dowiadywałam się specjalnie, ze wszystkimi tak samo, i służbowo, i prywatnie. Panowało ogólne mniemanie, że po prostu nie ma nic w głowie, więc skąd do niej ludzka mowa?

Marzena okazała wyraźne zgorszenie.

– I twój mąż na nią poleciał?

– Zgłupiał i poleciał. Zastosowała znaną metodę, on do niej mówił, a ona słuchała, słowa z tego nie rozumiała, więc tylko kiwała łbem z miłym uśmiechem. Ujrzał w niej szczyty intelektu, ale już dawno mu przeszło. Obecnie jest rozwiedziony z trzecią żoną, a ja zaczynam z nim chodzić.

– Bo ten twój aktualny co...?

– Zaraz – przerwała Alicja i mój mąż znów nam uciekł z tematu. – Julia na pewno nie jest tępadłem, inteligencji jej nie brakuje... Wiecie, jak wspomnę te byczki... to wino... i resztę... chyba zaczynam ją trochę rozumieć...

*

Elżbieta z Olafem wrócili akurat, kiedy wypiwszy ostatnim kieliszkiem szampana zdrowie mojego męża, stwierdziłyśmy, że właściwie nie mamy nic na obiad. Musieli to odgadnąć telepatycznie, bo przywieźli trzy pieczone kurczaki, co najmniej ze dwa kilo smażonych filetów rybnych i lody. Pomysł mieli doskonały, szampan do tych potraw świetnie pasował, a zdrowie Wernera oraz mojego męża stanowczo chcieli też wypić. Rozradowana Alicja natychmiast popędziła do atelier, w pokoju telewizyjnym odtańczyła kilka obrotów oberka, zrzuciła z półki niedużą doniczkę z ziemią i jakimś kiełkiem, po czym w pląsach przyniosła następną butelkę napoju.

– Ciekawe, kiedy uda mi się przejść przez ten pokój normalnym krokiem – zastanowiła się radośnie, stawiając flachę na stole. – Wyobraźcie sobie, zmieściło mi się to duże, okazuje się, że są to dwie rzeczy, a nie jedna. Kotlety schabowe i klopsiki w sosie, na szczęście oddzielone od siebie. Parę następnych obiadów mamy z głowy.

Przygotowania spożywcze szły ślamazarnie, bo nie było jeszcze późno, szampan wychodził powolutku, a Olaf opowiadał o Gillelejach z wielkim naciskiem na ryby, ponieważ z uporem uczył się porządnie wymawiać rrrr.

– Rrrryby – informował. – Woda. Plywa. Rrrryby plywa. Kurrrrwa. Gorrroco. Woda dobrrrra kurrrwa rrrryba.

Elżbieta machnęła ręką na jego edukację, zostawiając korekty gramatyczne Marzenie i Alicji. Wyszłyśmy na taras.

– Co tu właściwie ma do rzeczy twój mąż? – spytała, użytkując ostrożnie fotel z poduszką. – Bardzo chętnie wypiję jego zdrowie nawet kilkakrotnie, ale chciałabym wiedzieć dlaczego? Zdawało mi się, że masz jakiegoś stałego...?

Zajęłam stołek.

– Miałam. Przestaję mieć.

– Bo co?

– Romeo i Julia. Uświadomiłam sobie, że ten mój, już schodzący ze sceny, cholernie przypomina wodoleja. Gadaniem głównie, chociaż nie tylko. Nie rzuca się na baby z pocałunkami powitalnymi, ale niekiedy w przypływie rozczulenia całuje jakąś w łokietek.

– W co...?

– W łokietek. Tak w nim wezbrało i musi dać ujście.

– O łokietku nie mówiłaś – zwróciła mi z pretensją uwagę Alicja od drzwi salonu.

– Nie zdążyłam.

– Łokietek przekonuje mnie ostatecznie. Często mu tak wzbiera?

– Różnie. Przeciętnie dwa razy na tydzień. A z mężem zaczęłam właśnie chodzić, bo nie poznał mnie na imprezie rodzinnej i wydałam mu się bardzo sympatyczna. Wstydu, poza drugą żoną, nigdy mi nie przyniósł, w razie czego robi raczej za gbura niż za idiotę i w dodatku wali prawdę jak z katapulty. Chwilowo ma bezkrólewie, więc szansa istnieje.

– Chyba popieram – powiedziała Elżbieta. – Czegoś takiego jeszcze osobiście nie widziałam. Tym chętniej wypiję jego zdrowie.

Udało nam się wreszcie usiąść przy stole i rozpocząć gromkie toasty, okazało się przy tym, że szampan z oliwkami zdecydowanie dodaje apetytu, Olaf radośnie warczał zdrrrowiem, a w połowie posiłku pojawił się Marianek. Smutny, zniechęcony i bardzo głodny. Do szampana nie miał serca, wolał piwo. Tym, co istniało jeszcze na półmiskach, zajął się tak, że można było nie zwracać na niego uwagi.

Wciąż usiłowałam wyjaśniać Alicji skomplikowane perturbacje uczuciowe.

– Masz takiego, który w lustrze widzi róży kwiat, sam sobie pachnie wonią niebiańską, a przy ludziach te kwiaty i wonie wdzięcznie roztacza i kretyna z siebie robi. Wątroba ci jęczy i zgrzyta, gipsu do gęby byś mu napchała, ale go kochasz...

– Nie – przerwała Alicja zimno. – Nie mam takiego i nie kocham.

– No dobrze, to nie ty, to ona...

Wskazałam łyżeczką Elżbietę, która wzruszyła ramionami, nie protestując.

– Nie masz na myśli konkretnie Olafa? – upewniła się Marzena.

– Nie. To teoretycznie. W domu, w cztery oczy, sobaczysz go dyplomatycznie, żeby mu przykrości nie zrobić, bo go kochasz, a on taki zdziwiony i zmartwiony, denerwuje się, nie bardzo wierzy, ale poprawę przyrzeka, kawkę ci robi, wino otwiera, na ręce cię... znaczy ją – znów czym prędzej machnęłam ku Elżbiecie, bo Alicja już zaczynała się krzywić – ...łapie i do łóżka niesie, a jak cię w tym łóżku rzetelnie zwyobraca, przebaczasz mu wszystko...

– Czy nie mogłabym się z nim spotykać wyłącznie w cztery oczy? – spytała uprzejmie Elżbieta. – Bez żadnych ludzi?

– Nie da rady. Współpracujesz. I jeszcze masz korzyść z niego, bo odwali za ciebie niepewne perfidie i nie ty będziesz robić za głupkowatą świnię, tylko on. I tak cię rozczula, i z takim ogniem udaje, że też cię kocha, i tak śmiertelnie głupio naraża się wszystkim i wszystko paskudzi, i tak się nadyma, jaki to on ważny... Nie kropnęłabyś go w końcu, jak już ta rozterka nosem ci wyjdzie?

– Na razie to oni wszyscy mnie nosem wychodzą – oznajmiła gniewnie Marzena. – Z wyjątkiem Wernera, zastrzegam. Jak już zjemy, zmiotę ziemię w pokoju telewizyjnym i może też tam odtańczę trepaka. Niech już wszelki ślad po kochankach z Werony zaginie!

– Tam daktyl wykiełkował, nic mu nie będzie, ale nie wyrzucaj go – powiedziała pośpiesznie Alicja i podniosła się od stołu, bo zadzwonił telefon.

Od razu dała na głośne i wszyscy wszystko słyszeli.

Zbyszek wyjaśnił sprawę niezbyt ważną, ale nieco intrygującą, mianowicie kwestię zaproszenia, bez którego państwo Buccy nie zdołaliby wizytować Danii. Otóż załatwił to młody dziennikarz duńsko-holenderski o podwójnym obywatelstwie. Podobno pan Bucki obiecał mu postarać się o tłumaczenie i wydanie jego książki, bo młodzieniec czuł w sobie natchnienie pisarskie i wenę wysokiego lotu. Co prawda nikt mu nie chciał tej książki wydać ani w Holandii, ani w Danii, pan Bucki jednakże rozkwitał wielkimi nadziejami. Podwójne obywatelstwo młodzieńca pozwoliło wystosować zaproszenie, jakiś lekkomyślny duński krewny przyłożył się do wizy i wyjechał na wakacje do Hiszpanii, a faktyczną metę u Alicji załatwiła otumaniona wielką miłością Hania.

Alicja odłożyła słuchawkę.

– No i masz – powiedziała do mnie z irytacją. – Wielkie miłości, cha, cha. Chciałabym wiedzieć tylko, kiedy te kretyństwa przestaną odbijać się na mnie. Każdego następnego gościa będę pytała, czy przypadkiem nie wydaje mu się, że kogoś kocha nad życie!

– Nie przyzna się i co zrobisz?

– Chlup! – powiedział pocieszająco Olaf. – Na zdrrrowie!

– Ale jednak na coś się przydali i jakąś korzyść przynieśli – zauważyła Elżbieta łagodnie.

– Komu?!

– Joannie. Rozumiem, że zdecydowała się na męża...

Pozostawiony samemu sobie Marianek skrupulatnie odpracował obiad do końca, z każdą chwilą zmieniając nastrój. Już zaczynał przejawiać pogodę ducha, ale teraz znów zmroczniał.

– Korzyść, korzyść! – sarknął. – Ja tam nie wiem, dla kogo ta korzyść. Siostra mnie z domu wygania i w ogóle całkiem każe wracać, chyba że taką jedną pieczarkarnię pójdę czyścić. Ja bym nawet może i poszedł, ale żeby mnie chociaż za próg wpuszczała!

– Przez te pocięte stare portki i gacie? – zdziwiła się Elżbieta.

– Nie stare, tylko do prania. Stare najwyżej trochę. I po co to było...

– W takim razie korzyść odniosła także Alicja – zaopiniowała Marzena bezlitośnie. – Nie musi robić prania specjalnie dla ciebie. Oświadczam wam, że tej ofiary losu też mam dosyć, idę posprzątać ten pokój do końca.

Ze szczotką, śmietniczką i pustym pudłem na śmieci znikła w pokoju telewizyjnym. Posprzątałyśmy ze stołu, Elżbieta zaczęła robić kawę, Alicja wetknęła mi w ręce nakrycia do stołu salonowego, Marianek przeniósł w kierunku zmywarki całe dwa talerze, po jednym. Narzekał w dalszym ciągu.

– Wymawia mi wszystko, a przywiozłem od matki ogórki i bigos, i śledzie, i kiełbasę, to nie, jeszcze jej mało. A szwagier lubi te rzeczy i prawie do końca sam zjadł, a co nie zjadł, to schowała...

– A od siebie co przywiozłeś? – spytałam niewinnie.

– Co...?

– Od siebie. Całe żarcie od matki, a od ciebie co? Wódka z promu, wino, szynka w puszce? Czekolada z orzechami? Na promie za pół ceny.

Marianek jakby trochę z tego zbaraniał. Nie przyszło mu do głowy, nie miał pieniędzy, nie wiedział, że trzeba, podobnego czynu nikt od niego nigdy nie wymagał! Skąd on miał wziąć coś od siebie...? Rozgoryczenie w nim aż zatrzeszczało.

– Żeby chociaż te gliny nie spaskudziły ostatniej puszki! Wcale one nie były takie złe, te byczki, a zawsze coś... Już bym jej to zaniósł, a szwagier pewno czegoś takiego w życiu nie jadł, pyskować by może przestała. On taka złota rączka, nawet by mu się chyba otworzyć udało... I może by mnie nie wygoniła z domu...

Wzrokiem pełnym przygnębienia i nieśmiałej nadziei usiłował patrzeć na Alicję, ale Alicja uparcie go nie widziała i nie słyszała, nawet jej wytrzymałość miała swoje granice. Marianek bezpośrednio po kochankach z Werony to było stanowczo za wiele, byłam pewna, że za jakiś tydzień się złamie, może za dwa, teraz jednak samarytańskie miłosierdzie nie było jej dostępne. Tak to przynajmniej wyglądało, coś jednakże w niej drgnęło, Marianek skamlał uporczywie, Alicja przestała wnikliwie oglądać swoją narożną szafkę i zaczął mnie ogarniać niepokój. Rany boskie, ugnie się i będę musiała wyjechać, bo Marianka na stałe chwilowo nie zniosę...

W drzwiach pokoju telewizyjnego pojawiła się Marzena, nieco przykurzona i rozczochrana, z przyrządami do sprzątania w rękach.

– Wiecie, że to jest nie do uwierzenia – powiedziała, oszołomiona. – Ile oni tego, na litość boską, przywieźli?! Ogołocili pół miasta?!

Marzenę Alicja zauważyła od razu.

– A co...?

– Jak ci się udało tę ziemię tak porządnie rozsypać? No, sucha była trochę, to fakt, ale głównie pod łóżkiem rozsiałaś. Schowałam dolne łóżko, musiałam pod nim wymiatać aż do samego okna, i popatrzcie, co znalazłam!

Odstawiła szczotkę i ze śmieciowego pudła z ziemią i skorupami doniczki wygrzebała trzy okrągłe puszki, nie bardzo lśniące.

– Oni chyba niczego innego nie dostali, a tego ruszyć nie mogli, bo otworzyć nie sposób...

– Co to jest? – spytała z podejrzliwym niedowierzaniem Alicja.

– Jak to co? Byczki w pomidorach!

– Niemożliwe! Coś podobnego...

– Musiały im wylecieć z torby i poturlały się do kąta, a tej małomównej heroinie nie chciało się tam włazić na czworakach. Odżałowała.

– A może nie życzyła sobie pamiątki po pangolinie?

– Albo nie wiedziała nawet, ile tego mają. Zdewastowane skąpiradło wzięło je w tajemnicy, żeby się nie szastać po knajpach i barach...

– Ryby są zdrowe – bąknęła Elżbieta.

– Rrrryby! – ucieszył się Olaf.

Marzena pozbyła się łupu i byczki w pomidorach stanęły na stole.

– Alicja, co z tym zrobić?

Zanim Alicja zdążyła się odezwać, do Marianka dotarło. Roziskrzonym wzrokiem wpatrzył się w łup.

– Alicja, ty to chcesz...?

– Nie – powiedziała Alicja z wyjątkową stanowczością. – Nie chcę.

– To może ja tego… mogę zabrać i tego, no… wyrzucić…

– Wyrzucić?

– No tego, no nie, no dobrze, wziąłbym do siostry…

Nie spotkał się ze sprzeciwem. Rezygnując ze śmietanki do kawy, jakoś bardzo szybko wybiegł ze zdobyczą…

Co do męża, postanowiłam jeszcze poważnie się zastanowić.

k o n i e c

Bibliografia dotychczasowej twórczości Joanny Chmielewskiej

Klin 1964

*

Wszyscy jesteśmy podejrzani 1966

*

Krokodyl z Kraju Karoliny 1969

*

Całe zdanie nieboszczyka 1972

*

Lesio 1973

*

Zwyczajne życie 1974

*

Wszystko czerwone 1974

*

Romans wszech czasów 1975

*

Większy kawałek świata 1976

*

Boczne drogi 1976

*

Upiorny legat 1977

*

Studnie przodków 1979

*

Nawiedzony dom 1979

*

Wielkie zasługi 1981

*

Skarby 1988

*

Szajka bez końca 1990

*

2/3 sukcesu 1991

*

Dzikie białko 1992

*

Wyścigi 1992

*

Ślepe szczęście 1992

*

Tajemnica 1993

*

Wszelki wypadek 1993

*

Florencja, córka Diabła 1993

*

Drugi wątek 1993

*

Zbieg okoliczności 1993

*

Jeden kierunek ruchu 1994

*

Autobiografia 1994, 2000, 2006, 2008

*

Pafnucy 1994

*

Lądowanie w Garwolinie 1995

*

Duża polka 1995

*

Dwie głowy i jedna noga 1996

*

Jak wytrzymać z mężczyzną 1996

*

Jak wytrzymać ze współczesną kobietą 1996

*

Wielki diament t. I/II 1996

*

Krowa niebiańska 1997

*

Hazard 1997

*

Harpie 1998

*

Złota mucha 1998

*

Najstarsza prawnuczka 1999

*

Depozyt 1999

*

Przeklęta bariera 2000

*

Książka poniekąd kucharska 2000

*

Trudny trup 2001

*

Jak wytrzymać ze sobą nawzajem 2001

*

(Nie)Boszczyk mąż 2002

*

Pech 2002

*

Babski motyw 2003

*

Las Pafnucego 2003

*

Bułgarski bloczek 2003

*

Kocie worki 2004

*

Mnie zabić 2005

*

Przeciwko babom! 2005

*

Krętka Blada 2006

*

Zapalniczka 2007

*

Traktat o odchudzaniu 2007

*

Rzeź bezkręgowców 2007

*

Porwanie 2009

*

Byczki w pomidorach 2010

Wydrukowano na Amber Volume 15 70g/m²

Dystrybutor
Firma Księgarska Jacek Olesiejuk Sp. z o.o.
05-850 Ożarów Mazowiecki, ul. Poznańska 91

www.olesiejuk.pl
tel. +48-22-721-30-11
fax +48-22-721-30-01

Skład i łamanie: Akant, Zalesie Górne
Druk i oprawa: Arspol Bydgoszcz